D1288610

PIGNON SUR RUE

LES QUARTIERS DE MONTRÉAL

Cette publication a été réalisée dans le cadre d'une entente conclue entre la Ville de Montréal et le ministère des Affaires culturelles du Québec sur la mise en valeur du Vieux-Montréal et du patrimoine montréalais.

Ville de Montréal

PIGNON SUR RUE

LES QUARTIERS DE MONTRÉAL

conception générale et textes
Michèle Benoît et Roger Gratton

GUÉRIN

littérature

Dépôt légal 4e trimestre 1991
ISBN-2-7601-2494-0
Bibliothèque nationale du Québec
Bibliothèque nationale du Canada
IMPRIMÉ AU CANADA

Note de l'éditeur

L'équipe des éditions Guérin est fière d'avoir collaboré à la réédition de cet ouvrage. Pendant près d'un an elle n'a pas ménagé ses efforts pour faire de cette remise à jour des fascicules de *Pignon sur rue, les quartiers de Montréal*, un succès. Cette réédition se présente sous deux visages, le premier constitué par l'édition individuelle des treize fascicules et l'autre, par la publication d'un ouvrage les regroupant tous. Pour faciliter la consultation de cette publication, nous avons dû, pour éviter de trop grands changements à l'édition originale, ajouter une pagination qui n'apparaît que dans cette version, en haut de page.

Introduction

Pignon sur rue, une série de treize monographies sur l'histoire du développement et de l'architecture des quartiers de Montréal, fera connaître aux Montréalais le contexte et la manière dont fut bâtie cette ville, pour mieux les inciter à poursuivre dans l'harmonie l'oeuvre de leurs ancêtres.

Ces monographies ont été réalisées dans le cadre de l'entente conclue entre le ministère des Affaires culturelles et la Ville de Montréal sur la mise en valeur du patrimoine montréalais. Il nous est apparu important de rendre compte, non seulement de l'architecture, mais d'un grand nombre d'aspects géographiques et culturels qui ont contribué au développement des quartiers de Montréal. Les cours d'eau, par exemple, n'ont-ils pas d'abord été les lieux privilégiés des premiers établissements? Les accidents géographiques, les marécages ainsi que les carrières ont tous leur importance au sein du développement de la ville.

Du point de vue architectural, nous avons préféré à la pureté du style une répartition plus géographique des archétypes répertoriés. En outre, nous avons considéré certains aspects historiques déterminants pour le quartier concerné (le fait national, la petite histoire locale ainsi que l'histoire montréalaise).

Pignon sur rue se veut un jeu où les titres, les textes historiques et quelque 700 illustrations anciennes et contemporaines, tableaux et plans invitent le lecteur – universitaire ou ouvrier, écolier ou bâtisseur – à découvrir Montréal. Le nom même de *Pignon sur rue* représente cette préoccupation que nous avons de donner droit de cité à chacun. À travers la géographie, l'archéologie, l'architecture ou l'histoire, le lecteur cerne les réalités qui ont façonné les quartiers montréalais et découvre ainsi des réponses qui lui permettront de contribuer au développement plus harmonieux de son propre quartier.

Roger Gratton

«Souvent alors des coups de klaxons furieux animaient l'air comme si Saint-Henri eût brusquement exprimé son exaspération contre ces trains hurleurs qui, d'heure en heure, le découpent violemment en deux parties. Le train passa. Une âcre odeur de charbon emplit la rue. Un tourbillon de suie oscilla entre le ciel et le faîte des maisons. La suie commença à descendre, le clocher de Saint-Henri se dessina d'abord, sans base, comme une flèche fantôme dans les nuages. L'horloge apparut; son cadran illuminé fit une trouée dans les toiles de vapeur; puis, peu à peu, l'église entière se dégagea, haute architecture de style jésuite. Au centre du parterre, un Sacré-Coeur, les bras ouverts, recevait les dernières parcelles de charbon. La paroisse surgissait. Elle se recomposait dans sa tranquillité et sa puissance de durée. École, église, couvent: bloc séculaire fortement noué au coeur de la jungle citadine comme au creux des vallons laurentiens. Au-delà s'ouvraient des rues à maisons basses, s'enfonçant de chaque côté vers les quartiers de grande misère, en haut vers la rue Workman et la rue Saint-Antoine, et, en bas, contre le canal de Lachine où Saint-Henri tape les matelas, tisse le fil, la soie, le coton, pousse le métier, dévide les bobines...»[1]

«En bas dans Saint-Henri, par ces nuits chaudes, les gens apportaient au-dehors leurs chaises de cuisine. Ces courtes rues aux maisons de bois, à l'abri de la circulation automobile, avaient tout de même l'avantage d'être à eux le soir. Ils y veillaient, tranquilles, jusqu'au passage d'un train. D'abord s'abattaient les barrières de sûreté et glapissaient l'une après l'autre, en un chapelet d'exaspération, les sonneries des passages à niveau. Puis s'enflait le grondement, et c'était le fracas du rapide. Mais ensuite, le calme rétabli, il était si surprenant qu'on le goûtait comme nulle part ailleurs, il me semble. On aurait pu alors entendre un arbre frémir à une bonne distance et recueillir de très loin le pas d'un passant.»[2]

1 Roy, Gabrielle, *Bonheur d'occasion*, Beauchemin, 1945.
2 Roy, Gabrielle, *Morceaux du Grand Montréal*, sous la direction de Robert Guy Scully, éditions du Noroît, 1978.

1

Voies de fer et voies d'eau

Le patrimoine de Montréal
Quartiers du Sud-Ouest

Voies de fer et voies d'eau

Les quartiers du Sud-Ouest...
Griffintown, Victoriatown, Pointe-Saint-Charles,
Saint-Henri, Sainte-Cunégonde.

Dans ce territoire, composé des quartiers municipaux Sainte-Anne, Saint-Gabriel, Sainte-
Cunégonde et Saint-Henri, on peut suivre l'histoire des communautés ouvrières qui ont fondé,
au XIXe siècle, les bourgs et les villages, sur les
rives du canal de Lachine.

«Je voudrais mettre seulement
Un petit morceau de village
En notre Ville et davantage
S'il vous est de quelque agrément
De mêler la ville au village
Et s'il arrivait que l'ennui
Loge en votre deuxième étage
Vous pourriez descendre au village
Nous échangerions nos ennuis
Et peut-être aussi nos étages»
Extrait du poème «Ronde précieuse»(1), de
Gilles Vigneault.

1. Noces à la place Saint-Henri.

Photo de la page précédente:
*Vue du canal de Lachine depuis l'édifice du Grand Tronc, rue
Bridge, en 1875.*
Bibliothèque nationale du Québec

(1) Vigneault, Gilles. «Ronde précieuse» dans *Quand les bateaux
s'en vont,* Éd. de l'Arc, Québec, 1965.

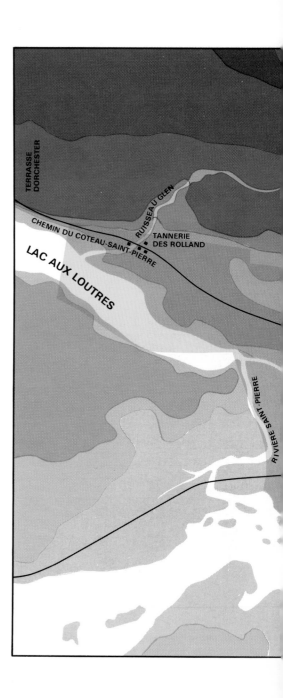

TERRASSE DORCHESTER

RUISSEAU GLEN

CHEMIN DU COTEAU-SAINT-PIERRE

TANNERIE DES ROLLAND

LAC AUX LOUTRES

RIVIÈRE SAINT-PIERRE

Relief et cours d'eau de Montréal au XVIIIᵉ siècle

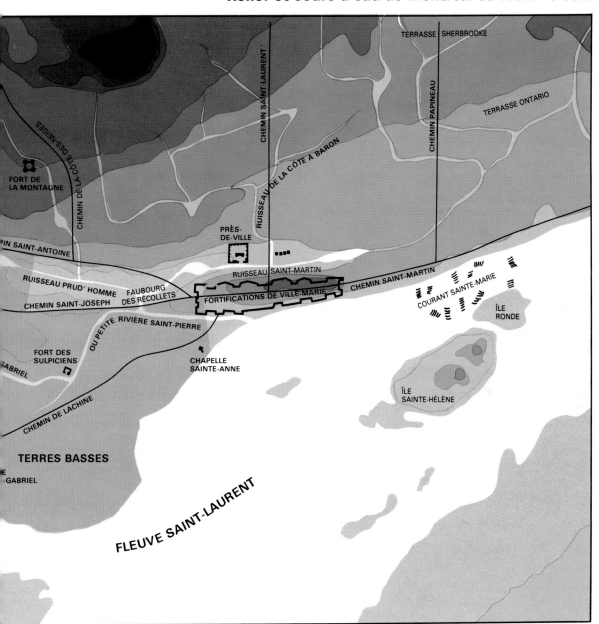

TERRASSE SHERBROOKE

CHEMIN SAINT-LAURENT

CHEMIN PAPINEAU

TERRASSE ONTARIO

CHEMIN DE-LA-CÔTE-DES-NEIGES

FORT DE
LA MONTAGNE

RUISSEAU DE LA CÔTE À BARON

IN SAINT-ANTOINE

PRÈS-
DE-VILLE

RUISSEAU SAINT-MARTIN

RUISSEAU PRUD'HOMME   FAUBOURG
                                      DES RÉCOLLETS

CHEMIN SAINT-JOSEPH

FORTIFICATIONS DE VILLE-MARIE

CHEMIN SAINT-MARTIN

COURANT SAINTE-MARIE

ÎLE
RONDE

OU PETITE RIVIÈRE SAINT-PIERRE

FORT DES
SULPICIENS

GABRIEL

CHAPELLE
SAINTE-ANNE

ÎLE
SAINTE-HÉLÈNE

CHEMIN DE LACHINE

TERRES BASSES

-GABRIEL

FLEUVE SAINT-LAURENT

Les chemins de terre

Avant 1825

En amont de Montréal, le fleuve, grossi par les rapides, n'est plus navigable. Les coureurs de bois, en quête de fourrures, doivent donc interrompre leur voyage en canot et emprunter les routes de terre pour rejoindre Lachine. Deux routes s'offraient à eux pour contourner les terres marécageuses.

L'une, en bordure du fleuve, le chemin de Lachine, (1) est parsemée de fermes. Par cette route, au sortir de la ville fortifiée, on traverse la ferme des religieuses de l'Hôtel-Dieu; la chapelle Sainte-Anne, un moulin à vent et une redoute y sont érigés. On longe ensuite la ferme des sulpiciens où ces derniers, dès 1689, tenteront de percer un canal pour faciliter la navigation. Avant d'arriver aux limites de la ville, il y a enfin la ferme Saint-Gabriel, propriété des soeurs de la Congrégation, qui habitent cette maison en pierre, qu'on peut encore admirer aujourd'hui. (Photos 20 et 39).

L'autre, le chemin Saint-Joseph (2), longeant le coteau Saint-Pierre, domine le lac aux Loutres et les fermes en contrebas. Les incendies dans la vieille ville inciteront très tôt la population à s'établir le long de cette route. Le faubourg des récollets grossit entre le ruisseau Saint-Martin et la Petite rivière Saint-Pierre. Des maisons en bois sont construites et aussi, Le Petit Séminaire, entouré de beaux jardins; avant sa construction, les sulpiciens feront relever le terrain, inondé périodiquement par les crues de la Petite rivière; les fortifications de la ville, qu'on était alors à démolir, serviront à le remblayer.

Vers 1820, les constructions le long du chemin Saint-Joseph s'arrêtent à la rue de la Montagne. La route continue vers l'ouest, boueuse ou enneigée. Il faut compter une journée pour aller de Montréal à Lachine. Ce qui explique la nécessité de relais le long du parcours. La famille Rolland, dès 1780, s'installe au croisement de la route des fourrures et du ruisseau Glen pour traiter les peaux. Quarante ans plus tard, un village a succédé aux établissements des premiers colons. Cordonniers, tanneurs, selliers font de bonnes affaires, lors du passage des diligences.

Le creusage du canal de Lachine viendra modifier cette vie paisible. Ce grand chantier nécessitera plus de 500 ouvriers et plusieurs viendront s'établir à proximité. La ferme de l'Hôtel-Dieu, peu à peu, cédera la place au quartier Griffintown. En 1825, grâce au canal de Lachine, canots et petits bateaux peuvent enfin poursuivre leur route vers l'ouest du pays.

---

(1) Axe des rues Wellington – boulevard Lasalle.
(2) Axe des rues Notre-Dame – Saint-Jacques – Upper Lachine.

2. Saint-Henri des Tanneries 1859. Maisons villageoises.

Voies de fer et voies d'eau

1825-1875

3. Usines du Grand Tronc, 1859.

4. Vue du pont Victoria, 1858. En arrière-plan, hangars où les Irlandais atteints de typhus, furent mis en quarantaine.

L'industrialisation du canal de Lachine s'amorce vers 1850. Élargi à deux reprises, le canal permet alors la circulation des gros navires; grâce aux écluses, il fournit l'énergie motrice aux industries qui viennent en nombre s'y installer. C'est à cette époque que la famille Ogilvie construit, à l'écluse Saint-Gabriel, un moulin à farine très puissant, actionné par une roue à aubes et un moteur à vapeur; la «Redpath Sugar» viendra s'installer en face, de l'autre côté du canal.

La construction du premier chemin de fer sur l'île de Montréal, en 1847, ne fut pas moins importante. Le «Lachine Railroad» franchit alors la distance Montréal-Lachine en trente minutes! Le train, plusieurs fois par jour, quitte la gare Bonaventure, construite en face du square Chaboillez; il fait un arrêt à la rue Vinet, puis à la gare de Saint-Henri pour prendre passagers et marchandises et continue son parcours à travers l'ancien lac aux Loutres.

Aucun pont ne relie encore l'île à la terre ferme. C'est le traversier de Lachine qui permet aux voyageurs de poursuivre la route vers New York. La construction du pont Victoria sera donc un événement extraordinaire! Finis les détours par Lachine! Plus de 3 000 ouvriers travailleront à la construction du pont le plus long du monde! Pendant ce temps, d'autres ouvriers fabriquent wagons et locomotives, aux usines du Grand Tronc, devenu le Canadien National.

Ces perspectives d'emploi attirent massivement la population. Les immigrants irlandais, fuyant la famine dans leur pays, formeront au Griffintown une communauté très dynamique. Ils peupleront

aussi Victoriatown, de triste mémoire. Dans cet ancien marécage où les Indiens chassaient l'oie sauvage, à l'automne, on construisit en hâte des hangars pour loger les Irlandais, atteints de typhus, pendant la traversée de 1842. Plus de 4 000 y moururent. Par la suite, plusieurs reviendront habiter les maisons érigées sur ce site. À la même époque, la ferme Saint-Gabriel sera divisée en lots à bâtir et les ouvriers du Grand Tronc, dont un grand nombre sont d'origine britannique, donneront naissance au village Saint-Gabriel.

Quant à la communauté francophone, elle s'installe le long de la voie ferrée et de la rue Notre-Dame, autour de l'église Sainte-Hélène et du square Chaboillez, dans le village Delisle, devenu la ville de Sainte-Cunégonde, et dans le village voisin de Saint-Henri.

La municipalité de Saint-Henri garde longtemps son allure villageoise. Jusqu'en 1894, on voit des tramways à chevaux rue Notre-Dame. En 1905, les trottoirs sont en bois et les rues éclairées au gaz. La rivière Saint-Pierre, qui n'est pas encore canalisée, est devenue un égout malodorant. Les industries, comme «Dominion Textile» et «Canada Malting» remplacent peu à peu les pâturages en bordure du canal. D'autres, comme «Imperial Tobacco» et la manufacture William, s'installeront près des voies ferrées.

Lors de la Première Guerre mondiale, les abords du canal de Lachine forment la plus importante concentration industrielle du Canada. Les petites communautés, encerclées comme dans un étau de fer, n'en mènent pas moins une vie de quartier des plus intenses.

Comme un étau de fer... 1875-1930

La proximité du port, du canal de Lachine et des voies ferrées fera très tôt du Griffintown, un terrain de choix pour l'industrie. Entrepôts, manufactures, fonderies s'installent autour de la rue Wellington. Pour les ouvriers, les conditions de travail sont pénibles. Les heures sont longues. Les femmes gagnent un salaire deux fois moindre que les hommes. Dès l'âge de 12 ans, les enfants travaillent à l'usine.

La communauté irlandaise y vit dans des conditions de grande pauvreté. La moitié des logements n'ont pas de «toilette» intérieure. Périodiquement les maisons sont inondées et les égouts débordent. En 1886, l'eau envahit les rues jusqu'au square Victoria. Pour mettre fin à ces inondations, on construira des digues à Pointe-Saint-Charles et des stations de pompage aux endroits stratégiques.

Après 1875, les villages deviennent des petites villes industrielles très actives, jusqu'à leur annexion à Montréal. (1) Saint-Gabriel grossit au rythme du Grand Tronc. En 1880, cette compagnie emploie 3 000 ouvriers; les employés spécialisés résident sur les rues les plus coquettes à proximité de la rue Wellington. Sur l'ancienne ferme des sulpiciens, habite une population moins bien nantie qui travaille aux usines «Redpath Sugar» et «Belding Corticelli», ou dans les cours à bois de la rue des Manufactures. (2)

Sur l'autre rive du canal, la ville de Sainte-Cunégonde est fort prospère et s'enorgueillit de son église et de son hôtel de ville. Les services municipaux sont bien organisés. Louis Cyr, l'homme le plus fort de Montréal, fait partie des effectifs du corps de police. Une population de notables et de commerçants en vue vit dans les belles résidences de la rue Saint-Antoine. Les ouvriers habitent autour de la rue Notre-Dame et travaillent à la «Montreal Rolling Mills», devenue Stelco.

_____
(1) Saint-Gabriel, 1887; Saint-Henri et Sainte-Cunégonde, 1905.
(2) Rue Augustin-Cantin.

5. Gare Bonaventure. Inondations de 1886.

6. Au centre de la photo prise en 1896, on remarque un regroupement d'industries à proximité de l'écluse Saint-Gabriel. On y trouve la «Redpath Sugar» (A), première raffinerie d'importance à Montréal; la «Belding, Paul & Co» (B), première manufacture de soie au Canada; en face, sur la rive gauche du canal, le moulin Ogilvie (C) et son entrepôt de grain (D). Ce dernier, connu aujourd'hui sous le nom de «Hall Engineering», a été construit en 1886 à l'emplacement du premier moulin datant de 1837.

7. Station de pompage «Riverside», 227, rue Riverside.

Comme un étau qui se desserre... Après 1930

Aujourd'hui, le Griffintown a perdu ses institutions et presque tous ses résidents. La communauté irlandaise a émigré à travers la ville. Victoriatown n'existe plus. Pointe-Saint-Charles, Saint-Henri et Sainte-Cunégonde, ont été grandement touchés par la vague de modernisme des années 60.

De voie d'eau commerciale qu'il était, le canal de Lachine est devenu un lieu de verdure et de récréation. Au cœur des quartiers, la présence des voies ferrées s'amenuise. Plusieurs industries ont quitté les rives du canal en quête d'un meilleur emplacement. À la population d'origine, se mêlent peu à peu de nouveaux résidents. Les quartiers du canal de Lachine se cherchent une nouvelle destinée...

Les étapes du développement

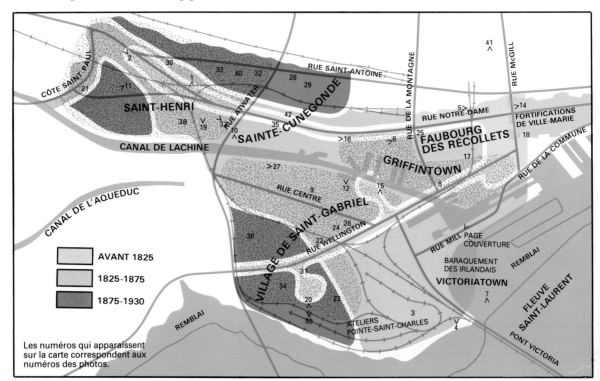

Les numéros qui apparaissent sur la carte correspondent aux numéros des photos.

Tableau synchronique des éléments architecturaux

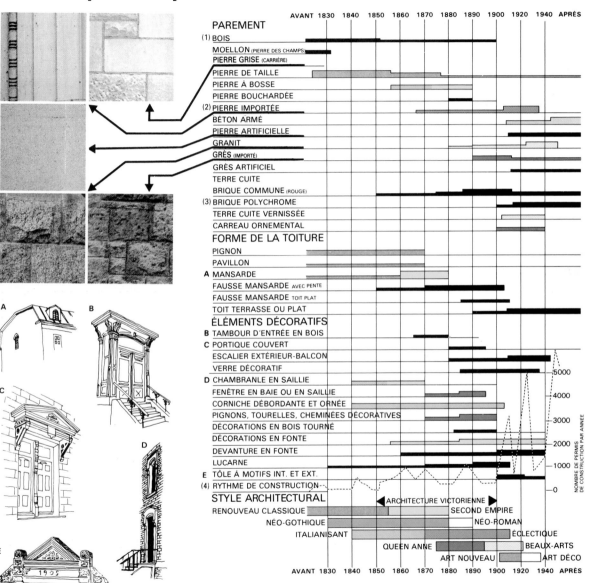

Le tableau présente les périodes d'utilisation des éléments selon l'échelle : AVANT 1830 1840 1850 1860 1870 1880 1890 1900 1920 1940 APRÈS

PAREMENT
- (1) BOIS
- MOELLON (PIERRE DES CHAMPS)
- PIERRE GRISE (CARRIÈRE)
- PIERRE DE TAILLE
- PIERRE À BOSSE
- PIERRE BOUCHARDÉE
- (2) PIERRE IMPORTÉE
- BÉTON ARMÉ
- PIERRE ARTIFICIELLE
- GRANIT
- GRÈS (IMPORTÉ)
- GRÈS ARTIFICIEL
- TERRE CUITE
- BRIQUE COMMUNE (ROUGE)
- (3) BRIQUE POLYCHROME
- TERRE CUITE VERNISSÉE
- CARREAU ORNEMENTAL

FORME DE LA TOITURE
- PIGNON
- PAVILLON
- A MANSARDE
- FAUSSE MANSARDE AVEC PENTE
- FAUSSE MANSARDE TOIT PLAT
- TOIT TERRASSE OU PLAT

ÉLÉMENTS DÉCORATIFS
- B TAMBOUR D'ENTRÉE EN BOIS
- C PORTIQUE COUVERT
- ESCALIER EXTÉRIEUR-BALCON
- VERRE DÉCORATIF
- D CHAMBRANLE EN SAILLIE
- FENÊTRE EN BAIE OU EN SAILLIE
- CORNICHE DÉBORDANTE ET ORNÉE
- PIGNONS, TOURELLES, CHEMINÉES DÉCORATIVES
- DÉCORATIONS EN BOIS TOURNÉ
- DÉCORATIONS EN FONTE
- DEVANTURE EN FONTE
- LUCARNE
- E TÔLE À MOTIFS INT. ET EXT.
- (4) RYTHME DE CONSTRUCTION

NOMBRE DE PERMIS DE CONSTRUCTION PAR ANNÉE : 0 – 1000 – 2000 – 3000 – 4000 – 5000

STYLE ARCHITECTURAL
- ◄ARCHITECTURE VICTORIENNE►
- RENOUVEAU CLASSIQUE — SECOND EMPIRE
- NÉO-GOTHIQUE — NÉO-ROMAN
- ITALIANISANT — ÉCLECTIQUE
- QUEEN ANNE — BEAUX-ARTS
- ART NOUVEAU — ART DÉCO

AVANT 1830 1840 1850 1860 1870 1880 1890 1900 1920 1940 APRÈS

(1) Bois: interdit dans le Vieux-Montréal après l'incendie de 1721, dans les faubourgs après celui de 1852, il demeure cependant en usage dans les villages jusqu'à leur annexion autour des années 1900.
(2) Pierre importée: pierre plus malléable que la pierre grise, se prêtant mieux aux motifs sculptés.
(3) Brique polychrome: de couleur variable et à texture rugueuse contrairement à la brique commune qui est rouge, lisse, et à texture sablonneuse.
(4) Certaines données de ce tableau proviennent des études de David B. Hanna, professeur au département de géographie, UQAM.

Tableau synchronique des événements historiques 1700-1945

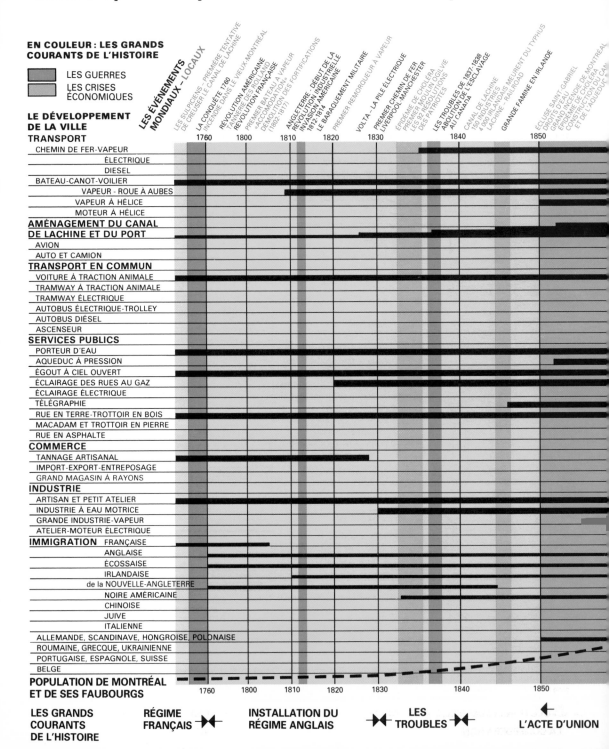

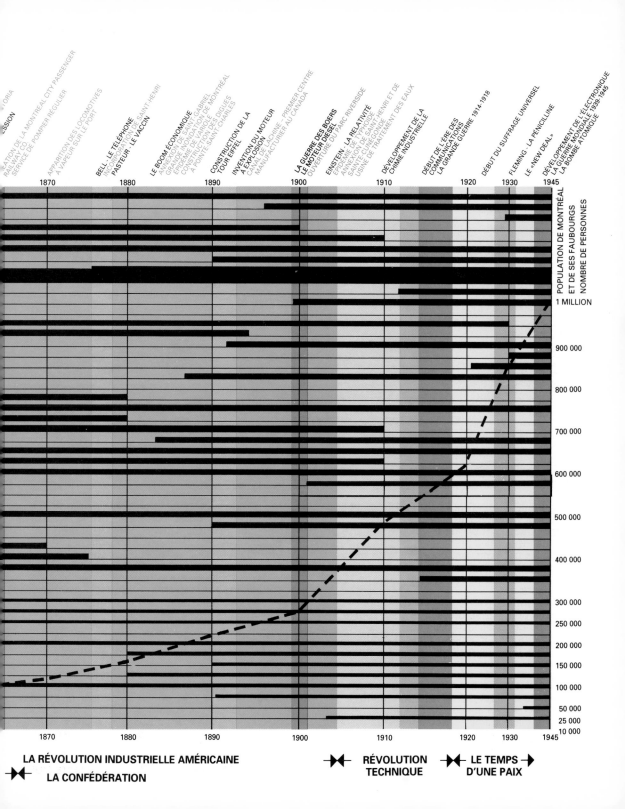

POPULATION DE MONTRÉAL
ET DE SES FAUBOURGS
NOMBRE DE PERSONNES

1 MILLION

900 000

800 000

700 000

600 000

500 000

400 000

300 000

250 000

200 000

150 000

100 000

50 000

25 000

10 000

1870   1880   1890   1900   1910   1920   1930   1945

LA RÉVOLUTION INDUSTRIELLE AMÉRICAINE   ◄►   **RÉVOLUTION**   ◄► **LE TEMPS** →
◄►   **LA CONFÉDÉRATION**   **TECHNIQUE**   **D'UNE PAIX**

Top labels (rotated):
...ORIA
...SSION
...ATION DE LA MONTRÉAL CITY PASSENGER
...RAILWAY CO
SERVICE DE POMPIER RÉGULIER
APPARITION DES LOCOMOTIVES
À VAPEUR SUR LE PORT
BELL - LE TÉLÉPHONE
INCORPORATION DE SAINT-HENRI
PASTEUR - LE VACCIN
LE BOOM ÉCONOMIQUE
ANNEXION DE SAINT-GABRIEL
GRANDE INONDATION DE MONTRÉAL
ÉPIDÉMIE DE VARIOLE
CONSTRUCTION DES DIGUES
À POINTE-SAINT-CHARLES
CONSTRUCTION DE LA
TOUR EIFFEL
INVENTION DU MOTEUR
À EXPLOSION
CANAL DE LACHINE – PREMIER CENTRE
MANUFACTURIER AU CANADA
LA GUERRE DES BOERS
LE MOTEUR DIESEL
OUVERTURE DU PARC RIVERSIDE
EINSTEIN - LA RELATIVITÉ
ÉPIDÉMIE DE TYPHOÏDE
ANNEXION DE SAINTE-HENRI ET DE
SAINTE-CUNÉGONDE
USINE DE TRAITEMENT DES EAUX
DÉVELOPPEMENT DE LA
CHIMIE INDUSTRIELLE
DÉBUT DE L'ÈRE DES
COMMUNICATIONS
LA GRANDE GUERRE 1914-1918
DÉBUT DU SUFFRAGE UNIVERSEL
FLEMING - LA PÉNICILLINE
LE «NEW DEAL»
DÉVELOPPEMENT DE L'ÉLECTRONIQUE
LA GUERRE MONDIALE 1939-1945
LA BOMBE ATOMIQUE

1870   1880   1890   1900   1910   1920   1930   1945

Architecture publique et institutionnelle, d'hier et d'aujourd'hui

8. *Vue du Griffintown en 1896. À gauche, l'église Sainte-Anne en bordure de la rue de la Montagne.*

Rien de mieux que l'église paroissiale ou l'hôtel de ville pour raconter l'histoire d'un quartier. Ces bâtiments traduisent en fait la volonté, la fierté et les grands idéaux des premiers habitants du lieu. Ceux qui les ont bâtis, ont choisi la place publique ou la grand-rue pour mieux exprimer l'importance de ces institutions au coeur de la communauté.

Dans le Griffintown, l'église Sainte-Anne, aujourd'hui démolie, se dressait face au square Gallery, lieu des manifestations les plus colorées de la communauté irlandaise. Le chalet du square, construit en 1930, demeure le seul vestige de cette époque où la vie de quartier était très animée. Plusieurs autres édifices connus, comme le marché Atwater, les bains Hogan, la caserne de pompiers de la place Saint-Henri, furent érigés pendant la crise des années 30. En initiant de tels travaux, le maire Camilien Houde espérait résorber un tant soit peu le chômage qui frappait très durement les quartiers ouvriers.

À Saint-Henri, l'école polyvalente occupe le site de la première église paroissiale qui se dressait face à la place Saint-Henri. Malgré de nombreuses transformations, cette place publique a conservé son rôle au coeur du quartier; la station de métro n'a fait que remplacer la gare de chemin de fer et le terminus du tramway. Quelques très beaux bâtiments dans le quartier rappellent l'époque de la ville Saint-Henri: l'ancienne caserne convertie en bibliothèque et la caisse populaire, autrefois bureau de poste. Il y a aussi les églises Saint-Zotique et Saint-Irénée, construites vers 1900, lors de l'arrivée de nombreux ruraux en quête de travail.

Les notables de ville Sainte-Cunégonde ont choisi d'ériger leur église et leur hôtel de ville à proximité de la gare de chemin de fer et du relais des diligences. Le square d'Iberville a vu le jour grâce à l'initiative des citoyens, qui ont voulu rehausser le prestige de leur église et de son élégant presbytère. Il faut souligner la présence dans ce quartier de la plus ancienne église du secteur, l'église anglicane Saint-Jude construite en 1876, angle Coursol et Vinet; sans sa tour et son clocher, elle n'a plus sa prestance d'antan. La communauté noire, venue s'établir dans le quartier après la guerre, en a fait son lieu de culte. C'est également dans une ancienne église construite en 1890 qu'on trouve le «Negro Community Center», le premier du genre dans la ville à servir ce groupe de population.

Le Grand Tronc a amené à Pointe-Saint-Charles, Britanniques, Irlandais et Canadiens français. Les premiers ont regroupé leurs temples presbytériens, anglicans et méthodistes, rue Wellington. C'est la rue très «fashionable» où habitent les notables du quartier. Sur la rue Centre, les églises Saint-Gabriel et Saint-Charles, construites côte à côte, rivalisent d'importance comme si les communautés irlandaise et canadienne-française avaient misé sur le clocher le plus haut. Il faut aussi mentionner, parmi les édifices importants dans l'histoire du quartier, la maison de la ferme Saint-Gabriel. Construite en 1698, elle repose sur les fondations d'un bâtiment plus ancien, qui servit d'école et de logement aux «filles du roi» lors de leur arrivée au pays. Ce bâtiment, un des plus vieux de la ville, est classé monument historique et fait aujourd'hui office de musée. On peut d'ailleurs y faire une visite des plus intéressantes.

10. Le marché Atwater, 110, rue Atwater, construit en 1932.

11. Poste de pompiers, 4700, rue Notre-Dame Ouest, construit en 1898, actuelle bibliothèque.

9. Églises Saint-Gabriel (à gauche) et Saint-Charles (à droite).

12. École Saint-Jean-l'Évangéliste, 2325, rue Centre construite en 1883. Rare exemple de toit mansard à Pointe-Saint-Charles.

Carte des quartiers du Sud-Ouest

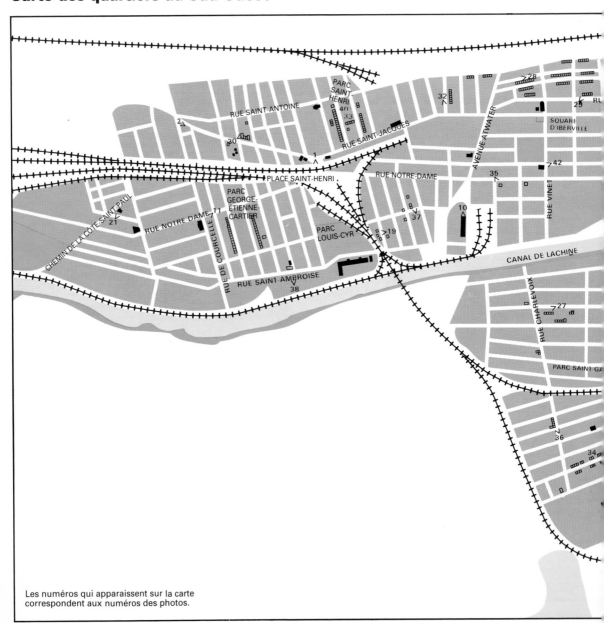

Les numéros qui apparaissent sur la carte
correspondent aux numéros des photos.

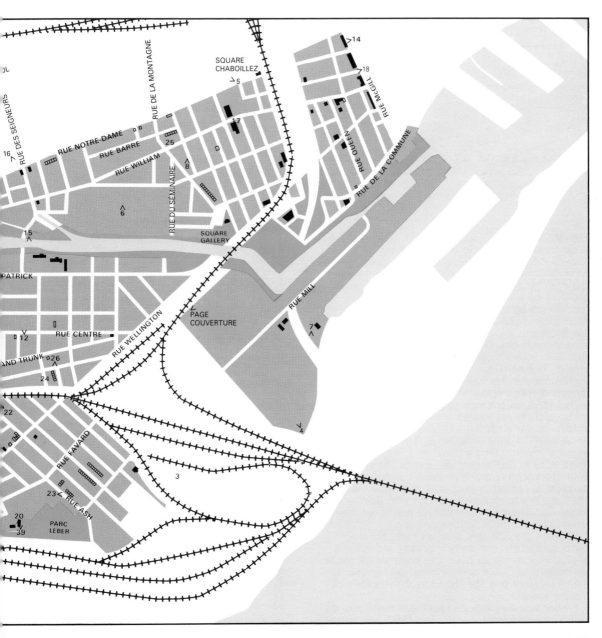

SQUARE
CHABOILLEZ

RUE DE LA MONTAGNE

RUE DES SEIGNEURS

RUE NOTRE-DAME

RUE BARRE

RUE WILLIAM

RUE DU SÉMINAIRE

RUE McGILL

RUE QUEEN

RUE DE LA COMMUNE

SQUARE
GALLERY

PATRICK

RUE MILL

RUE WELLINGTON

PAGE
COUVERTURE

RUE CENTRE

AND TRUNK

RUE FAVARD

RUE ASH

PARC
LEBER

Architecture commerciale et industrielle

13. *Ancienne pharmacie Lalonde.*
Rue Notre-Dame, Sainte-Cunégonde.

Avant d'être une ville industrielle, Montréal fut le centre de fourrures le plus important au Canada. Les sulpiciens creusèrent le premier canal pour faciliter le commerce des pelleteries. Les marchands écossais, alliant à l'audace des coureurs de bois le sens des affaires firent fortune. Et les habitants des quartiers exercèrent, avec un art consommé, tous les métiers du cuir. Les bâtiments en bois où travaillaient ces artisans, dans la boutique attenante à leur logement, sont aujourd'hui disparus. La puissante compagnie de la Baie d'Hudson, qui en vint à contrôler tout le marché des fourrures, reste le meilleur témoin de cette époque.

Dès 1850, on trouvait, rue McGill, d'importantes maisons d'affaires logées dans des bâtiments attrayants qui en firent une des plus belles rues de la ville. La proximité du port incita les entreprises d'importation à s'y établir. Elles firent construire dans le Griffintown de grands entrepôts pour stocker leurs marchandises. Le plus ancien de ceux-là, l'entrepôt Buchanan, fut érigé vers 1845 sur le site de l'ancienne chapelle Sainte-Anne. Cet imposant bâtiment de pierre est maintenant classé monument historique.

Pendant près de cent ans, les quartiers du canal de Lachine ont connu l'activité industrielle la plus importante au pays. Les chemins de fer et les voies d'eau — le port, le canal de Lachine, le fleuve — n'ont pas été étrangers à cette formidable expansion.

En bordure du canal de Lachine, il reste peu de bâtiments antérieurs aux années 1900. Les entre-

14. *470, rue McGill. Un des plus anciens bâtiments de la rue McGill construit vers 1850. Ancienne maison d'affaires du grossiste Mathewson et sa résidence.*

15. *«Belding Corticelli», vu du pont des Seigneurs, 1891.*

prises établies de longue date, comme la raffinerie Redpath ou Stelco, ont démoli leurs premières bâtisses, ou les ont intégrées au nouveau complexe. Le bâtiment «Hall Engineering», construit vers 1890, mérite une mention, en raison de son site remarquable sur une presqu'île; il rappelle la longue histoire des moulins à farine Ogilvie qui s'élevaient sur cet emplacement.

Quant aux bâtiments «Dominion Textile» et «Belding Corticelli», ils illustrent l'architecture industrielle la plus courante au début du siècle: le bâtiment carré, en brique rouge, de moins de 5 étages, avec parfois une cour intérieure et une multitude de petites fenêtres. Peu remarquables dans le paysage, ils ont cependant le titre d'avoir été, à un moment ou à un autre, le gagne-pain de la plupart des familles du quartier.

Parmi les autres industries dignes de mention, il y a la «Dow Brewery». L'industrie de la bière fut dès les débuts de la ville, une activité importante. William Dow, brasseur écossais, s'installe rue Notre-Dame, dans les années 1800, et gère une petite entreprise prospère, aujourd'hui la brasserie O'Keefe.

La fonderie Ives & Allen a été construite rue Queen vers 1870. Cette fabrique de quincaillerie pour bâtisseurs de maisons était réputée pour ses salaires élevés; «en 1864, les employés spécialisés y gagnaient jusqu'à $3,00 par jour». (1) De plus, la façade en fonte était à l'époque une nouveauté. Appelée à remplacer la pierre dans l'ossature des façades, la fonte permet d'obtenir une surface entièrement vitrée et un plus grand éclai-

17. 433, rue Peel et 1041, rue William. La brasserie Dow, aujourd'hui O'Keefe, construite en 1924-1925 et au sud, le garage construit en 1929. Rue Montford, on peut voir des murs en pierre, vestiges des installations de 1860.

rage intérieur. Dans le bâtiment, les piliers de fonte permettent de dégager le maximum d'espace pour la machinerie et les opérations de travail.

(1) Sauvons Montréal. Le quartier des récollets, vers 1975.

16. La Banque de Montréal construite en 1894-1895, angle Notre-Dame et des Seigneurs.

18. Rue McGill. Ancien édifice du Grand Tronc, 360, rue McGill. Cet édifice chevauche le lit de la Petite rivière Saint-Pierre.

Architecture résidentielle

19. 110-126, rue Saint-Augustin, Saint-Henri. Un des secteurs les plus anciens du quartier.

La maison de Montréal

Depuis le début de la colonie, la maison au Québec s'est lentement transformée. À la ville comme à la campagne, on a tenté de mieux l'adapter à nos hivers rigoureux. Les fréquents incendies dans la ville amèneront très tôt l'administration de Montréal à émettre des directives détaillées sur les façons de la construire.

Ordonnance du 17 juin 1727...

Ordonnons de... «bâtir aucune maison dans les villes et gros bourgs, où il se trouvera de la pierre commodément, autre qu'en pierres; défendons de les bâtir en bois, de pièces sur pièces et de colombage...»

«construire des «murs de refend» (1) qui excèdent les toits et les coupent en différentes parties, ou qui les séparent d'avec les maisons voisines, à l'effet que le feu se communique moins de l'une à l'autre...»

Défense de construire... *«des toits brisés, dit à la mansarde... qui font sur les toits une forêt de bois...»*

Outre ces nombreux édits, le coût élevé des terrains, à mesure que la ville s'agrandit, la prédominance des locataires et la présence dans le sol de la pierre calcaire et d'une argile propre à la brique, ont favorisé la naissance de la maison en rangée, typique à Montréal.

Cette maison type se rencontre, avec des variantes, dans tous les quartiers de la ville, mêlée à d'autres habitations moins nombreuses, mais qui toutes ont connu leurs heures de popularité:

- la maison villageoise
- la maison urbaine traditionnelle
- la maison en rangée
- la villa
- la maison contiguë
- la maison semi-détachée
- la maison à logements multiples
- la maison de rapport.

Les maisons les plus représentatives du quartier seront reprises dans les pages suivantes pour illustrer l'évolution du patrimoine résidentiel.

_____

(1) Murs coupe-feu.

20. Maison de la ferme Saint-Gabriel, à Pointe-Saint-Charles, avant restauration.

La maison villageoise

maison en bois ou en moellon, le plus souvent à toit à pignon, avec galerie ou accès direct au niveau du sol; elle est isolée ou adossée à d'autres habitations.

Depuis 1727, à l'intérieur des fortifications, les maisons sont construites en pierre. Puis l'espace manquant, des habitations s'érigent à l'extérieur des murs. La maison villageoise apparaît alors, au XVIIIᵉ siècle, sur les chemins de campagne et dans les villages autour de la ville.

De petite dimension, logeant une ou deux familles, elle est l'oeuvre d'un artisan, maître-maçon ou charpentier. Aucun de ses matériaux n'est fabriqué en usine mais plutôt taillé, équarri sur place, avec les moyens de fortune. Généralement construite en bois et vulnérable au feu, cette maison est devenue très rare. Bien que la construction en bois fut rigoureusement interdite dans la ville à la suite de l'incendie de 1852, (1) il fut de coutume d'en construire dans les villages jusqu'à leur annexion à Montréal au début du siècle.

22. Lot arrière, rue Charron, Pointe-Saint-Charles. *La dernière maison avant les voies ferrées.*

Les maisons à toit à pignon sont les plus anciennes du secteur. La maison Saint-Gabriel, construite en 1698, est coiffée d'un tel pignon, à pente raide, qui se termine abruptement aux murs de la façade. Cette maison en pierre des champs n'a cependant pas le caractère modeste de la maison villageoise. Elle s'apparente plutôt aux robustes maisons construites dans la campagne québécoise au XVIIIᵉ siècle.

On trouve encore des maisons villageoises rue Notre-Dame et chemin de la Côte-Saint-Paul. On les découvre avec surprise au fond des rues en cul-de-sac où elles ajoutent une note campagnarde, ou sur les rues les plus anciennes de Saint-Henri et Pointe-Saint-Charles, à proximité des voies ferrées.

21. Angle Sainte-Clothilde et chemin de la Côte-Saint-Paul: *très ancienne route qui conduisait au village de Côte-Saint-Paul.*

---

(1) Voir fascicule n° 2. (Voir volume, chapitre 2.)

La maison en rangée

elle est incluse dans un ensemble de bâtiments résidentiels alignés le long d'une rue, construits en même temps selon un plan d'ensemble et dont les façades sont semblables; elle est séparée des autres habitations par un mur coupe-feu mitoyen.

C'est la «maison type de Montréal, la moins originale, la plus anonyme, celle que le touriste ne remarque pas, parce qu'elle n'est distincte d'aucune autre...» (1) Essayons d'en faire ressortir les éléments essentiels.

Quand est-elle apparue dans le quartier?

Les premières maisons en rangée auraient été construites pour loger les ouvriers employés à la construction du pont Victoria et aux ateliers du Grand Tronc. Sur la rue Sébastopol, il existe encore de ces maisons bâties vers 1855.

Après 1860, l'industrialisation de la ville a amené un accroissement rapide de la population.

La maison en rangée fut une solution économique pour abriter ces ouvriers. De 1860 à 1915, on en construira donc dans tous les quartiers, certaines de mauvaise qualité, d'autres confortables et même luxueuses.

Qui a bâti la maison en rangée?

Un scénario se dégage à l'époque. Des promoteurs achètent les grandes fermes, puis les divisent en petits terrains à bâtir, tous de même dimension. Des entrepreneurs construisent alors en série des maisons identiques qu'ils revendent ensuite. Plusieurs secteurs feront l'objet, comme les banlieues aujourd'hui, d'un développement par des promoteurs immobiliers.

---

(1) Tanghe, Raymond, *Géographie humaine de Montréal*, Montréal Arbour et Dupont imprimeur – éditeurs, Librairie d'Action canadienne-française ltée, 1928.

23. *Rue Ash, Pointe Saint-Charles.*

24. Rue Shearer, Pointe-Saint-Charles.

25. Rue Barré, Griffintown.

La maison en rangée a un toit plat...

Les plus anciennes ont un toit à pignon mais le toit plat, plus économique, se généralise vers 1885. Dans l'intervalle, on construit des maisons dont la toiture, à une seule pente, est légèrement inclinée vers l'arrière. Le toit plat est fait de planches sur lesquelles on étend plusieurs feuilles de papier goudronné, recouvertes de fin gravier. Contrairement au toit à pignon et à mansarde, il s'égoutte vers l'intérieur.

À cette époque, on commence à produire en usine le papier goudronné, le solin, le drain et l'évent. À ce toit presque sans pente, le papier goudronné donnera une parfaite étanchéité à l'eau. Le drain, placé au point bas de la toiture, permettra de canaliser l'eau de pluie vers le système d'égout de la maison. Finis donc les glaçons en bordure du toit!

Elle a deux, puis trois étages et un escalier...

Les maisons plus anciennes possèdent une entrée au niveau de la rue et l'escalier conduisant à l'étage est intérieur. Par la suite, on a tendance à hausser le rez-de-chaussée pour mieux isoler de la neige et de la pluie. On ajoute alors un petit escalier, qui s'insère dans l'embrasure de porte, si le bâtiment est trop près du trottoir.

Vers 1900, les maisons à trois étages et à trois logements se généralisent. C'est à cette époque également qu'apparaît l'escalier extérieur. Très populaire sur le plateau Mont-Royal, ce type d'escalier caractérise dans les quartiers du Sud-Ouest, les rues de construction plus récente, comme Marin, Desnoyers ou Richelieu, à Saint-Henri et la rue Ash, à Pointe-Saint-Charles. Généralement, ce sont des secteurs où le cadastre a prévu une ruelle à l'arrière du lot.

Ces rangées interminables d'escaliers qui donnent un rythme saccadé aux façades, étonnent le touriste peu habitué à Montréal. Il est intéressant de noter qu'à l'origine, l'escalier extérieur était à l'arrière du bâtiment pour accéder au dépôt à charbon ou au cabinet de toilette, le «Back House», devenu en termes familiers «bécosse».

26. Rue Grand Trunk, Pointe-Saint-Charles.

Le plus souvent, la façade est en brique...

Lors de son voyage en 1611, Samuel de Champlain note la présence de «quantité de prairies de très bonne terre grasse à potier, tant pour bricque que pour bastir...» (1) Plusieurs briqueteries locales fabriqueront la brique commune de couleur rouge. Plus facile à poser que la pierre, elle est aussi plus économique. Ce matériau en vint donc à caractériser la plupart des rues des quartiers du Sud-Ouest.

La pierre calcaire, de couleur grise, se trouve également en abondance sur l'île de Montréal, mais elle est très dure et difficile à tailler. La population aisée pourra davantage se permettre une maison en pierre grise de Montréal.

Certaines ont une porte cochère

Avant l'arrivée de l'automobile, certains résidents, pour les besoins de leur travail plus que de leurs loisirs, avaient une voiture et des chevaux. Ainsi, le laitier, le «passeur de pain», le «livreur de glace» et le «guenillou» remisaient-ils leur équipage à l'arrière de la maison; pour s'y rendre, ils empruntaient la porte cochère.

Plus souvent encore, la porte cochère donnait accès aux logements situés dans la cour arrière. Ces derniers sont presques tous disparus aujourd'hui, mais la porte cochère nous rappelle la présence des secteurs les plus populeux, où tous les locataires vivaient dans la cour comme une grande famille.

(1) Abbé Charles-Honoré Laverdière, *Oeuvres de Champlain,* publiées sous le patronage de l'Université Laval. Seconde édition, Québec. Imprimé au Séminaire par Geo. E. Desbarats, 1870.

27. *Rue Saint-Charles, Pointe Saint-Charles.*

Plusieurs matériaux sont préfabriqués
Vers 1880, l'industrie est en pleine expansion.
Les machines sont alors actionnées à l'électricité.
On produit à la chaîne, en atelier, les matériaux
nécessaires à la construction: fenêtres, portes,
escaliers, corniches, lucarnes, moulures finement
ouvragées, bardeaux et tôles usinées.

Aux Etats-Unis, des manufactures avant-
gardistes vendent par catalogue des matériaux
préfabriqués. On achète donc sur commande, en
pièces détachées, des façades complètes qu'un
ouvrier agence sur place.

On verra donc sur certaines rues des façades
identiques se répéter en cadence et sur d'autres,
des bâtiments se distinguer par un décor particulier variant au goût du propriétaire.

28. Rue Coursol, Sainte-Cunégonde.

29. Rue Quesnel, Sainte-Cunégonde.

30. Rue Saint-Jacques Ouest, Saint-Henri.

**Elles revêtent parfois un «costume du
dimanche»**
Vers 1880, la mode est exubérante. Les façades
des maisons, très décorées, expriment le goût du
pittoresque, si populaire à l'époque. La fausse
mansarde souligne très fortement la ligne du toit.
On y ajoute des lucarnes et des tourelles. Il y a
parfois une fenêtre en saillie (bow window), des
tambours devant l'entrée, des balcons en bois
tourné ou en fonte, des portes moulurées.

On obtient ainsi des effets très remarqués sur
plusieurs rues de Pointe-Saint-Charles: Ash, Charron, Marguerite-Bourgeois. Ce décor, qui ajoute un
coût supplémentaire, est l'apanage des plus
riches. On le retrouve sur les coquettes maisons
construites pour les ouvriers spécialisés du Canadien national. C'est aussi le cas de la rue Coursol,
rue petite bourgeoise, où les maisons ont des
dentelles à leur pignon.

La maison contiguë

est incluse dans une suite de bâtiments résidentiels, construits à l'unité, selon un plan individuel et dont l'ornementation des façades varie; elle est séparée de ses voisines par des murs coupe-feu.

En choisissant ce type d'habitation plutôt que la maison en rangée, le propriétaire voulait se dis-

33. *Parc Saint-Henri, Saint-Henri.*

tinguer de ses semblables. On la retrouve donc sur les rues où vivait l'élite locale, médecins, notaires et autres grands de la municipalité. Sur la rue Wellington, des maisons distinguées s'insèrent en enfilade, avec leurs bow windows et leurs tambours. Aux parcs Saint-Henri et Georges Étienne-Cartier, elles sont mises en valeur par les beaux arbres et la verdure.

31. *Rue Wellington, Pointe-Saint-Charles.*

32. *Rue Marin, Saint-Henri.*

34. Rue Rushbrooke, Pointe-Saint-Charles.

La maison semi-détachée
est incluse dans une suite de bâtiments résidentiels; elle est souvent jumelée ou située à l'encoignure de rues; elle a des ouvertures sur trois côtés.

On s'attardera aux bâtiments de «coin de rue», souvent occupés, au rez-de-chaussée, par des commerces. Ils sont particulièrement intéressants par leur toiture et leur décor. La fausse mansarde, plus évidente qu'ailleurs, entoure le bâtiment sur deux façades. S'y ajoutent parfois des tourelles, des lucarnes fantaisistes et des balcons «à la Roméo». Ce décor qui varie selon le goût du propriétaire, semble faire un clin d'oeil au passant, l'invitant à s'arrêter au «magasin du coin».

35. *Rues Notre-Dame et de Lévis, Sainte-Cunégonde.*

37. *Rues Bourget et Sainte-Émilie, Saint-Henri.*

36. *Rues Charlevoix et Knox, Pointe-Saint-Charles.*

38. Rues Saint-Ambroise et Sainte-Marguerite, Saint-Henri.
Les fermiers allant vendre leurs produits au marché
Place Jacques-Cartier, arrêtaient à l'hôtel Couillard.

39. Ferme Saint-Gabriel à Pointe-Saint-Charles.
40. Parc Saint-Henri.
41. Vue des quartiers du Sud-Ouest.
42. Ancien hôtel de ville de Sainte-Cunégonde.

«En ces temps édéniques, Montréal n'était qu'un îlot dans une île. De cet îlot, les Canadiens français occupaient, outre les faubourgs au nord et à l'est, le vaste quadrilatère compris entre les rues Bleury et Papineau, l'avenue des Pins et le champ de Mars. On allait en villégiature et en pèlerinage à la Pointe-aux-Trembles et en bonne fortune au Bout-de-l'Île.

Au coeur de ce château fort se dressait l'Université Laval entourée de l'École polytechnique et de l'École dentaire. Enclave aux frontières mouvantes dénommée par nous le Quartier latin. L'étude et le plaisir s'y conjuguaient, s'y entremêlaient sans autre note dissonante que la présence des agents de police. Cent couplets ont longtemps illustré les sentiments que nous inspiraient leur bâton et leur panier à salade. Tout commençait par des chansons.»[1]

«Le quartier Saint-Jacques où était mon école datait d'une époque beaucoup plus ancienne que le quartier Saint-Louis où nous demeurions. Certaines maisons se dressaient au milieu de grands jardins qui rappelaient le temps où la campagne commençait à la rue Sainte-Catherine. Chaque année, je voyais quelques-uns de ces jardins disparaître avec les belles maison de pierre que l'on démolissait. A leur place, surgissaient les terribles «flats» munis d'étranges escaliers qui donnèrent à la ville un si bizarre aspect dès la fin du XIXe siècle. Mon école de la rue de Montigny fut sans doute l'une des dernières «résidences» d'autrefois et son jardin l'un des derniers à subsister. Il ne reste plus de nos jours aucune trace d'un lieu qui fut si charmant. Maisons et jardins du quartier Saint-Jacques, du quartier Saint-Louis sont maintenant, pour moi, des fantômes comme le sont les gens que j'y ai connus.»[2]

1 Barbeau, Victor, *La tentation du passé*, les éditions La Presse ltée, Ottawa, 1977.
2 De Roquebrune, Robert, *Quartier Saint-Louis*, la corporation des éditions Fides, Montréal, 1981.

2 Le Quartier latin

Le patrimoine de Montréal
Quartiers du centre-ville Est

Denis Street, showing
al University, Montréal.

Quartier latin

Le centre-ville Est...
La ville au-delà des murs, poursuit son développement vers le nord. Autour du chemin Saint-Laurent et de la rue Saint-Denis, la société canadienne-française du XIXe siècle trace ses voies d'avenir: religion, culture, éducation et politique.

Ce territoire, limité au nord par la rue Sherbrooke, se compose d'une partie des quartiers municipaux Saint-Laurent, Saint-Jacques et Crémazie. Les bâtiments en pierre grise, pour plusieurs, rappellent les années de gloire de l'Université de Montréal, rue Saint-Denis.

1. Vue de l'automobile nouveau siècle
Propriété de U.H. Dandurand Square Viger

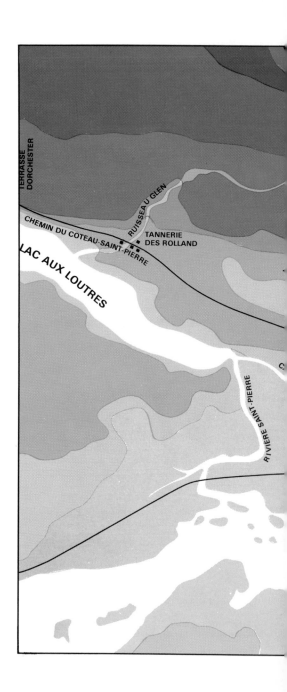

Photo de la page précédente:
L'Université Laval, rue Saint-Denis
au début du siècle. Archives Notman, musée McCord.

Relief et cours d'eau de Montréal au XVIIIe siècle

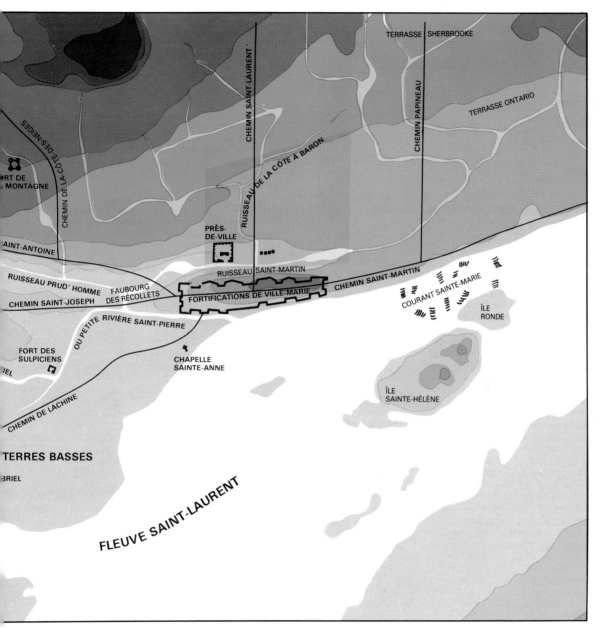

TERRASSE SHERBROOKE

TERRASSE ONTARIO

CHEMIN SAINT-LAURENT

CHEMIN PAPINEAU

RUISSEAU DE LA CÔTE À BARON

CHEMIN DE LA-CÔTE-DES-NEIGES

ORT DE MONTAGNE

AINT-ANTOINE

PRÈS-DE-VILLE

RUISSEAU PRUD' HOMME

FAUBOURG DES RÉCOLLETS

CHEMIN SAINT-JOSEPH

RUISSEAU SAINT-MARTIN

FORTIFICATIONS DE VILLE-MARIE

CHEMIN SAINT-MARTIN

COURANT SAINTE-MARIE

ÎLE RONDE

OU PETITE RIVIÈRE SAINT-PIERRE

FORT DES SULPICIENS

IEL

CHAPELLE SAINTE-ANNE

ÎLE SAINTE-HÉLÈNE

CHEMIN DE LACHINE

TERRES BASSES

BRIEL

FLEUVE SAINT-LAURENT

Le grand incendie de Montréal   Avant 1852

2. Vue de Montréal en 1784. La ville fortifiée,
le faubourg Saint-Laurent et les fermes dans la campagne.

Une seule porte dans le mur des fortifications ouvre vers le nord. On doit alors franchir le ruisseau Saint-Martin pour atteindre le chemin conduisant au village Saint-Laurent, situé de l'autre côté de l'île. Longtemps, ce ruisseau a fait la joie des pêcheurs mais la ville grossissant, il devient vite un égout à ciel ouvert. Les crues du printemps le font souvent déborder. On prétend même qu'il n'est pas étranger aux fréquentes épidémies dans la ville.

Dès 1731, des champs cultivés longent le chemin Saint-Laurent. Des colons se sont établis au-delà des terres inondables, à la hauteur de la rue de La Gauchetière. Une de ces terres, le Près-de-Ville, illustre par son nom coloré le contexte d'alors: au pied des fortifications, la campagne approvisionne les citadins.

Le faubourg Saint-Laurent remplace cent ans plus tard les terres en culture. Les frères des Écoles chrétiennes y ouvrent leur première école au pays. Une population variée se mêle aux premiers occupants d'origine francophone. Les Écossais protestants occupent une partie de l'ancien Près-de-Ville; les Juifs ont leur synagogue rue Chenneville. On surnomme «petit Dublin» le secteur où vivent les Irlandais. Et la rue Hôtel-de-Ville se nomme, à juste titre, la rue des Allemands.

Rue Saint-Laurent, les petits commerces prospèrent et la place du marché est très fréquentée. Dans les auberges, fermiers et marchands concluent des affaires avantageuses autour d'un pot de bière. Mais les temps sont agités. La rébellion

des Patriotes a suscité des mouvements de l'armée dans la ville. On a vu plusieurs bourgeois partir en exil.

Plus à l'est, les familles Viger et Papineau détiennent de grandes terres. Ces familles sont de plus très mêlées à la vie politique d'alors. Un des leurs, Jacques Viger, est élu premier maire de Montréal en 1832. Leurs fils les plus illustres prennent part à la rébellion de 1837 et comptent parmi les patriotes exilés ou emprisonnés. Ces notables donnent à la communauté les terres en bordure de la rue Saint-Denis, pour la construction de la cathédrale Saint-Jacques, le palais épiscopal, le square Saint-Jacques (1) et le square Viger.

Sur le site où domine encore aujourd'hui le clocher de l'église Saint-Jacques, l'évêque de Montréal mènera une lutte acharnée pour la reconnaissance de son titre. Londres cherchera à ne maintenir au pays qu'un évêque, l'évêque anglican. Et les sulpiciens, en tant que premiers occupants de la paroisse, revendiqueront eux aussi le titre de chefs spirituels de Montréal.

La construction de la cathédrale et plus tard, l'aménagement du square Viger attirent plus à l'est la population francophone. Avec ses beaux jardins, ses serres et ses fontaines, le square devient vite un lieu recherché pour la construction de résidences bourgeoises. Autre atout de ce secteur, la rue Craig, aujourd'hui Saint-Antoine, est la plus large de la ville; elle recouvre le ruisseau Saint-Martin qui continue à couler dans les canalisations souterraines. On y trouve aussi un carrefour très animé, le marché au foin, où se croisent dans un bruit de clochettes voitures à chevaux l'été, et traîneaux l'hiver.

Ainsi se présente le quartier quand, en plein été 1852, éclate le pire incendie de Montréal. Pendant vingt-six heures, le feu détruit près de la moitié des maisons de la ville. La cathédrale est en cendres! Neuf mille personnes sans abri! Le monastère du Bon-Pasteur, rue Sherbrooke, héberge des sinistrés pendant que le conseil de ville légifère. On interdit les constructions en bois et on décrète le creusage du canal de l'Aqueduc. Des crédits sont votés pour l'achat de puissantes pompes. L'eau pourra ainsi être poussée jusqu'au réservoir McTavish, sur le flanc de la montagne. Ce dernier remplacera le réservoir du square Saint-Louis, grandement insuffisant pour les besoins de la ville.

_____

(1) Rebaptisé square Pasteur en 1922.

La Côte-à-Baron   1852-1890

Le quartier dévasté se reconstruit rapidement.
Sur des terrains plus petits, des maisons en rangée remplacent les bâtiments isolés d'avant
l'incendie. L'église Saint-Jacques est rebâtie sur le
site de l'ancienne cathédrale. Cette dernière sera
érigée à l'ouest de la ville sur un emplacement
plus prestigieux, le square Dominion. (1)

Dès 1850, la fondation d'une université francophone fait l'objet d'une vive polémique. L'attraction qu'exerce l'Université McGill sur l'élite
canadienne-française inquiète Mgr Bourget.
De plus, cet homme volontaire aspire pour sa
ville à une université indépendante de celle de
Québec. Il ne réussit qu'à moitié; une filiale de
l'Université Laval ouvre ses portes en 1876. (2)
Dans son sillage, plusieurs notables et intellec-
tuels viennent s'établir dans le quartier.

Cette époque est également marquée par un
fort mouvement d'émigration des ruraux vers les
grandes villes industrielles et aussi les États-Unis.
Plusieurs viendront travailler dans les manufactures de la rue Saint-Laurent; les ateliers de confection s'y multiplient depuis que la machine à
coudre a fait son apparition. Le tramway à chevaux circule depuis 1864. Il se rend jusqu'aux
limites de la ville, avenue du Mont-Royal et permet donc aux ouvriers d'habiter plus au nord.
Quel spectacle quand, à l'heure de fermeture des
usines, le tramway bondé refuse de grimper la
pente. On ajoute alors à l'équipage les chevaux
de relais, postés rue Ontario.

Cette dernière, ouverte en 1864, se couvre rapidement d'habitations et de commerces; elle est
bientôt assez populeuse pour justifier une ligne
de tramway. Au nord, le quartier achève de se
construire. Le collège Mont-Saint-Louis est en chantier, rue Sherbrooke; les grandes demeures entourées de jardins cèdent la place aux maisons en

3. Vue d'une partie du faubourg Saint-Laurent, en reconstruction
après l'incendie. Photo prise de l'église Notre-Dame en 1859.

rangée. Vers 1880, de belles résidences s'élèvent
rues Saint-Denis, Berri et Saint-Hubert; cet endroit
qu'on surnomme la Côte-à-Baron faisait jusqu'à
ce jour la joie des enfants du quartier qui
venaient y glisser pendant l'hiver. Plus à l'est, des
logements ouvriers se construisent. À partir de
1892, on peut voir circuler un tramway électrique
rue Amherst!

---

(1) Voir fascicule n° 3. (Voir volume, chapitre 3.)
(2) L'Université de Montréal ne sera pleinement autonome qu'en
    1919.

Le Quartier latin

L'université confère au quartier un prestige sans précédent. En 1895, les premières bâtisses d'allure monumentale surgissent rue Saint-Denis. La vie étudiante est joyeuse autour des libraries et de la bibliothèque Saint-Sulpice. Les résidences sont distinguées. La rue, bordée d'arbres magnifiques, est fréquentée par les magistrats, artistes et hommes de lettres qui, pour la plupart, ont élu domicile dans le quartier.

Cette influence se perçoit aussi dans l'architecture commerciale et industrielle. Les banques, commerces et gratte-ciel qui se construisent alors rue Sainte-Catherine, portent la marque des enseignements de l'école des Beaux-Arts de Paris.

Sur la rue Saint-Laurent, élargie en 1889 en un prestigieux boulevard, on voit apparaître des bâtiments au décor raffiné. L'association Saint-Jean-Baptiste y fait ériger le Monument national (photo 15), symbole de la survivance canadienne-française en Amérique. Tous les notables de Montréal, d'allégeance française, appartiennent à cette association un peu comme à l'ouest, l'élite anglophone siège au «Board of Trade» et au conseil d'administration de la Banque de Montréal.

La guerre 14-18 amorce un virage dans l'évolution du quartier. Le boulevard Saint-Laurent perd ses lettres de noblesse pour devenir la «Main», milieu trouble et hautement coloré. La prostitution y a ses quartiers, le «Red Light», qui vaut à Montréal le titre de «ville mal famée». L'Université Laval, rue Saint-Denis, devenue l'Université de Montréal en 1919, déménage sur la montagne, lieu plus propice à sa croissance. L'élite canadienne-française qui gravite en son sein, quitte aussi le quartier pour aller habiter la municipalité d'Outremont.

4. *Procession de la Saint-Jean-Baptiste.*

Patrimoine éclaté! Après 1930

5. L'ancien Près-de-Ville, en 1980, un des plus anciens noyaux urbains en dehors des fortifications. À droite, la «British and Canadian School» construite en 1826: ce bâtiment en maçonnerie, avec son toit à fausse mansarde et ses lucarnes, témoigne dans cet univers de béton et de brique de plus de 150 ans d'histoire. Au centre de la photo, le complexe Guy-Favreau en construction et en arrière-plan, le complexe Desjardins.

Ce quartier mieux que d'autres illustre le mouvement d'alternance de la ville entre la rupture et la continuité.

Dans l'ancien Près-de-Ville, la communauté chinoise établie depuis la Seconde Guerre mondiale, subit déjà l'assaut de la ville plus moderne. Le Palais des congrès et le complexe Guy-Favreau y émergent et les bâtiments, les plus anciens du quartier, cherchent, fragiles et minuscules, une place au soleil.

Aujourd'hui, rue Saint-Denis, renaît le Quartier latin autour de l'ancien clocher de l'église Saint-Jacques. L'Université du Québec à Montréal et les cégeps Dawson et du Vieux-Montréal redonnent vie aux anciens bâtiments de pierre grise.

Les étapes du développement

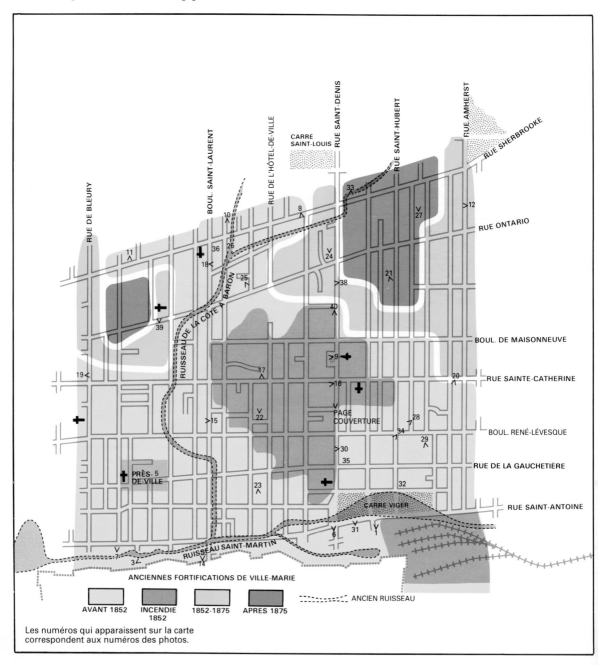

RUE DE BLEURY

BOUL. SAINT-LAURENT

RUE DE L'HÔTEL-DE-VILLE

CARRÉ
SAINT-LOUIS

RUE SAINT-DENIS

RUE SAINT-HUBERT

RUE AMHERST

RUE SHERBROOKE

RUE ONTARIO

BOUL. DE MAISONNEUVE

RUE SAINTE-CATHERINE

BOUL. RENÉ-LÉVESQUE

RUE DE LA GAUCHETIÈRE

RUE SAINT-ANTOINE

RUISSEAU DE LA CÔTE À BARON

CARRÉ VIGER

PRÈS-
DE-VILLE

PAGE
COUVERTURE

RUISSEAU SAINT-MARTIN

ANCIENNES FORTIFICATIONS DE VILLE-MARIE

| AVANT 1852 | INCENDIE 1852 | 1852-1875 | APRÈS 1875 | | ANCIEN RUISSEAU |

Les numéros qui apparaissent sur la carte
correspondent aux numéros des photos.

Tableau synchronique des éléments architecturaux

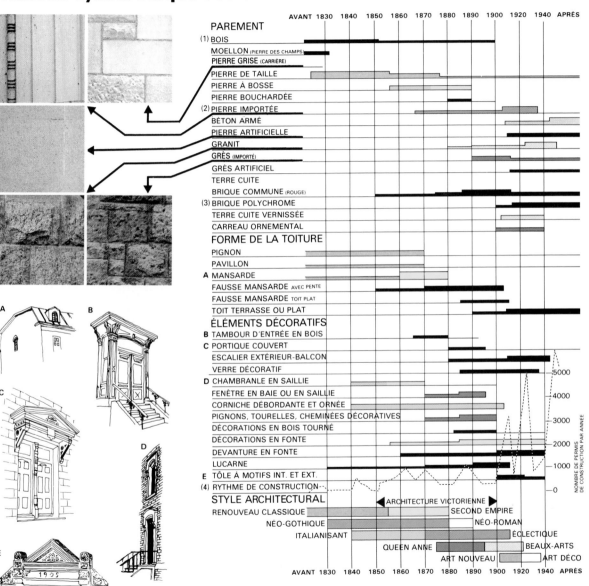

PAREMENT
- (1) BOIS
- MOELLON (PIERRE DES CHAMPS)
- PIERRE GRISE (CARRIÈRE)
- PIERRE DE TAILLE
- PIERRE À BOSSE
- PIERRE BOUCHARDÉE
- (2) PIERRE IMPORTÉE
- BÉTON ARMÉ
- PIERRE ARTIFICIELLE
- GRANIT
- GRÈS (IMPORTÉ)
- GRÈS ARTIFICIEL
- TERRE CUITE
- BRIQUE COMMUNE (ROUGE)
- (3) BRIQUE POLYCHROME
- TERRE CUITE VERNISSÉE
- CARREAU ORNEMENTAL

FORME DE LA TOITURE
- PIGNON
- PAVILLON
- A MANSARDE
- FAUSSE MANSARDE AVEC PENTE
- FAUSSE MANSARDE TOIT PLAT
- TOIT TERRASSE OU PLAT

ÉLÉMENTS DÉCORATIFS
- B TAMBOUR D'ENTRÉE EN BOIS
- C PORTIQUE COUVERT
- ESCALIER EXTÉRIEUR-BALCON
- VERRE DÉCORATIF
- D CHAMBRANLE EN SAILLIE
- FENÊTRE EN BAIE OU EN SAILLIE
- CORNICHE DÉBORDANTE ET ORNÉE
- PIGNONS, TOURELLES, CHEMINÉES DÉCORATIVES
- DÉCORATIONS EN BOIS TOURNÉ
- DÉCORATIONS EN FONTE
- DEVANTURE EN FONTE
- LUCARNE
- E TÔLE À MOTIFS INT. ET EXT.
- (4) RYTHME DE CONSTRUCTION

STYLE ARCHITECTURAL
- ◄ ARCHITECTURE VICTORIENNE ►
- RENOUVEAU CLASSIQUE
- NÉO-GOTHIQUE
- ITALIANISANT
- SECOND EMPIRE
- NÉO-ROMAN
- ÉCLECTIQUE
- QUEEN ANNE
- BEAUX-ARTS
- ART NOUVEAU
- ART DÉCO

AVANT 1830 1840 1850 1860 1870 1880 1890 1900 1920 1940 APRÈS

NOMBRE DE PERMIS DE CONSTRUCTION PAR ANNÉE — 5000 / 4000 / 3000 / 2000 / 1000 / 0

(1) Bois: interdit dans le Vieux-Montréal après l'incendie de 1721, dans les faubourgs après celui de 1852, il demeure cependant en usage dans les villages jusqu'à leur annexion autour des années 1900.
(2) Pierre importée: pierre plus malléable que la pierre grise, se prêtant mieux aux motifs sculptés.
(3) Brique polychrome: de couleur variable et à texture rugueuse contrairement à la brique commune qui est rouge, lisse, et à texture sablonneuse.
(4) Certaines données de ce tableau proviennent des études de David B. Hanna, professeur au département de géographie, UQAM.

Tableau synchronique des événements historiques 1700-1945

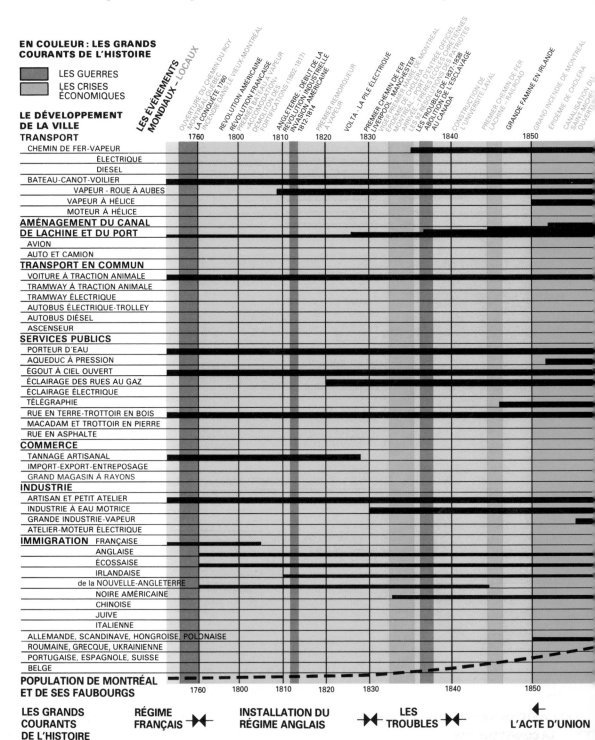

EN COULEUR : LES GRANDS COURANTS DE L'HISTOIRE

LES GUERRES
LES CRISES ÉCONOMIQUES

LE DÉVELOPPEMENT DE LA VILLE

TRANSPORT
- CHEMIN DE FER-VAPEUR
- ÉLECTRIQUE
- DIESEL
- BATEAU-CANOT-VOILIER
- VAPEUR - ROUE À AUBES
- VAPEUR À HÉLICE
- MOTEUR À HÉLICE

AMÉNAGEMENT DU CANAL DE LACHINE ET DU PORT
- AVION
- AUTO ET CAMION

TRANSPORT EN COMMUN
- VOITURE À TRACTION ANIMALE
- TRAMWAY À TRACTION ANIMALE
- TRAMWAY ÉLECTRIQUE
- AUTOBUS ÉLECTRIQUE-TROLLEY
- AUTOBUS DIÉSEL
- ASCENSEUR

SERVICES PUBLICS
- PORTEUR D'EAU
- AQUEDUC À PRESSION
- ÉGOUT À CIEL OUVERT
- ÉCLAIRAGE DES RUES AU GAZ
- ÉCLAIRAGE ÉLECTRIQUE
- TÉLÉGRAPHIE
- RUE EN TERRE-TROTTOIR EN BOIS
- MACADAM ET TROTTOIR EN PIERRE
- RUE EN ASPHALTE

COMMERCE
- TANNAGE ARTISANAL
- IMPORT-EXPORT-ENTREPOSAGE
- GRAND MAGASIN À RAYONS

INDUSTRIE
- ARTISAN ET PETIT ATELIER
- INDUSTRIE À EAU MOTRICE
- GRANDE INDUSTRIE-VAPEUR
- ATELIER-MOTEUR ÉLECTRIQUE

IMMIGRATION FRANÇAISE
- ANGLAISE
- ÉCOSSAISE
- IRLANDAISE
- de la NOUVELLE-ANGLETERRE
- NOIRE AMÉRICAINE
- CHINOISE
- JUIVE
- ITALIENNE
- ALLEMANDE, SCANDINAVE, HONGROISE, POLONAISE
- ROUMAINE, GRECQUE, UKRAINIENNE
- PORTUGAISE, ESPAGNOLE, SUISSE
- BELGE

POPULATION DE MONTRÉAL ET DE SES FAUBOURGS

LES ÉVÉNEMENTS MONDIAUX – LOCAUX

OUVERTURE DU CHEMIN DU ROY
MONTRÉAL-QUÉBEC 1760
LA CONQUÊTE 1760
INCENDIE DANS LE VIEUX-MONTRÉAL
RÉVOLUTION AMÉRICAINE
RÉVOLUTION FRANÇAISE
PREMIER BATEAU À VAPEUR
« ACCOMODATION »
DÉMOLITION DES
FORTIFICATIONS (1802-1817)
ANGLETERRE - DÉBUT DE LA
RÉVOLUTION INDUSTRIELLE
INVASION AMÉRICAINE
1812-1814
PREMIER REMORQUEUR
À VAPEUR
VOLTA - LA PILE ÉLECTRIQUE
PREMIER CHEMIN DE FER
LIVERPOOL-MANCHESTER
VIGER PREMIER MAIRE DE MONTRÉAL
MORT-ÉPIDÉMIE DE CHOLÉRA
MONTRÉAL – PORT D'ENTRÉE OFFICIEL
ARRIVÉE – FRÈRES ÉCOLES CHRÉTIENNES
LES 92 RÉSOLUTIONS DES PATRIOTES
LES TROUBLES DE 1837-1838
ABOLITION DE L'ESCLAVAGE
AU CANADA
CONSTRUCTION DE
L'UNIVERSITÉ LAVAL
PREMIER CHEMIN DE FER
LACHINE – RAILROAD
GRANDE FAMINE EN IRLANDE
GRAND INCENDIE DE MONTRÉAL
CANALISATION DE
SAINT-MICHEL
ÉPIDÉMIE DE CHOLÉRA
OUVERT

1760   1800   1810   1820   1830   1840   1850

1760   1800   1810   1820   1830   1840   1850

LES GRANDS COURANTS DE L'HISTOIRE

RÉGIME FRANÇAIS ▶◀   INSTALLATION DU RÉGIME ANGLAIS   ◀▶ LES TROUBLES ◀▶   ◀ L'ACTE D'UNION

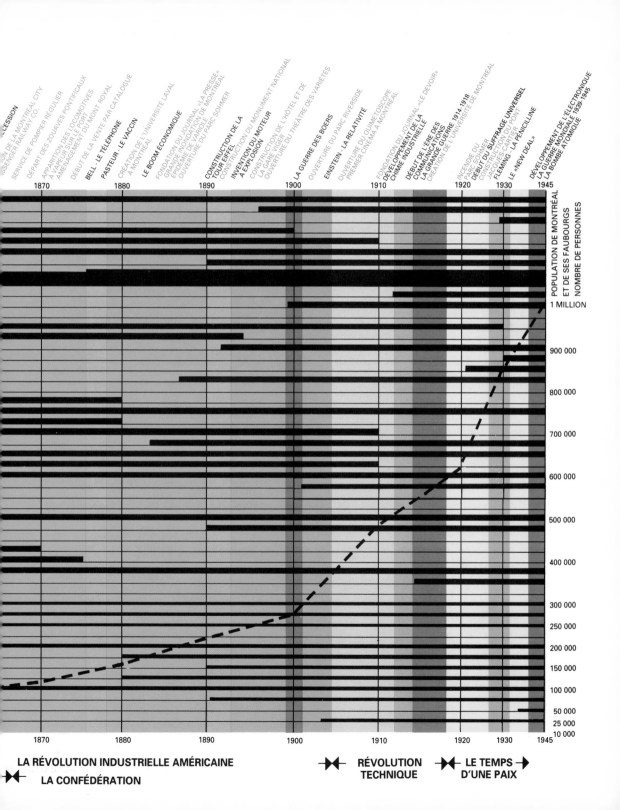

CESSION
SSENGER RAILWAY CITY
SERVICE DE POMPIER RÉGULIER
DÉPART DES ZOUAVES PONTIFICAUX
APPARITION DES LOCOMOTIVES À VAPEUR SUR LE PORT
AMÉNAGEMENT DU MONT ROYAL
DÉBUT DE LA VENTE PAR CATALOGUE
BELL - LE TÉLÉPHONE
PASTEUR - LE VACCIN
CRÉATION DE L'UNIVERSITÉ LAVAL À MONTRÉAL
LE BOOM ÉCONOMIQUE
FONDATION DU JOURNAL «LA PRESSE»
GRANDE INONDATION DE MONTRÉAL
ÉPIDÉMIE DE VARIOLE
OUVERTURE DU PARC SOHMER
CONSTRUCTION DE LA TOUR EIFFEL
CONSTRUCTION DU MONUMENT NATIONAL
INVENTION DU MOTEUR À EXPLOSION
LA GARE VIGER
CONSTRUCTION DE L'HÔTEL ET DE OUVERTURE DU THÉÂTRE DES VARIÉTÉS
LA GUERRE DES BOERS
OUVERTURE DU PARC RIVERSIDE
EINSTEIN - LA RELATIVITÉ
OUVERTURE DU QUIMETOSCOPE
PREMIER CINÉMA À MONTRÉAL
FONDATION DU JOURNAL «LE DEVOIR»
DÉVELOPPEMENT DE LA CHIMIE INDUSTRIELLE
DÉBUT DE L'ÈRE DES COMMUNICATIONS
LA GRANDE GUERRE 1914-1918
CRÉATION DE L'UNIVERSITÉ DE MONTRÉAL
INCENDIE DU PARC SOHMER
DÉBUT DU SUFFRAGE UNIVERSEL
CONSTRUCTION DU PONT JACQUES-CARTIER
FLEMING - LA PÉNICILLINE
LE «NEW DEAL»
DÉVELOPPEMENT DE L'ÉLECTRONIQUE
LA GUERRE MONDIALE 1939-1945
LA BOMBE ATOMIQUE

1870   1880   1890   1900   1910   1920   1930   1945

POPULATION DE MONTRÉAL
ET DE SES FAUBOURGS
NOMBRE DE PERSONNES

1 MILLION

900 000

800 000

700 000

600 000

500 000

400 000

300 000

250 000

200 000

150 000

100 000

50 000

25 000

10 000

1870   1880   1890   1900   1910   1920   1930   1945

LA RÉVOLUTION INDUSTRIELLE AMÉRICAINE

LA CONFÉDÉRATION

RÉVOLUTION
TECHNIQUE

LE TEMPS
D'UNE PAIX

Architecture publique et institutionnelle d'hier et d'aujourd'hui

Au coeur du quartier chinois, trois bâtiments témoignent de la vie passée de la communauté protestante. L'église sécessionniste d'Écosse, aujourd'hui Mission catholique chinoise, a été construire en 1834, rue de La Gauchetière; elle est la plus ancienne de la ville en dehors du Vieux Montréal, ce qui lui vaut d'être classée monument historique. L'église «Free Church» dont il ne reste que les murs, et le «British Canadian School» érigé en 1826, ont été recyclés par la communauté chinoise à des fins industrielles. Le square Dufferin, aménagé en 1870 sur le site du cimetière protestant, est disparu à son tour sous le complexe Guy-Favreau.

Vers 1860, la communauté protestante se déplace vers l'ouest de la ville, secteur de plus en plus anglophone. Seuls quatre temples seront érigés par la suite dans le quartier. Mentionnons les églises «Holy Trinity» (1) et «Saint John the Evangelist» (photo 39) dont les clochers se dressent tels des repères familiers à l'angle des rues Saint-Denis et Viger, Saint-Urbain et Président-Kennedy.

Quant à la communauté catholique francophone, elle vit au XIXe siècle des moments importants de son histoire religieuse, culturelle et politique. Un des personnages marquants de l'époque, Mgr Bourget, évêque de Montréal, fonde de son vivant plus de soixante-dix paroisses dans son diocèse. Il implante nombre de

7. Le Près-de-ville en 1872 vu des tours clochers de l'église Notre-Dame. de la rue Côté, on voit l'école Saint-Laurent (A), «Free Church» (B) et rue de La Gauchetière, l'église sécessionniste d'Écosse (C).

communautés religieuses et se mêle activement aux luttes politiques du temps: la Rébellion de 1837-1838, l'union du Haut et du Bas-Canada et la Confédération.

Rappelons qu'à l'époque, la population est largement illettrée. Les croix sur les documents importants constituent les signatures les plus courantes. Dès le début de la colonie, les sulpiciens ont enseigné à l'élite de la ville. Cependant, ce n'est qu'à l'arrivée des frères des Écoles chrétiennes, en 1837, que s'ouvrent des écoles d'enseignement populaire. La première, l'école Saint-Laurent, (2) est érigée dans l'ancien Près-de-Ville. En 1888, les frères font construire le Mont-Saint-Louis pour permettre à leurs élèves de poursuivre des études secondaires. Cet édifice impressionnant se dresse rue Sherbrooke en parfaite harmonie avec le monastère du Bon-Pasteur et les résidences en pierre grise de Montréal.

6. L'église Saint-Sauveur et le square Viger.

(1) Aujourd'hui église Saint-Sauveur.
(2) Démolie en 1930.

8. *Mont-Saint-Louis, 244, rue Sherbrooke Est, oeuvre de l'architecte Jean-Zéphirin Resther. Le frère Marie-Victorin, le réputé naturaliste était rattaché à cette maison d'enseignement et a concouru à sa notoriété.*

Grâce à Mgr Bourget, les jésuites reviennent au pays en 1842 et fondent le collège Sainte-Marie. Le rôle de cette maison d'enseignement dans la formation de l'élite montréalaise est fort important; on faillit d'ailleurs en faire le siège de la première université francophone de la ville. Le Gesù demeure, rue de Bleury, le seul témoin de l'oeuvre des jésuites. Parmi les bâtiments qui ont fait la gloire de l'Université de Montréal, rue Saint-Denis, il faut mentionner l'École polytechnique (1), l'École des hautes études commerciales (2) et la bibliothèque Saint-Sulpice. (3) Soulignons enfin la chapelle Notre-Dame-de-Lourdes, aujourd'hui église paroissiale et universitaire. Elle fut construite en 1876 par l'architecte Napoléon Bourassa, artiste reconnu, qui s'entoura de jeunes artistes dont le sculpteur Philippe Hébert. Elle est particulièrement remarquable par ses décorations intérieures.

9. *École polytechnique 1420-50, rue Saint-Denis, face au square Saint-Jacques en 1910. Oeuvre de l'architecte Émile Vanier. (1903)*

(1) Aujourd'hui pavillon Athanase-David, cégep du Vieux-Montréal.
(2) Aujourd'hui cégep Dawson.
(3) Aujourd'hui Bibliothèque nationale.

Dans le domaine de l'enseignement, l'ancien Institut de technologie de Montréal (1) rue Sherbrooke, compte parmi les bâtiments prestigieux. Construite en 1911, à l'initiative gouvernementale, cette école formait de bons techniciens et encourageait les jeunes à créer leur propre entreprise.

À l'époque, l'État, faute de ressources financières, confie volontiers aux communautés religieuses le domaine social et hospitalier. À l'initiative de Mgr Bourget, les religieuses du Bon-Pasteur et de la Miséricorde ouvrent leur monastère dans le quartier; les premières, pour rééduquer les adolescentes et les secondes, pour soigner les malades et les mères célibataires. Les deux bâtiments caractérisent bien les ensembles conventuels érigés à l'époque. Le Bon-Pasteur, construit en 1846, comprend une cour intérieure qui, à l'origine, servait de jardins et vergers. Son intérêt patrimonial réside dans le fait qu'il est un des plus anciens du genre hors du Vieux-Montréal.

Au chapitre des bâtiments publics, peu nombreux dans le quartier, il faut souligner les remarquables bains Généreux, construits en 1926, rue Amherst.

(1) UQAM, pavillon des Arts.

11. L'institut de technologie de Montréal, 200, rue Sherbrooke Ouest, oeuvre des architectes John S. Archibald, Charles Saxe et Alphonse Venne, un des édifices scolaires les plus remarquables de la rue Sherbrooke.

12. Les bains Généreux, 2050, rue Amherst, oeuvre de Jean-Omer Marchand.

10. Monastère du Bon-Pasteur, 104, rue Sherbrooke Est, a été la première institution à s'établir à la Côte-à-Baron. On construira de 1846 à 1888, les différents corps de bâtiment. La chapelle, oeuvre de Victor Bourgeau, est un des éléments d'architecture les plus intéressants de cet ensemble.

13. Détail de la corniche de l'entrée des bains Généreux.

Carte des quartiers du centre-ville Est

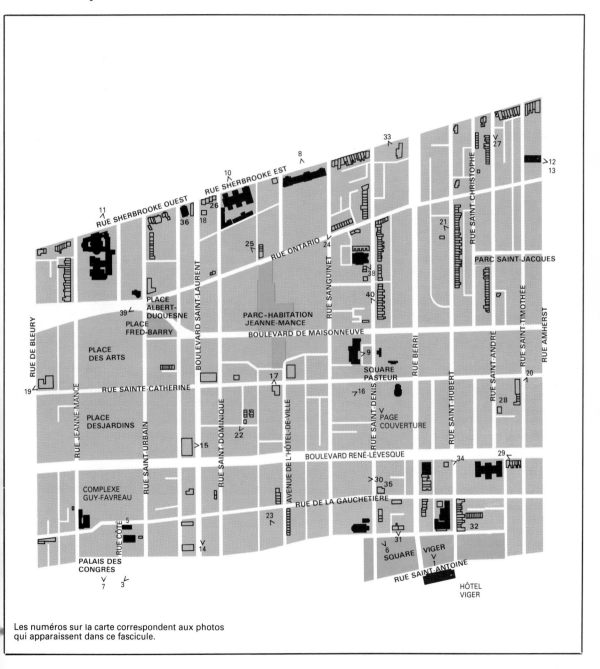

Les numéros sur la carte correspondent aux photos
qui apparaissent dans ce fascicule.

Architecture commerciale et industrielle

14. Vue du boulevard Saint-Laurent prise de la rue Craig.

Dès ses débuts, le boulevard Saint-Laurent est une artère commerciale. Il loge à bonne enseigne la bourgeoisie commerçante canadienne-française. Il est alors de mise pour les marchands, artisans et professionnels d'y habiter au-dessus de leur lieu de travail. Rues Sainte-Catherine, Ontario, de Bleury et Saint-Laurent, on trouve encore beaucoup de ces bâtiments d'habitation dont la façade, au niveau de la rue, s'ouvre sur de larges vitrines.

Des bâtiments entièrement commerciaux et de plus grande taille leur succéderont. Le Monument national compte parmi ceux-là. Cet édifice éclipse dès sa construction en 1893 le marché Saint-Laurent, situé en face, dont la tour surmontée d'une horloge était devenue un repère familier. Pendant cinquante ans, le Monument national fut le haut lieu des manifestations culturelles et politiques. Gratien Gélinas, avec ses Fridolinades, y fit rire le tout Montréal et les carabins de l'Université y revinrent, chaque année, avec leur célèbre revue «Bleu et Or».

Vers 1915, la rue Sainte-Catherine devient la principale artère commerciale du quartier. Le magasin Dupuis et frères, établi déjà depuis longtemps, y fait figure de pionnier. La clientèle est distinguée. Les commerçants et industriels, pour suivre le ton, construisent des édifices à l'allure prestigieuse.

C'est à cette époque qu'apparaît l'ascenseur. Il permet de supprimer la limite de cinq étages jusque-là imposée aux édifices commerciaux. De nouveaux matériaux, comme l'acier, permettent de diminuer l'épaisseur des murs, de vitrer davantage les façades et de construire plus haut. Le gratte-ciel prend donc forme.

On construit rue Sainte-Catherine les édifices Labelle et Blumenthal hauts de sept étages. Pour bien souligner l'image de marque des grandes maisons de la confection, on emploie un matériau à la mode, la tuile vernissée blanche. Beaucoup d'autres matériaux importés, comme la pierre beige de l'édifice de La Patrie, viennent rompre l'uniformité de la brique et de la pierre grise.

16. Vue de la rue Sainte-Catherine prise de la rue Saint-Denis en direction ouest (1901).

17. L'édifice de La Patrie, 180-182, rue Sainte-Catherine Est, oeuvre des architectes J.A. Turgeon et G.A. Monette en 1905. Le journal La Patrie, fondé en 1879 par Honoré Beaugrand, y sera édité jusqu'à la fin de sa parution en 1960.

15. Monument national, 1166-1182, boul. Saint-Laurent.

Quant à l'industriel Louis-Ovide Grothé, il cherche par un appareillage de brique à donner une allure moins austère à son usine, reconnue pour la qualité de ses cigares. On peut aussi y remarquer le dessin recherché des fenêtres et l'encoignure arrondie de la façade. Quant à la brasserie Ekers située en biais de l'ancienne usine Grothé, elle présente une façade monumentale qui aurait pu fort bien orner un bâtiment public.

Les banques reçoivent aussi un traitement raffiné. Mentionnons que les hommes d'affaires canadiens-français créent à l'époque leurs propres institutions bancaires. Ainsi, en 1844, Louis-Michel Viger fonde la Banque du Peuple et émet des billets à l'effigie de Louis-Joseph Papineau. La Banque d'Épargne est fondée chez les petites gens, et la Banque Jacques-Cartier (1) est créée par Jean-Louis Beaudry, notable du quartier et futur maire de Montréal.

---

(1) Banque Provinciale.

19. La Banque Toronto-Dominion, angle Bleury-Sainte-Catherine, oeuvre de Jérôme Spence en 1927. À l'est, l'édifice Blumenthal, construit en 1910, présente une belle façade de terre cuite vitrifiée.

18. La brasserie Ekers, 2115, boulevard Saint-Laurent, oeuvre des architectes Dunlop et Heriot en 1894. Fondée en 1845, la «Ekers» sera fusionnée aux brasseries Dow, Dawes et Union pour former en 1909 la «National Breweries» devenue en 1952 la «Canadian Breweries Limited».

20. La Banque d'Épargne, 936, rue Sainte-Catherine Est, oeuvre de l'architecte Alfred-Hector Lapierre en 1920.

Architecture résidentielle

21. Rue Saint-Hubert.

La maison de Montréal

Depuis le début de la colonie, la maison au Québec s'est lentement transformée. À la ville comme à la campagne, on a tenté de mieux l'adapter à nos hivers rigoureux. Les fréquents incendies dans la ville amèneront très tôt l'administration de Montréal à émettre des directives détaillées sur les façons de la construire.

Ordonnance du 17 juin 1727...

Ordonnons de... «*bâtir aucune maison dans les villes et gros bourgs, où il se trouvera de la pierre commodément, autre qu'en pierres; défendons de les bâtir en bois, de pièces sur pièces et de colombage...*»

«*construire des* «*murs de refend*» (1) *qui excèdent les toits et les coupent en différentes parties, ou qui les séparent d'avec les maisons voisines, à l'effet que le feu se communique moins de l'une à l'autre...*»

Défense de construire... «*des toits brisés, dit à la mansarde... qui font sur les toits une forêt de bois...*»

Outre ces nombreux édits, le coût élevé des terrains, à mesure que la ville s'agrandit, la prédo-minance des locataires et la présence dans le sol de la pierre calcaire et d'une argile propre à la brique, ont favorisé la naissance de la maison en rangée, typique à Montréal.

Cette maison type se rencontre, avec des variantes, dans tous les quartiers de la ville, mêlée à d'autres habitations moins nombreuses, mais qui toutes ont connu leurs heures de popularité:

• la maison villageoise
• la maison urbaine traditionnelle
• la maison en rangée
• la villa
• la maison contiguë
• la maison semi-détachée
• la maison à logements multiples
• la maison de rapport.

Les maisons les plus représentatives du quartier seront reprises dans les pages suivantes pour illustrer l'évolution du patrimoine résidentiel.

_____
(1) Murs coupe-feu.

22. *101-105, rue Charlotte, une des plus anciennes maisons du quartier. Construite vers 1850, aurait-elle échappé au grand incendie de Montréal?*

La maison urbaine traditionnelle
maison en pierre calcaire ou en brique, à façade très dépouillée; elle est coiffée d'un toit à pignon percé de petites lucarnes; elle est séparée de ses voisines par des murs coupe-feu.

Cette maison fut très courante dans la ville fortifiée, et quand l'espace vint à manquer, on continua de la reproduire dans le faubourg Saint-Laurent.

Construite en pierre calcaire et flanquée de murs coupe-feu, elle a donné à Montréal sa silhouette typique des années 1850. Le mur coupe-feu, conçu à l'origine pour empêcher le feu de se propager aux toitures voisines, devint si populaire que les maisons, même isolées, conservent cet attribut.

De deux ou trois étages, elles ont l'allure austère de couventines. Les portes et la fenestration sont unies et sans chambranle. Les lucarnes, de petite dimension, sont typiques de l'époque pour prendre, vers 1875, de plus en plus d'importance dans le décor de la façade.

Il reste peu d'exemples de la maison urbaine traditionnelle pourtant si nombreuse dans le Près-de-Ville, le feu et les vagues successives développement les ayant fait disparaître. Les derniers témoins, dispersés dans le Chinatown, sur le boulevard Saint-Laurent et la rue Sainte-Catherine, sont aujourd'hui grandement menacés.

La maison en rangée

elle est incluse dans un ensemble de bâtiments résidentiels alignés le long d'une rue, construits (en même temps) selon un plan d'ensemble et dont les façades sont semblables; elle est séparée des autres habitations par un mur coupe-feu mitoyen.

C'est la maison type de Montréal, celle qu'on retrouve le plus souvent à travers la ville.
Elle varie beaucoup cependant, selon l'époque et la population à qui elle est destinée à l'origine: modeste sur la rue Saint-Christophe, elle devient monumentale rue Saint-Denis.

23. 973-1013, avenue de l'Hôtel-de-Ville.

24. Les «Terrace Emma», 307-349, rue Ontario Est, construites en 1868.

Quand est-elle apparue dans le quartier?

L'incendie de 1852 donne lieu à un nouveau découpage du cadastre. Les lots, à l'origine en largeur sur la rue, deviennent plus étroits et plus en profondeur. Cette forme de terrains, reproduite en série, a fait naître des maisons standardisées, à plusieurs logements superposés.

Les maisons les plus anciennes...

En continuité avec la maison urbaine traditionnelle, les premières maisons en rangée conservent un toit à pignon et de petites lucarnes.
La façade en pierre grise démontre aussi une grande sobriété. Ce modèle fut influencé par une mode venue d'Angleterre, la maison type «terrace» conçue comme un ensemble de 3, 5, parfois 7 unités résidentielles; ce sont des résidences familiales, accolées les unes aux autres, où les pièces du logement sont réparties sur plusieurs étages. Après 1860, l'industrialisation de la ville amène un accroissement rapide de la population. La maison en rangée, à plusieurs logements superposés, devient la solution économique pour loger rapidement ouvriers et petits bourgeois.

25. 2003-27, rue de Bullion.

26. Les «Terrace Harp», 8-34, rue Sherbrooke Est, construites en 1864.

La maison en rangée à toit plat...

Plus économique que le toit à pignon ou à mansardes, le toit plat se généralise vers 1885.
Il est fait de planches sur lesquelles on étend plusieurs feuilles de papier goudronné, recouvertes de fin gravier.

Les usines à cette époque commencent à produire en série le papier goudronné, le solin, le drain et l'évent. À ce toit presque sans pente, le papier goudronné assure une parfaite étanchéité à l'eau. Le drain, placé au point bas de la toiture, canalise l'eau de pluie vers le système d'égout de la maison. Contrairement aux autres modèles, le toit plat s'égoutte vers l'intérieur. Finis les glaçons accrochés au rebord des toitures!

Souvent le toit plat se termine par une simple corniche de bois. C'est le cas à l'est de la rue Saint-Christophe où l'on trouve de modestes habitations ouvrières en brique rouge, à façade unie, sans balcon ni escalier, construites en bordure du trottoir.

Angle Sherbrooke et Saint-Laurent, on remarque un modèle plus luxueux, conçu en 1864 pour une population aisée. Cet ensemble est remarquable par sa forme en dents de scie qui suit le tracé en diagonale de la rue Sherbrooke. Dans une ville où les bâtiments sont presque toujours parallèles à la rue, le passant reste étonné par cette fantaisie. On note encore trois ensembles de ce type dans le quartier, rues Ontario et Sherbrooke.

Sa façade est en pierre et en brique...

Suite au terrible incendie de 1852, le conseil municipal interdit la construction des maisons en bois. Par ailleurs, on trouve en abondance sur l'île de Montréal, une pierre calcaire de couleur grise et une argile de bonne qualité pour la brique.
La pierre, très dure, est difficile à tailler; la brique se pose plus facilement et constitue un matériau plus économique.

La population bourgeoise se fera donc construire de belles résidences en pierre de taille ou bosselée. Sur les rues plus modestes où vivent ouvriers, petits salariés et employés de bureau, on construira plutôt les maisons en brique.

27. 2052-2114, rue Saint-André, maisons unifamiliales en rangée construites vers 1875.

28. 1196-1234, rue Saint-André, triplex en rangée.

Les maisons victoriennes...

Le règne de la reine Victoria, souveraine de 1837 à 1901, est caractérisé par le romantisme. La mode est exubérante. Les maisons au décor raffiné, expriment ce goût de l'époque pour le pittoresque.

La fausse mansarde devient un élément important du décor des façades. Elle souligne très fortement la ligne du toit et se pare de lucarnes fantaisistes, de tourelles impressionnantes et de frontons finement ouvragés. Des façades de rue, au décor extravagant, apparaissent un peu partout dans le quartier.

Vers 1870, l'industrie est en pleine expansion. Les machines actionnées à la vapeur, puis à l'électricité, produisent alors en série fenêtres, portes, escaliers, corniches, lucarnes et moulures.

Aux États-Unis, des manufactures vendent par catalogue des matériaux préfabriqués. On achète donc sur commande des façades en pièces détachées, qu'un ouvrier peut sans peine agencer sur place.

On verra donc sur certaines rues, des façades identiques se répéter en cadence et sur d'autres, des bâtiments très semblables, se distinguer par un décor particulier, variant au goût du propriétaire.

Rues Saint-Denis et Saint-Hubert, on peut admirer ces ensembles victoriens en pierre calcaire, parmi les plus remarquables de la ville.

29. Escaliers boul. René-Lévesque, près de la rue Saint-Timothée.

La maison contiguë

est incluse dans une suite de bâtiments résidentiels, construits à l'unité, selon un plan individuel et dont l'ornementation des façades varie; elle est séparée de ses voisines par des murs coupe-feu.

La maison contiguë est une autre maison bourgeoise. En choisissant ce type d'habitation plutôt que la maison en rangée, le propriétaire fait montre d'individualisme à une époque où la production en série s'implante dans la construction. À l'aide d'un architecte, il fait bâtir sa maison selon un plan standard et décorer la façade selon le goût de l'heure. Il en résulte un bâtiment qui diffère de ses voisins par sa hauteur ou l'agencement des matériaux de façade tout en s'inspirant des mêmes motifs.

31. *Magnifiques demeures de la rue Viger, semi-détachées ou contiguës.*

30. *Maison semi-détachée, convertie en 1912 en hôpital. Située rue Saint-Denis, elle sera démolie pour faire place à l'actuel hôpital Saint-Luc.*

32. *1001-47, rue Saint-Hubert.*

33. *Club canadien, 438, rue Sherbrooke Est.*

34. *Maison Masson, 1098, rue Saint-Hubert.*

La villa

maison isolée avec jardin, grande résidence familiale, emprunt à plusieurs styles architecturaux.

Alors que l'élite anglophone habite l'ouest de la ville, la bourgeoisie canadienne-française élit domicile dans le quartier. On voit très tôt apparaître rues René-Lévesque et Sherbrooke, et plus tard rue Viger, d'imposantes demeures familiales. Construites pour les riches marchands de fourrures, hommes d'affaires et notables, elles sont le pendant francophone des résidences du «Golden Square Mile». (1)

Depuis 1976, la société Saint-Jean-Baptiste a installé son siège social dans une des anciennes résidences de la rue Sherbrooke (2). Construite en 1874, la maison Ludger-Duvernay, ainsi nommée à la mémoire du fondateur de cette société, est un imposant bâtiment en pierre grise, coiffé d'une toiture en mansarde. À l'angle sud-est des rues Sherbrooke et Saint-Hubert, on peut observer une autre résidence à toit mansard ressemblant à un hôtel particulier, à la mode parisienne.

Le toit pavillon, devenu très rare à Montréal, coiffe encore quelques-unes des anciennes résidences bourgeoises. C'est le cas de la maison Buchanan construite en 1847, angle Sherbrooke et de Bullion. Plus à l'est, rue Sherbrooke, le Club canadien, ancienne résidence de la famille Dandurand, adopte le style château écossais, caractérisé par des tourelles, colonnades et cheminées décoratives.

Boulevard René-Lévesque, les prestigieuses maisons bourgeoises ont presque toutes disparu lors de l'élargissement de cette dernière en 1955. On peut encore y admirer la maison Masson, construite en 1860. À quelques pas au sud, au 520, rue de La Gauchetière, il y a la maison Jodoin, construite en 1871. Toutes deux sont coiffées d'un toit en pavillon.

---

(1) Voir fascicule n° 3. (Voir volume, chapitre 3.)
(2) 82, rue Sherbrooke Ouest.

56

Maison de rapport

ensemble de logements dans un bâtiment de plus de trois étages, avec un ou plusieurs accès en façade et services communs aux locataires.

Vers 1890, on assiste à une montée vertigineuse du prix des terrains. La fonte, le fer et le béton sont utilisés plus fréquemment dans la construction résidentielle. Les mentalités évoluent et la résidence a de moins en moins le caractère familial du début du siècle.

La maison de rapport, précurseur de la tour d'habitation, commence à se construire. Sa grande nouveauté est d'offrir à la clientèle les services d'un concierge et le chauffage central.

Les plus anciennes, en pierre calcaire, furent érigées rue Saint-Denis avant que la maison de rapport se généralise. Rue Sherbrooke, Jean-Omer Marchand, célèbre architecte de l'époque, construit en 1905 la première maison de rapport en béton. Les courbes de la façade illustrent bien les possibilités de ce nouveau matériau.

35. Angle Saint-Denis et de La Gauchetière, maison à logements multiples, type d'habitation entre la maison en rangée et la maison de rapport.

36. Angle Sherbrooke et Saint-Laurent, l'édifice Wolf, oeuvre de l'architecte Jean-Omer Marchand.

37. Scène de déménagement, si typique à Montréal.

38. Bibliothèque Saint-Sulpice, rue Saint-Denis, aujourd'hui
    Bibliothèque nationale du Québec.
39. Église «St-John the Evangelist» et une station de Bell Canada,
    angle Saint-Urbain et Ontario.
40. Rue Saint-Denis, à l'ombre du clocher de l'église Saint-Jacques.
41. Le Chinatown en mutation.

«Montréal est une île du fleuve Saint-Laurent et au milieu de l'île se dresse une montagne. Aujourd'hui la montagne est au milieu de la ville mais, dans mon enfance, elle était tout au bout vers l'ouest. On la voyait au fond de certaines rues, comme l'avenue des Pins qui, de notre quartier Saint-Louis, conduisait à ses pentes. Les maisons la cernent de toutes parts maintenant. Au-dessus de deux millions d'hommes, elle s'élève comme un lieu sacré car elle est habitée par les morts. C'est le cimetière. Des tours qui sont des maisons montent dans le ciel. La vieille église Notre-Dame, avec ses deux petits clochers grêles, paraît un meuble démodé et oublié dans une maison neuve. Quand je gravissais autrefois les routes de la montagne, chaque détour me découvrait un point de la petite ville lointaine. Au-delà, le fleuve brillait et des montagnes se dessinaient sur l'horizon. D'une certaine vallée vers l'ouest, je ne voyais que des champs, une ferme, des moutons et des vaches derrière une clôture.

Le fleuve, les montagnes sont toujours à leur place, mais la ferme, les champs et les vaches ont disparu. La petite ville n'existe plus.»[1]

«Ma caméra des sens fonctionne à tout coup lorsque je longe la rue Sherbrooke, les galeries, les boutiques, le *Ritz* et que, rue de la Montagne je bifurque, boulevard de Maisonneuve pour me glisser, transparente et multiple, parmi les glaces, le verre, les reflets ocres et argentés, diffractée dans la civilisation. Il y a là de l'événement qui m'attire tout bas vers le goût d'écrire, tout haut vers le goût de franchir quelque seuil. Oui *down town*, ma caméra des sens travaille à plein, excessivement précise, versatile aussi quand il s'agit d'aménager l'ampleur du sentiment, le trop-plein d'énergie qui m'oblige à penser froid/mental, un instant parmi les fragments, le présent. Alors je regarde Montréal qui travaille son profil entre la rondeur du mont Royal et l'étale du fleuve: la place Ville-Marie, la saisissante Maison des Coopérants, les angles audacieux de la BNP, cette verticalité répétée parmi les néons discrets qui, à la nuit tombante, dessinent de petites virgules lumineuses dans le grand espace bleuté du continent.»[2]

---

1 De Roquebrune, Robert, *Quartier Saint-Louis*, la corporation des éditions Fides, Montréal, 1981.
2 Brossard, Nicole, *Aura d'une ville, Montréal des écrivains,* éditions de l'Hexagone, édition préparée par l'Union des écrivains québécois sous la direction de Louise Dupré, Bruno Roy et France Théoret, Montréal, 1988.

3 Le pouvoir de la montagne

Le patrimoine de Montréal
Quartiers du centre-ville Ouest

Le pouvoir de la montagne

Le centre-ville Ouest...
Là où elle domine la ville, entre le sommet de la montagne et au-delà des terres inondées, la société bourgeoise anglophone a pris racine au XIXe siècle.

Dans ce territoire, composé des quartiers municipaux Saint-Georges, Saint-André et Saint-Joseph, on peut voir encore aujourd'hui les nombreuses manifestations de cette période faste qui a précédé l'implantation du centre-ville.

1. Résidence de William Dow, fondateur de la «Dow Brewery» aujourd'hui la brasserie O'Keefe
Vue de la côte du Beaver Hall en 1869.

Photo de la page précédente:
Montréal vue de la tour de l'église Notre-Dame, vers 1900.
Archives Notman, Musée McCord.

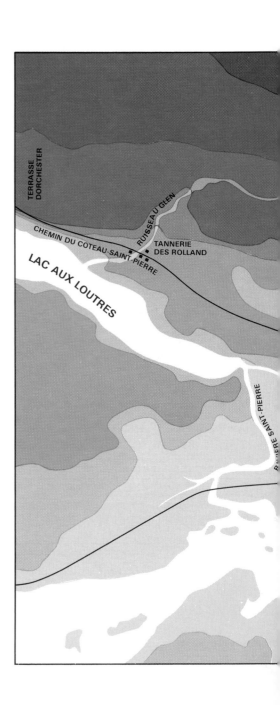

Relief et cours d'eau de Montréal au XVIIIe siècle

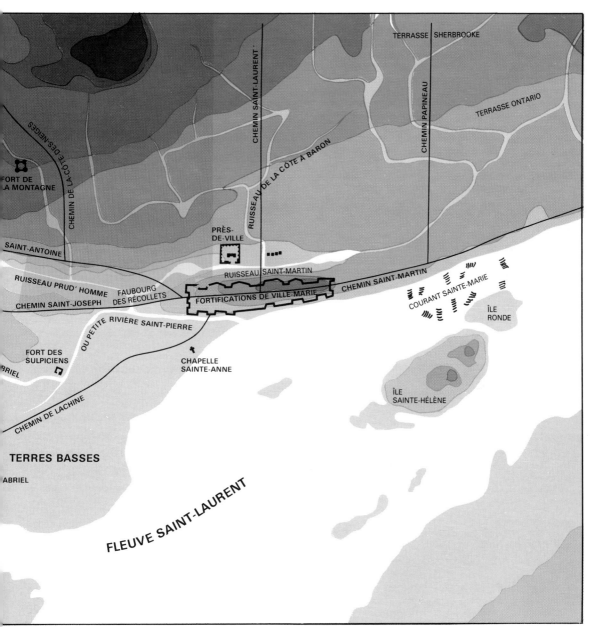

TERRASSE SHERBROOKE

CHEMIN SAINT-LAURENT

CHEMIN PAPINEAU

TERRASSE ONTARIO

FORT DE LA MONTAGNE

CHEMIN DE LA CÔTE-DES-NEIGES

RUISSEAU DE LA CÔTE À BARON

SAINT-ANTOINE

PRÈS-DE-VILLE

RUISSEAU PRUD'HOMME

FAUBOURG DES RÉCOLLETS

RUISSEAU SAINT-MARTIN

CHEMIN SAINT-JOSEPH

FORTIFICATIONS DE VILLE-MARIE

CHEMIN SAINT-MARTIN

COURANT SAINTE-MARIE

ÎLE RONDE

OU PETITE RIVIÈRE SAINT-PIERRE

FORT DES SULPICIENS

CHAPELLE SAINTE-ANNE

ÎLE SAINTE-HÉLÈNE

BRIEL

CHEMIN DE LACHINE

TERRES BASSES

ABRIEL

FLEUVE SAINT-LAURENT

La ville à la campagne   Avant 1860

Les sulpiciens ont été les premiers résidents du quartier. Dès 1675, un sentier part de la ville fortifiée vers le fort de la montagne. Les sulpiciens y ont une ferme, des vergers et vignobles et une carrière de pierres. Par la suite, plusieurs immenses domaines apparaissent sur les pentes de la montagne. Les riches marchands de fourrure, tels Joseph Frobisher et Simon McTavish, y font ériger leur maison de campagne. Ils louent leur terre à des fermiers qui vendent à la ville les produits de leur récolte, les jours de marché.

Vers 1832, la ville grossit! Le faubourg des récollets s'étend à l'ouest de la vieille ville, entre le ruisseau Saint-Martin et la Petite rivière Saint-Pierre. Autour du marché au foin, aujourd'hui square Victoria, l'animation est vive. On y installe la pesée publique et la pompe d'incendie. Les ouvriers trouvent facilement du travail, plus au sud, au creusage du canal de Lachine, dans les chantiers navals ou à la «Dow Brewery», aujourd'hui brasserie O'Keefe. Mais à chaque printemps, sur ces terres basses, débordent les cours d'eau, véritables égouts à ciel ouvert. Régulièrement, Montréal est secouée par des épidémies.

La nouvelle bourgeoisie, anglophone et commerçante, quitte sans remords la vieille ville, pour aller habiter le nouveau quartier en développement sur le coteau. À cette époque, les grandes propriétés de campagne ont été divisées en lots à bâtir. Seul reste intact le domaine de James McGill. Ce mécène écossais, qui s'est enrichi dans les fourrures comme beaucoup de ses compatriotes, a cédé à sa mort sa propriété de Burnside

3. Le square Victoria, cinquante ans plus tard. Inondation de 1886. À droite, l'église Saint-Patrick.

pour y ériger l'Université McGill. Entre le chemin Saint-Antoine et la rue Sherbrooke, les rues sont bientôt toutes tracées. Des habitations cossues se construisent, rue Dorchester, autour des squares Beaver Hall et Phillips. Le cimetière catholique occupe pour quelques années encore le site du futur square Dominion.

C'est l'ère de la vapeur! Depuis 1847, le «Lachine Railroad» transporte au coeur de la ville les voyageurs en provenance de l'ouest du pays. Les immigrants transitent par le port. Navires et voiliers y mouillent côte à côte. De la gare Windsor, partent des trains qui relient Vancouver à Halifax. Montréal est le centre du réseau ferroviaire pan-canadien. Ville cosmopolite, elle est la capitale de l'empire commercial du Canada. Et rien n'exprime mieux cette réalité que l'ensemble impressionnant autour du square Dominion: la gare Windsor, la cathédrale Saint-Jacques et l'hôtel Windsor, le plus chic au Canada.

Autre réalisation remarquable de l'époque: l'aménagement du parc du Mont-Royal. Ce geste mit fin aux ambitions spéculatives; la ville ne s'étendra point jusqu'au sommet. Déjà, depuis 1856, les cimetières catholique et protestant ont été déménagés sur la montagne. Le parc, adossé à ces oasis de paix, redonne droit de cité à la forêt, à l'eau et à l'air pur.

2. Le marché au foin en 1834, aujourd'hui Square Victoria. Le bâtiment qui domine à droite de la montagne: la résidence du Beaver Hall.

Vers la haute ville

1860-1890

En 1860, près de 15 000 personnes habitent le quartier. Les nouveaux résidents font partie de l'élite anglophone qui dirige les destinées du pays. Pendant longtemps, ils occuperont, au conseil municipal, les postes les plus influents. À cette époque, le quartier n'a pas encore connu ses grands chantiers! À tour de rôle, les communautés anglicane, catholique et protestante reconstruisent leur église dans la haute ville. Les maisons surgissent du sol. Les rues, en terre, sont pavées puis éclairées au gaz. L'effervescence se manifeste même dans le discours: la confédération et la guerre civile qui déchire nos voisins du sud sont les sujets de l'heure.

Le tramway fait son apparition. Tiré par des chevaux, le «p'tit char» remonte la rue de Bleury et s'engage rue Sainte-Catherine. Les voyageurs y voient défiler le Gesù et le collège Sainte-Marie que fréquentent les fils de la bourgeoisie canadienne-française et irlandaise. Défilent aussi devant eux l'église Saint-James avec son majestueux parvis qui disparaîtra en 1926 derrière une façade de commerce; le square Phillips planté de ses ormes magnifiques; la cathédrale «Christ Church»; le «Crystal Palace» célèbre pour son exposition de 1860 qui marque l'inauguration du pont Victoria. À cette occasion, la ville en fête accueille le prince de Galles, futur roi Édouard VII.

4. Vue de Montréal en 1872. (a) église Saint-Patrick: (b) collège Sainte-Marie et église Gesù (c) «Crystal Palace» (d) Église «Christ Church».

Le pouvoir de la montagne

Les grandes activités économiques jusque-là concentrées dans le Vieux-Montréal viennent s'implanter au coeur du quartier résidentiel le plus huppé de la ville. Ce mouvement s'amorce quand les familles Morgan et Birks ouvrent leurs grands magasins, rue Sainte-Catherine. Un compte à rebours s'engage alors.

Pour construire commerces et bureaux, on démolit; la population se déplace et les institutions suivent. Les maisons de rapport remplacent les résidences familiales. Des milliers de travailleurs succèdent aux résidents. Autre signe des temps, on érige square Dominion l'édifice «Sun Life», précurseur de nombreux gratte-ciel qui vaudront à ce secteur le titre de centre administratif de la métropole: les hommes d'affaires, nouveaux seigneurs du lieu, règnent sur le centre-ville.

Au tournant du siècle, l'industrialisation croissante de la ville laisse son empreinte en périphérie du quartier. Au sud des voies ferrées, industries, entrepôts et services administratifs se multiplient. La côte du Beaver Hall, surnommée «Paper Hill», voit se transformer ses résidences en ateliers d'imprimerie et se dresser des hautes tours pour loger les industries reliées à cette activité.

Le quartier conserve son caractère résidentiel à l'ouest de la rue de la Montagne et à l'est de l'Université McGill. De somptueuses villas continuent à se construire dans le «Golden Square Mile» qui forme, comme son nom l'indique, une aire d'environ un mille carré entre la rue Sherbrooke et le parc du Mont-Royal, le chemin de la Côte-des-Neiges et la rue de Bleury. Dans ce quartier le plus huppé de la ville vivent dans un luxe inouï (voir photo 18) les magnats de la fourrure, les bâtisseurs d'usines et de chemins de fer.

5. Le square Dominion en 1895. (a) cathédrale Saint-Jacques le Majeur, aujourd'hui Marie-Reine-du-Monde, (b) YMCA, démoli vers 1910 pour faire place à l'édifice «Sun Life», (c) hôtel Windsor (d) église Saint-Georges.

Un centre-ville comme les autres? Après 1930

6. Le square Phillips en 1921. Vers 1800 s'étendait ici le domaine de Beaver Hall, propriété de Joseph Frobisher, fondateur de la cagnie du Nord-Ouest. À sa mort en 1810, la terre est cédée à Thomas Phillips qui y cultive alors de grands vergers. En 1842, ce dernier cède à la ville les emplacements des squares Beaver Hall et Phillips. Au début du siècle, les magasins Morgan et Birks viendront s'établir en périphérie du square, initiant ainsi le développement commercial de la rue Sainte-Catherine. La photo ci-contre montre les résidences du square qui ont fait place en 1927 à l'édifice «Canada Cement». À droite, l'édifice «New Birks» construit en 1912.

La crise économique freine toute expansion de la ville. Quelques chantiers, initiés par le maire Camilien Houde, — le chalet de la montagne, les vespasiennes, la station de l'aqueduc McTavish — ne changent pas de façon significative le visage du quartier.

Vers 1950, Montréal adopte le rythme des grandes villes américaines. L'automobile impose ses énormes exigences. Comme les pièces d'un immense casse-tête, on agence les multiples parcelles de l'ancien cadastre pour faire place aux superstructures du centre-ville.

Malgré ces bouleversements majeurs, le centre-ville montréalais reste d'un très grand intérêt patrimonial. Les bâtiments anciens, d'excellente qualité architecturale, permettent de reconstituer l'histoire de ces seigneurs de la montagne que furent les sulpiciens, les millionnaires du «Golden square Mile» et le monde de la finance.

Les étapes du développement

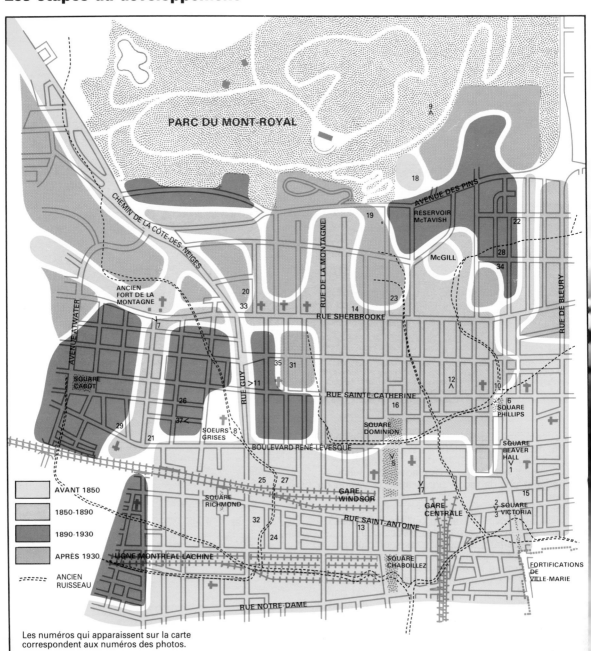

PARC DU MONT-ROYAL

9
18
AVENUE DES PINS
RÉSERVOIR McTAVISH
22
28
McGILL
34
RUE DE BLEURY
CHEMIN DE LA CÔTE-DES-NEIGES
19
RUE DE LA MONTAGNE
ANCIEN
FORT DE LA
MONTAGNE
20
33
23
14
RUE SHERBROOKE
AVENUE ATWATER
7
35 31
SQUARE
CABOT
RUE GUY
11
12
10
RUE SAINTE-CATHERINE
26
16
6
SQUARE
PHILLIPS
37
29
SOEURS
GRISES
8
SQUARE
DOMINION
21
BOULEVARD-RENÉ-LÉVESQUE
SQUARE
BEAVER
HALL
1
5
25 27
17
15
SQUARE
RICHMOND
GARE
WINDSOR
2 SQUARE
VICTORIA
3
32
RUE SAINT-ANTOINE
GARE
CENTRALE
13
24
SQUARE
CHABOILLEZ
LIGNE MONTRÉAL-LACHINE
FORTIFICATIONS
DE
VILLE-MARIE
RUE NOTRE-DAME

AVANT 1850

1850-1890

1890-1930

APRÈS 1930

ANCIEN
RUISSEAU

Les numéros qui apparaissent sur la carte
correspondent aux numéros des photos.

3.6

Tableau synchronique des éléments architecturaux

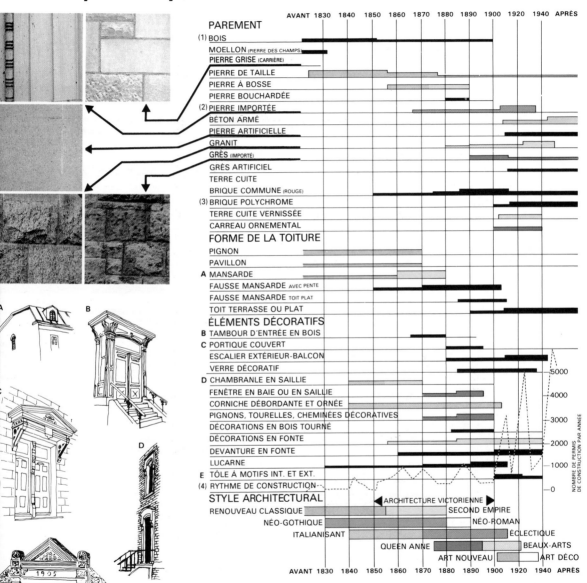

(1) Bois: interdit dans le Vieux-Montréal après l'incendie de 1721, dans les faubourgs après celui de 1852, il demeure cependant en usage dans les villages jusqu'à leur annexion autour des années 1900.
(2) Pierre importée: pierre plus malléable que la pierre grise, se prêtant mieux aux motifs sculptés.
(3) Brique polychrome: de couleur variable et à texture rugueuse contrairement à la brique qui est rouge, lisse, et à texture sablonneuse.
(4) Certaines données de ce tableau proviennent des études de David B. Hanna, professeur au département de géographie, UQAM.

Tableau synchronique des événements historiques 1700-1945

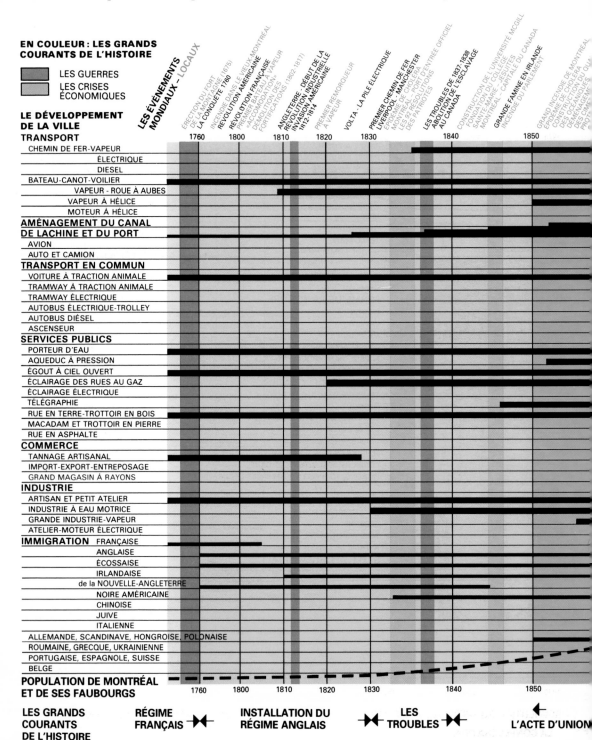

EN COULEUR : LES GRANDS COURANTS DE L'HISTOIRE

- LES GUERRES
- LES CRISES ÉCONOMIQUES

LE DÉVELOPPEMENT DE LA VILLE

TRANSPORT
- CHEMIN DE FER-VAPEUR
- ÉLECTRIQUE
- DIESEL
- BATEAU-CANOT-VOILIER
- VAPEUR - ROUE À AUBES
- VAPEUR À HÉLICE
- MOTEUR À HÉLICE

AMÉNAGEMENT DU CANAL DE LACHINE ET DU PORT
- AVION
- AUTO ET CAMION

TRANSPORT EN COMMUN
- VOITURE À TRACTION ANIMALE
- TRAMWAY À TRACTION ANIMALE
- TRAMWAY ÉLECTRIQUE
- AUTOBUS ÉLECTRIQUE-TROLLEY
- AUTOBUS DIÉSEL
- ASCENSEUR

SERVICES PUBLICS
- PORTEUR D'EAU
- AQUEDUC À PRESSION
- ÉGOUT À CIEL OUVERT
- ÉCLAIRAGE DES RUES AU GAZ
- ÉCLAIRAGE ÉLECTRIQUE
- TÉLÉGRAPHIE
- RUE EN TERRE-TROTTOIR EN BOIS
- MACADAM ET TROTTOIR EN PIERRE
- RUE EN ASPHALTE

COMMERCE
- TANNAGE ARTISANAL
- IMPORT-EXPORT-ENTREPOSAGE
- GRAND MAGASIN À RAYONS

INDUSTRIE
- ARTISAN ET PETIT ATELIER
- INDUSTRIE À EAU MOTRICE
- GRANDE INDUSTRIE-VAPEUR
- ATELIER-MOTEUR ÉLECTRIQUE

IMMIGRATION FRANÇAISE
- ANGLAISE
- ÉCOSSAISE
- IRLANDAISE
- de la NOUVELLE-ANGLETERRE
- NOIRE AMÉRICAINE
- CHINOISE
- JUIVE
- ITALIENNE
- ALLEMANDE, SCANDINAVE, HONGROISE, POLONAISE
- ROUMAINE, GRECQUE, UKRAINIENNE
- PORTUGAISE, ESPAGNOLE, SUISSE
- BELGE

POPULATION DE MONTRÉAL ET DE SES FAUBOURGS

LES ÉVÉNEMENTS MONDIAUX - LOCAUX

ÉRECTION DU FORT DE LA MONTAGNE (1675)
LA CONQUÊTE 1760
INCENDIE DANS LE VIEUX MONTRÉAL
RÉVOLUTION AMÉRICAINE
RÉVOLUTION FRANÇAISE
PREMIER BATEAU-VAPEUR
«ACCOMMODATION»
DÉMOLITION DES FORTIFICATIONS (1802-1817)
ANGLETERRE : DÉBUT DE LA RÉVOLUTION INDUSTRIELLE
INVASION AMÉRICAINE 1812-1814
PREMIER REMORQUEUR À VAPEUR
VOLTA - LA PILE ÉLECTRIQUE
PREMIER CHEMIN DE FER LIVERPOOL-MANCHESTER
ÉPIDÉMIE DE CHOLÉRA MONTRÉAL - PORT D'ENTRÉE OFFICIEL
LES 92 RÉSOLUTIONS DES PATRIOTES
LES TROUBLES DE 1837-1838
ABOLITION DE L'ESCLAVAGE AU CANADA
CONSTRUCTION DE L'UNIVERSITÉ McGILL
FONDATION DU COLLÈGE SAINTE-MARIE - JÉSUITES
MONTRÉAL - CAPITALE DU CANADA
INCENDIE DU PARLEMENT
GRANDE FAMINE EN IRLANDE
GRAND INCENDIE DE MONTRÉAL
ÉPIDÉMIE DE CHOLÉRA
CONSTRUCTION DES OCÉANIQUES
DÉMÉNAGEMENT DU QUAI
DES CIMENT...
PROT...

| 1760 | 1800 | 1810 | 1820 | 1830 | 1840 | 1850 |

LES GRANDS COURANTS DE L'HISTOIRE

RÉGIME FRANÇAIS ▶◀ INSTALLATION DU RÉGIME ANGLAIS ▶◀ LES TROUBLES ▶◀ ◀ L'ACTE D'UNION

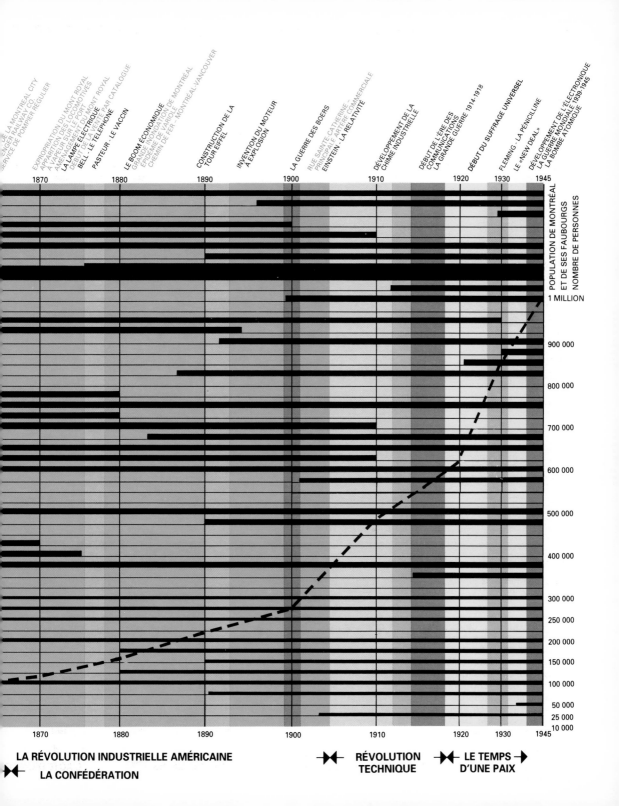

DE LA MONTREAL CITY
PASSENGER RAILWAY CO.
SERVICE DE POMPIER RÉGULIER

EXPROPRIATION DU MONT ROYAL
APPARITION DES LOCOMOTIVES
À VAPEUR SUR LE MONT ROYAL
AMÉNAGEMENT DU MONT ROYAL
DÉBUT DE LA VENTE PAR CATALOGUE
BELL - LE TÉLÉPHONE

PASTEUR - LE VACCIN

LE BOOM ÉCONOMIQUE
GRANDE INONDATION DE MONTRÉAL
ÉPIDÉMIE DE VARIOLE
CHEMIN DE FER - MONTRÉAL-VANCOUVER

LA LAMPE ÉLECTRIQUE

CONSTRUCTION DE LA
TOUR EIFFEL

INVENTION DU MOTEUR
À EXPLOSION

LA GUERRE DES BOERS
RUE SAINTE-CATHERINE
PRINCIPALE ARTÈRE COMMERCIALE
EINSTEIN - LA RELATIVITÉ

DÉVELOPPEMENT DE LA
CHIMIE INDUSTRIELLE

DÉBUT DE L'ÈRE DES
COMMUNICATIONS
LA GRANDE GUERRE 1914-1918

DÉBUT DU SUFFRAGE UNIVERSEL

FLEMING - LA PÉNICILLINE
LE «NEW DEAL»

DÉVELOPPEMENT DE L'ÉLECTRONIQUE
LA GUERRE MONDIALE 1939-1945
LA BOMBE ATOMIQUE

1870   1880   1890   1900   1910   1920   1930   1945

POPULATION DE MONTRÉAL
ET DE SES FAUBOURGS
NOMBRE DE PERSONNES

1 MILLION

900 000

800 000

700 000

600 000

500 000

400 000

300 000

250 000

200 000

150 000

100 000

50 000

25 000

10 000

1870   1880   1890   1900   1910   1920   1930   1945

LA RÉVOLUTION INDUSTRIELLE AMÉRICAINE   ◄►   **RÉVOLUTION**   ◄►   **LE TEMPS** ►
◄►   **LA CONFÉDÉRATION**   **TECHNIQUE**   **D'UNE PAIX**

Architecture publique et institutionnelle d'hier et d'aujourd'hui

7. Le Grand Séminaire (à gauche) et le collège de Montréal en 1876. Le premier, inauguré en 1857, est l'oeuvre de l'architecte John Ostell et le second complété en 1871, celle de l'architecte Henri-Maurice Perrault.

Dans ce quartier, ce qui étonne en premier lieu, c'est l'immensité des propriétés institutionnelles. Les bâtiments, regroupés sur de vastes terrains, dégagent une puissante impression visuelle. Ainsi en est-il du campus de l'Université McGill (photo 36). Le site est exceptionnel par le nombre et la qualité de ses bâtiments. Plusieurs courants architecturaux d'influence anglo-saxonne et américaine, qui ont eu cours de 1840 à 1930, y sont représentés. Le bâtiment central, actuel pavillon des Arts, est le plus ancien édifice d'enseignement non-religieux au Canada.

Autre grand domaine, celui des sulpiciens. En 1854, ces derniers quittent le Vieux-Montréal et installent leur collège sur le site de leur ancienne ferme de la montagne. Ils utilisent pour le nouveau bâtiment la pierre calcaire extraite de leur carrière locale. Ils démolissent les fortifications qui entourent leur premier établissement, tout en conservant les deux tours de la rue Sherbrooke. Ces dernières, classées monuments historiques, sont les constructions les plus anciennes du quartier. Ils y ajouteront par la suite une maison de campagne, le séminaire de philosophie et l'Ermitage.

Vers 1900, la Congrégation de Notre-Dame achète des sulpiciens le terrain à l'angle des rues Atwater et Sherbrooke, pour y ériger sa nouvelle maison mère. La construction de la structure en béton armé de ce bâtiment de grande taille fut, à l'époque, une entreprise audacieuse qui valut à son architecte, Jean-Omer Marchand, une grande notoriété. Sur la pente la plus élevée du domaine des sulpiciens à l'angle des avenues Atwater et Docteur-Penfield sera érigé, en 1928, le couvent du Sacré-Coeur, château fort qui surplombe cet immense complexe institutionnel.

Mentionnons enfin, le domaine des soeurs Grises. En 1871, ces dernières quittent à leur tour le Vieux-Montréal et construisent, boulevard René-Lévesque, leur maison mère et leur hôpital. Le plan, en forme de H, permet d'agrandir le bâtiment à mesure que leurs oeuvres se multiplient. Les communautés religieuses assument un rôle majeur dans la vie sociale de la ville à cette époque. Grâce à leurs bons soins, plusieurs autres institutions, hospices, orphelinats et asiles, verront le jour pour soulager la misère sociale dans la ville.

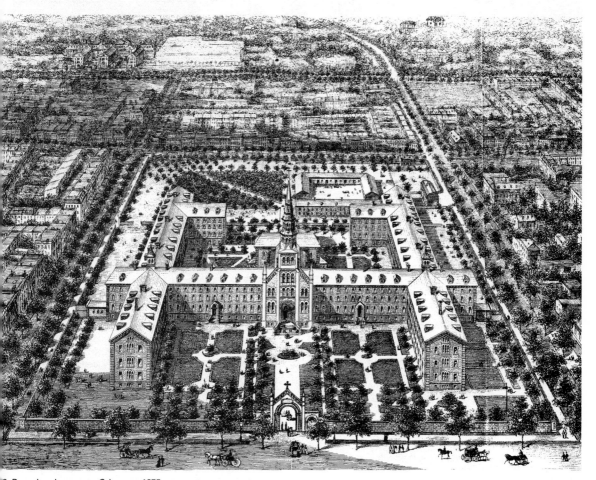

8. Domaine des soeurs Grises, en 1875.

9. *Montréal, ville aux cent clochers. Vue prise de la montagne en 1890.*

Dans la communauté anglophone, c'est la classe dirigeante qui remplit ce rôle. Lord Mount Stephen et Lord Strathcona feront don d'un million de dollars pour construire l'hôpital Royal Victoria. Tous deux étaient résidents du quartier et le club Mount Stephen [1] témoigne encore aujourd'hui de la richesse de son propriétaire. Les arts furent aussi largement subventionnés par cette élite. Ainsi en est-il du musée des Beaux-Arts, construit en 1912, pour remplacer les locaux du square Phillips, devenus exigus.

Montréal, ville aux cent clochers! Ce titre sied bien à ce quartier où les temples, de toute dénomination religieuse, viendront occuper les sites les plus en vue. On en a compté plus de cent sur les rues importantes et autour des squares. Seule une dizaine d'églises sont parvenues jusqu'à nous. Malgré tout, le centre-ville Ouest demeure un bon reflet des goûts, des manières et des styles qui ont prévalu dans l'architecture religieuse.

Le choix de ce quartier excentrique pour y construire les cathédrales «Christ Church» et Saint-Jacques le Majeur [2] fut, à l'époque, l'objet de bien des controverses. Vers 1850, la rue Sainte-Catherine, située en plein champ, paraît un endroit bien éloigné pour la cathédrale anglicane. Il en est de même du square Dominion pour la cathédrale catholique, la population francophone habitant alors les quartiers plus à l'est. Qu'à cela ne tienne! Ces bâtiments, symboles des deux principales Églises du pays, seront érigés dans le quartier le plus prestigieux de la ville.

Mentionnons pour terminer, l'implantation au tournant du siècle de plusieurs églises, rue Sherbrooke, qui accentueront le caractère institutionnel de cette artère. Il s'agit de l'église Erskine and American» en 1894, le temple «Messiah» en 1906, le temple maçonnique en 1928 et en 1932, l'église «Saint Andrew and Saint Paul».

---

(1) 1440, rue Drummond.
(2) Aujourd'hui, cathédrale Marie-Reine-du-Monde.

Carte des quartiers du centre-ville ouest

PARC DU
MONT-ROYAL

CHEMIN DE LA CÔTE-DES-NEIGES

9

18 AVENUE DES PINS

19

PARC
RUTHERFORD

22
RUE PRINCE-ARTHUR

PARC
PERCY-
WALTERS

28
RUE MILTON

34

20

UNIVERSITÉ
McGILL

33

23

36

14

RUE SHERBROOKE

RUE DRUMMOND

RUE PEEL

RUE DE BLEURY

AVENUE ATWATER

RUE DU FORT

RUE SAINT-MARC

7

BOULEVARD DE MAISONNEUVE

36   31

10

SQUARE
CHABOT

11

RUE SAINTE-CATHERINE

12

6   SQUARE
PHILLIPS

29

26
37

SQUARE
DOMINION

16

RUE UNIVERSITÉ

RUE SAINT-ALEXANDRE

RUE BISHOP

21

8

BOULEVARD RENÉ-LÉVESQUE

15

COTE DU BEAVER HALL

14

RUE MANSFIELD

GARE
CENTRALE

25   27

5

RUE GUY

RUE DE LA MONTAGNE

RUE ARGYLE

GARE
WINDSOR

17

BOULEVARD GEORGES-VANIER

PARC
CAMPBELL

SQUARE
RICHMOND

32

SQUARE
VICTORIA

3

24

RUE SAINT-ANTOINE

RUE DES SEIGNEURS

RUE SAINT-JACQUES

13 SQUARE
CHABOILLEZ

4

RUE NOTRE-DAME

Les numéros qui apparaissent sur la carte
correspondent aux numéros des photos.

Architecture commerciale et industrielle

Au tournant du siècle, les commerces de détail quittent la rue Saint-Paul pour s'installer rue Sainte-Catherine, jusque-là réservée à des résidences cossues. Certaines habitations sont transformées en local commercial et les autres, progressivement démolies. En 1910, la rue Sainte-Catherine devient la principale artère commerciale de la ville.

Les banques s'y installent très tôt, choisissant les coins de rue; certaines, avec leur colonnade de style grec, prennent des airs de temple de la finance.

Certains bâtiments commerciaux n'ont que trois étages, ils abritent sous un même toit commerces, ateliers et bureaux. Viennent aussi les grands magasins à rayons, modifiant profondément les habitudes de magasinage des Montréalais.

Les maisons Morgan (actuellement La Baie), Birks et Ogilvy, construites selon les modèles américains et européens, se dotent d'une façade noble, comme pour rassurer leur clientèle.

11. Banque Toronto-Dominion, construite en 1908 1601, rue Sainte-Catherine Ouest.

10. Le magasin Morgan, angle Sainte-Catherine et Union, vers 1894. Henri Morgan ouvre son premier magasin, en 1843, angle Notre-Dame et McGill. En 1891, en homme d'affaires avisé, il transfère son commerce rue Sainte-Catherine dans le nouveau quartier à la mode. Son magasin, appelé le «Colonial House», est un édifice au décor raffiné, avec façades en grès rouge importé d'Écosse.

12. L'édifice Jeager, 682, rue Sainte-Catherine Ouest, construit en 1914, présente une façade remarquable, en terra-cotta vitrifié, aux motifs sculpturaux raffinés.

Vers 1907, le cinéma atteint une grande popularité. Plusieurs salles de spectacles, somptueusement décorées, font leur apparition. Seul le cinéma Impérial (1), avec sa façade en terre cuite vernissée blanche et ses motifs incrustés, rappelle cette époque glorieuse. On peut encore y voir le rideau de scène d'origine.

À cette époque, le loisir devient une activité de plus en plus organisée. Des associations sociales et sportives voient le jour. Certains clubs privés, comme le Mount Stephen et l'«Engineers Club», s'installent dans les anciennes résidences bourgeoises. D'autres, comme le club «Mount Royal», se font construire un édifice à cette fin. Pour mieux souligner son caractère élitiste, ce dernier, d'ailleurs surnommé le club des millionnaires, est érigé rue Sherbrooke, avenue résidentielle la plus huppée du XIXᵉ siècle.

14. Club «Mount Royal», 1175, rue Sherbrooke Ouest.

L'apparition de l'ascenseur vient bientôt supprimer la limite de cinq étages imposée aux édifices commerciaux. L'utilisation de la structure d'acier qui se généralise dans la construction, permet de diminuer l'épaisseur des murs et de construire plus haut: le gratte-ciel prend forme. Vers 1910, les bâtiments hauts de dix étages, se multiplient dans le quartier: édifices à bureaux rue Sainte-Catherine, hôtels de grand luxe rue Sherbrooke ou à proximité des gares et l'édifice «Unity» sur le «Paper Hill». Ce dernier, avec sa structure en béton armé, se distingue des gratte-ciel à structure d'acier, les plus courants à l'époque. Il est un bon exemple d'adaptation à une fonction industrielle: portance plus grande pour des charges plus lourdes et technique moins coûteuse, à un moment où le coût du terrain et de l'acier sont à la hausse.

13. Ancien hôtel Queen en grès rouge d'Écosse, 700, rue Peel.
Au nord la gare Windsor en pierre calcaire qui se découpe sur le rideau de verre formé par la Banque Impériale de Commerce. Cet édifice est maintenant disparu.

(1) 1430, rue de Bleury.

15. L'édifice «Unity», 454, rue de la Gauchetière Ouest, oeuvre de l'architecte David J. Spence en 1912, remarquable pour sa corniche arrondie.

Dans les années 20, les règlements deviennent plus permissifs. Les édifices peuvent excéder onze étages «pourvu que l'excédent de hauteur soit en recul des murs...» (1) Le gratte-ciel, à double volume, si bien illustré par l'édifice de la «Sun Life», fait son apparition.

Le square Dominion résume de façon magistrale l'évolution de l'architecture commerciale de 1875 à nos jours. La gare Windsor et l'hôtel du même nom, en pierre calcaire, dégagent une impression de puissance, à l'image du siècle qui a vu naître la plus audacieuse entreprise canadienne, le chemin de fer transcontinental. L'édifice de la «Sun Life», en acier et granit, et celui du «Dominion Square», le plus grand du genre en 1929, dominent la place, symboles de la technologie des années 20. La tour de verre de la Banque canadienne impériale de commerce, de quarante-cinq étages de hauteur, est venue récemment apporter une touche de modernisme.

16. La Banque de Montréal, 950, rue Sainte-Catherine Ouest, oeuvre de l'architecte sir Andrew Thomas Taylor, la première à s'implanter rue Sainte-Catherine en 1889. En arrière-plan, l'édifice «Sun Life». Cette firme d'assurances entreprend en 1913 la construction d'un immeuble de six étages sur le square Dominion. Agrandi en 1923 et 1927, ce dernier était considéré à l'époque comme le plus grand de l'Empire britannique.

---

(1) Règlement 1003, article 9, Ville de Montréal, 1929.

Architecture résidentielle

La maison de Montréal

Depuis le début de la colonie, la maison au Québec s'est lentement transformée. À la ville comme à la campagne, on a tenté de mieux l'adapter à nos hivers rigoureux. Les fréquents incendies dans la ville amèneront très tôt l'administration de Montréal à émettre des directives détaillées sur les façons de la construire.

Ordonnance du 17 juin 1727...

Ordonnons de... «bâtir aucune maison dans les villes et gros bourgs, où il se trouvera de la pierre commodément, autre qu'en pierres; défendons de les bâtir en bois, de pièces sur pièces et de colombage...»

«construire des «murs de refend» (1) qui excèdent les toits et les coupent en différentes parties, ou qui les séparent d'avec les maisons voisines, à l'effet que le feu se communique moins de l'une à l'autre...»

Défense de construire... «des toits brisés, dit à la mansarde... qui font sur les toits une forêt de bois...»

Outre ces nombreux édits, le coût élevé des terrains, à mesure que la ville s'agrandit, la prédominance des locataires et la présence dans le sol de la pierre calcaire et d'une argile propre à la brique, ont favorisé la naissance de la maison en rangée, typique à Montréal.

Cette maison type se rencontre, avec des variantes, dans tous les quartiers de la ville, mêlée à d'autres habitations moins nombreuses, mais qui toutes ont connu leurs heures de popularité:
• la maison villageoise
• la maison urbaine traditionnelle
• la maison en rangée
• la villa
• la maison contiguë
• la maison semi-détachée
• la maison à logements multiples
• la maison de rapport.

Les maisons les plus représentatives du quartier seront reprises dans les pages suivantes pour illustrer l'évolution du patrimoine résidentiel.

17. *Rue Sainte-Marguerite, vers 1900, derrière la cathédrale Saint-Jacques le Majeur: petites maisons villageoises, trottoirs en bois et rue en terre battue.*

(1) Murs coupe-feu.

18. *Intérieur du Ravenscrag en 1911, aujourd'hui pavillon «Allan Memorial», 1025, avenue des Pins. L'opulente résidence de l'armateur sir Hugh Montagu Allan dominait toute la ville. Elle était pourvue du plus imposant hangar à voitures de la ville.*

La villa:

maison isolée avec jardin, grande résidence familiale, emprunt à plusieurs styles architecturaux.

Les exemples les plus remarquables de villa, opulente résidence bourgeoise, appartiennent au «Golden Square Mile», ce paradis des riches où, dit-on, les résidents possédaient au tournant du siècle, 70 % de toutes les richesses du Canada.

La villa fait son apparition dès les années 1800. Les riches Montréalais, disposant d'un équipage, se font construire des maisons de campagne à l'extérieur du faubourg. Ainsi, le marchand de fourrure, Joseph Frobisher, érige-t-il le «Beaver Hall» sur le coteau du même nom. D'autres l'imi-

teront et sur les pentes de la montagne, plusieurs villas seront construites sur de vastes domaines, plantés de vergers et entourés de champs en culture. Mentionnons le somptueux château de pierre[1] de Simon McTavish, de quelque 39 mètres de façade, construit au sommet de la rue qui porte son nom.

Vers 1860, un quartier sélect, très recherché par l'élite anglophone, a remplacé la campagne. Sur la rue René-Lévesque, se construisent des résidences distinguées, comme celle de William Dow, célè-

_____

(1) Construit en 1803, et démoli en 1867, il ne fut jamais habité par son propriétaire.

bre brasseur de son métier. Construite à la mode des palais italiens, elle était fort remarquable face au square Beaver Hall. (2) Le plus riche Montréalais de l'époque choisira la montagne pour ériger le Ravenscrag, véritable château dominant la ville: dans cette villa d'un luxe inouï, sir Hugh Allan invitait les magnats de l'industrie, comme les Redpath, Ogilvie et Molson à de somptueuses réceptions.

Vers 1900, à l'époque fastueuse du «Golden Square Mile», plusieurs autres villas se construiront, toutes plus luxueuses qu'excentriques. Leurs occupants, ces grands du chemin de fer et de la vapeur, puiseront à Londres, Paris, Amsterdam et New York, les modes architecturales variées dont on trouve de nombreux exemples au nord de la rue Sherbrooke. Pour n'en mentionner qu'une, la villa de style «manoir écossais» qui rappelle l'origine de plusieurs résidents du quartier.

20. Maison Linton, construite en 1870, aujourd'hui dissimulée derrière les appartements Linton construits dans les jardins de cette résidence au 3434, rue Simpson.

19. Maison Meredith, 1110, avenue des Pins Ouest, construite en 1894.

Beaucoup de ces villas sont disparues aujourd'hui. Lors de l'élargissement du boulevard René-Lévesque, plusieurs ont été démolies, victimes d'une époque où l'automobile a préséance. Parmi celles qui subsistent, rares sont celles qui servent encore de résidence; certaines ont été transformées en club privé, pavillon d'hôpital, maison consulaire ou intégrées au campus de l'Université McGill.

21. Maison Shaughnessy, 1923, René-Lévesque Ouest Centre canadien d'architecture.

(2) Square disparu depuis l'élargissement du boulevard René-Lévesque.

La maison en rangée:

*est incluse dans un ensemble de bâtiments rési-
dentiels alignés le long d'une rue, construits en
même temps selon un plan d'ensemble, et dont
les façades sont semblables; elle est séparée des
autres habitations par un mur coupe-feu
mitoyen.*

La maison en rangée apparaît dès 1840, le long
des rues qui montent du faubourg vers la haute
ville: ce sont les rues populeuses de Bleury, du
Beaver Hall et de la Montagne. Au nord du boulevard René-Lévesque, les grandes propriétés ont
alors été divisées en petits terrains à bâtir. Sur ces
lots de 7,75 ou 15,5 mètres de largeur, des maisons
serrées les unes contre les autres vont se construire
après 1860.

C'est une population aisée de petits entrepreneurs, professeurs d'université, commerçants
prospères, qui viennent habiter ces logements.
Sans offrir le luxe de la villa, cette maison individuelle dont les pièces sont réparties sur deux ou
trois étages, souvent agrémentée d'un jardin à
l'arrière, est des plus confortables.

Reflet d'une vie bourgeoise, les cuisines gérées
par les domestiques se trouvent souvent au sous-
sol et les pièces des maîtres, à l'étage. Dans les
combles, on aménage les chambres des domestiques. Cette façon de vivre, déjà populaire en
Angleterre, a été vite adoptée par la population
anglophone. Certaines maisons contiennent deux
logements mais rarement plus, contrairement aux
quartiers ouvriers.

23. 3417-49, rue Peel. «Tamworth Terrace», construites en 1864,
Série de huit maisons unifamiliales à toit à pignon et façade en
pierre de taille remarquable par son ancienneté.

24. 741-775, rue Lusignan. Série de quatre maisons bifamiliales à
toit mansard et façade en pierre bosselée, vers 1870.

L'intérêt premier de ce type d'habitation est lié
à sa production en série. Avant 1850, l'artisan
accomplissait sur place, avec de faibles moyens,
toutes les étapes de la construction. La ville
s'agrandissant rapidement, on doit construire plus
vite et à meilleur marché. Avec ses machines
actionnées à la vapeur puis à l'électricité, l'industrie arrive à point pour produire à la chaîne, en
atelier, les matériaux nécessaires à la construction
en série.

À cette époque, les grandes sociétés de construction succèdent aux petits entrepreneurs et
bâtissent des secteurs entiers, pour en revendre
les habitations ensuite. C'est le cas des secteurs
adjacents à l'Université McGill et au domaine des
sœurs Grises.

22. 500-548, rue Prince-Arthur Ouest: maison à façade rythmée
par la présence d'escaliers et de lucarnes identiques.

Leurs façades illustrent fort bien ce phénomène de standardisation. C'est une répétition d'éléments identiques, fenêtres, baies, escaliers, galeries, corniches, qui impose une cadence à la rue et lui donne une exceptionnelle unité. Il arrive aussi qu'une série de maisons se dissimule derrière une façade monumentale, laissant difficilement deviner la présence de logements individuels séparés par des murs mitoyens.

26. 1816-44, rue Tupper. Maisons unifamiliales, fausse mansarde et façade en brique.

25. 1460-87, rue Argyle. Maisons unifamiliales, fausse mansarde et façade en pierre bosselée, fenêtres en saillie.

La maison contiguë :

est incluse dans une suite de bâtiments résidentiels, construits à l'unité, selon un plan individuel et dont les matériaux et l'ornementation des façades varient; elle est séparée de ses voisins par des murs coupe-feu.

En choisissant la maison contiguë plutôt que la maison en rangée, son propriétaire fait montre d'individualisme à une époque où la standardisation devient courante. À l'aide d'un architecte, il fait construire sa maison selon un plan standardisé et décorer la façade selon les goûts de l'heure. Le résultat donne un bâtiment différent de ses voisins bien que ressemblant, puisqu'il s'agit en fait d'une variation dans l'agencement de matériaux ou le choix de la toiture.

28. 3527-35, avenue Lorne.

29. 1186-1222, avenue Seymour.

27. 1381-95, rue Argyle.

La façade est faite de pierre ou de brique. La pierre étant un matériau noble, la population bourgeoise le choisira de préférence pour donner un effet de prestige. De là, le grand nombre de bâtiments en pierre grise dans le quartier. Cette pierre calcaire, en abondance sur l'île de Montréal, est extraite de plusieurs carrières, dès 1825. Très dure, difficile à sculpter, elle coûte cher. La pierre brute ou bosselée sera donc plus populaire que la pierre de taille. Vers 1875, une pierre plus malléable apparaît sur le marché; importée des États-Unis et transportée par rail, elle marque l'apparition des bâtiments en grès rouge, chamois ou brun.

Vers 1880, la vente par catalogue d'éléments de décoration se généralise. Certaines usines produisent en série portes, fenêtres, colonnes, frontons, boiseries. On achète donc sur commande des façades complètes qu'un ouvrier peut aisément agencer sur place. La même façade ou d'autres très semblables, peuvent donc se répéter sur la rue voisine.

La maison semi-détachée:
est incluse dans une suite de bâtiments résidentiels; elle est souvent jumelée, ou située à l'encoignure de rues; elle a des ouvertures sur trois côtés.

La petite bourgeoisie préfère la résidence qui, par le particularisme de son décor, la distingue de ses semblables. La maison semi-détachée apparaît donc comme une brisure dans la continuité des façades. Construite sur un plus grand terrain, elle est plus imposante et son décor est plus recherché que celui des maisons voisines.

On profite quelquefois de son dégagement pour adopter une forme de toiture plus imposante, moins économique mais plus prestigieuse, comme le toit en mansarde. Interdit en 1721, ce toit à la silhouette fort élégante eut un regain de popularité vers 1850. Le toit en fausse mansarde marque quant à lui une phase intermédiaire dans l'évolution vers le toit plat; il en a le décor sans la structure. On le retrouve fréquemment dans le quartier, avec une grande variété architecturale. Le toit plat se généralise vers 1885. La mise en marché du papier goudronné et du drain manufacturé, permet de construire un toit légèrement incliné vers le centre avec égouttement vers l'intérieur. Révolu le temps des glaçons accrochés aux gouttières!

31. *Maison Peter Lyall, 1445, rue Bishop.*

32. *774, rue Versailles.*

30. *Taille de la pierre..*

33. *Appartements Linton, construits en 1905*
1509, rue Sherbrooke Ouest. À droite, «Church of Messiah.»

34. *Appartements Marlborough, 570, rue Milton.*

La maison de rapport:
ensemble de logements dans un bâtiment de
plus de quatre étages avec un ou plusieurs accè
en façade et services en commun aux locataire

Au tournant du siècle, le coût du terrain est à la
hausse. Les habitudes de vie se modifient.
La population anglophone et aisée, qui apprécie la
vie d'hôtel, devient la clientèle privilégiée de cette
nouvelle forme d'habitation. L'aménagement intérieur et le décor raffiné de la façade en font un
mode de logement luxueux.

Les premières maisons de rapport, de forme
carrée, auront de quatre à cinq étages. Certaines,
comme le Marlborough, possèdent plusieurs
corps de bâtiments réunis autour d'une cour intérieure! La façade principale se distingue par un
décor à la hollandaise et un traitement fort
soigné.

L'utilisation de la structure d'acier, jusque-là
confinée à l'architecture commerciale, se généralise. La première tour d'habitation de plus de huit
étages voit le jour rue Sherbrooke. Le plan de
l'édifice, en forme d'un double H pour capter le
maximum de lumière, sera souvent adopté pour
ce type de construction.

En 1930, le quartier compte près de 40 édifices
plus luxueux les uns que les autres. Le Royal
George est célèbre à cet égard, avec sa façade en
terre cuite vernissée blanche et ses délicats
motifs incrustés.

85. *Appartements Royal George, 1452, rue Bishop.*

36. Le flanc de la montagne, l'hôpital Royal Victoria et le Ravenscrag, le réservoir McTavish et le campus de l'Université McGill.
37. Rue Tupper.
38. La Montagne.
    (Le parc du mont Royal)
39. Le centre-ville.

37

39

«Nous ignorions aussi que si le Faubourg empruntait son nom au produit de la canne à sucre, c'était parce que les bateaux qui le livraient déchargeaient leurs tonneaux tout près (sur les quais du carré Bellerive, au pied de la rue Iberville en bordure de Notre-Dame, à proximité du débarcadère du traversier de Longueuil) et non, comme nous le croyions plutôt, parce que c'étaient les crêpes à la mélasse de ma mère qui rendaient notre village célèbre et qui l'identifiaient au-delà de nos frontières, dans les paroisses lointaines de Montréal et du Québec.

... revois avec moi, Johnny, revois la cour arrière de la maison où nous sommes nés; revois la patinoire que nous arrosions avec le père, les châteaux de neige que nous y avons construits, les arènes de lutte que nous y avons installées, notre garage devenu poulailler, le hangar où nous avons traîné nos mauvais plans, revois le jardin du voisin avec ses vignes sauvages et ses lilas mauves, la petite ruelle sur laquelle donne la fenêtre de notre chambre et, de l'autre côté de Logan, cette autre ruelle, très longue, sans fin, cahoteuse et faite de terre battue; revois les cordes à linge et les petites maisons en enfilade et les garages aux toits inclinés, et les balcons, et leurs toitures, et les portes rouges des maisons, et les entrées de cours où c'est écrit: «chien méchant» et les hangars couverts de tôle peinte en gris, et les gouttières qui font des zigzags d'un étage à l'autre, et toutes ces charpentes et ces structures de châteaux ébranlés, et cette géométrie inexplicable qui défie les lois de l'équilibre et qui m'inspirerait si j'étais peintre.»[1]

«Mes parents, qui arrivaient de leur terroir, limitaient mes déplacements à une aire bien précise, pas plus étendue que les modestes villages où ils avaient grandi: la rue Papineau, où notre école flambant neuve faisait face à une boulangerie qui exhalait tous les midis une chaleureuse odeur de pain sortant du four, la rue Sherbrooke, qui constituait une frontière aussi infranchissable que le fleuve, et les rues de Lorimier et Ontario à l'angle desquelles se dressait ce fameux stade dont les palissades grises retentissaient de la clameur d'une foule majoritairement américaine, à en juger par le nombre de voitures immatriculées dans les États voisins et sur lesquelles les plus entreprenants d'entre nous se chargeaient de veiller dans l'espoir d'un pourboire. Dans notre rue, d'ailleurs, il n'y avait qu'un automobiliste ou deux.[2]

1 Dubé, Marcel, *Le Faubourg à m'lasse, Morceaux du Grand Montréal*, sous la direction de Robert Guy Scully, éditions du Noroît, 1978.
2 Major, André, *Une île grande comme le monde, Montréal des écrivains*, éditions de l'Hexagone, édition préparée par l'Union des écrivains québécois sous la direction de Louise Dupré, Bruno Roy et France Théoret, Montréal, 1988.

4 Au Pied-du-Courant

Le patrimoine de Montréal
Quartiers Sainte-Marie, Saint-Eusèbe,
Papineau et Bourget

Au Pied-du-Courant

Ce chapitre traite des quartiers municipaux Sainte-Marie, Saint-Eusèbe, Bourget et Papineau. Il s'intéresse surtout au patrimoine architectural et historique de la période antérieure à 1930.

Le «Pied-du-Courant» est cet endroit où le fleuve, soudainement rétréci, forme un courant très fort qui, au début de la colonie, arrêtait les voiliers dans leur course vers le «Vieux-Montréal». Ici, se déroula l'histoire de ce quartier ouvrier qu'on nomme, selon les époques, le faubourg Québec, le faubourg Sainte-Marie ou le «faubourg à m'lasse».

2. Traversée sur pont de glace, de Longueuil à Montréal. Le foin, carburant de l'époque.

Photo de la page précédente:
1. Pose de la dernière travée du pont Jacques-Cartier en 1929.

Relief et cours d'eau de Montréal au XVIIIᵉ siècle

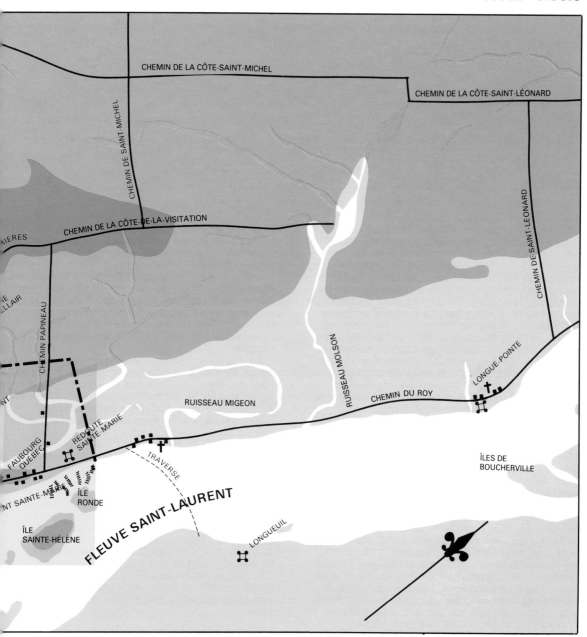

Le faubourg Québec

Avant 1840

3. *Vue de Montréal en 1784: la ville fortifiée entourée du faubourg Saint-Laurent et du faubourg Québec.*

Le faubourg Québec s'étend vers l'est depuis le mur des fortifications. On le surnomme ainsi parce que les voyageurs en provenance de Québec doivent le traverser pour atteindre le coeur de la ville. À cet endroit, le fleuve forme le courant Sainte-Marie, difficile à remonter pour les canots et les voiliers. On accoste alors au pied du courant et on portage jusqu'à la ville. C'est aussi là qu'accoste le bac en provenance de Longueuil.

Vers 1815, le faubourg confine au sud du ruisseau Saint-Martin, cours d'eau aujourd'hui canalisé sous la rue Saint-Antoine. Le chemin du Roy, actuelle rue Notre-Dame, bourdonne d'activités aux abords de la rue Papineau où voisinent le marché public et la brasserie Molson. Tout autour flotte l'odeur de la bière qui fermente.

La famille Molson jouit dans le faubourg d'une enviable renommée. À son arrivée au pays, en 1782, John Molson achète d'un autre Irlandais Thomas Loyd, la petite brasserie du Pied-du-Courant. Sous le régime français, les brasseries n'ont jamais été prospères, les colons préférant vins et spiritueux. Après la conquête, la venue des Loyalistes et des troupes britanniques relance l'industrie de la bière, devenue en 1815 avec les tanneries, la plus importante de la ville. John Molson s'essayera aussi dans le commerce du bois. Lors de la Révolution française et des guerres napoléoniennes (1), l'exportation vers l'Angleterre devient une activité lucrative. On verra alors les «cageux» descendre le fleuve jusqu'au quai Molson. Ce sont de grands radeaux formés de billots attachés les uns aux autres sur lesquels les draveurs installent une cabane ou «cage».

Cet Irlandais entreprenant construit en 1809 le premier navire à vapeur au pays, l'Accomodation.

Plusieurs autres seront fabriqués par la suite au chantier Logan qui avoisine la brasserie. Ce n'est qu'en 1824 qu'un de ces vapeurs réussit à vaincre le courant Sainte-Marie. Jusqu'à ce jour, on a dû recourir à des boeufs pour remorquer les navires. Certains jours, la force du courant entraîne l'attelage à l'eau. La flotte des Molson assure le service régulier de passagers et de courrier entre Québec et Montréal et servira aussi, lors de l'invasion américaine de 1812, au transport des troupes.

Le faubourg Québec devient un lieu de résidence bien coté. Plusieurs bourgeois y habitent. Face au fleuve, la résidence Molson, celles du juge Panet et de John Johnson, surintendant des Affaires indiennes, comptent parmi les plus luxueuses de la ville. Elles ont vue sur l'île Sainte-Hélène où se dressent depuis la guerre de 1812, des ouvrages fortifiés pour la défense de Montréal. Chemin Papineau, on a aménagé le cimetière militaire, en remplacement du cimetière Dufferin (2), situé boul. René-Lévesque dans le faubourg Saint-Laurent.

Plus à l'est, s'élève la prison de Montréal. Lors des troubles de 1837, on y verra un bien triste spectacle: l'élite montréalaise mise au cachot, les LaFontaine, Mondelet, Viger et Fabre; Chevalier de Lorimier y sera pendu sur l'échafaud dressé au Pied-du-Courant et d'autres seront déportés. Mère Gamelin, surnommée l'Ange des Prisonniers et future fondatrice des soeurs de la Providence, apportera réconfort aux prisonniers et à leur famille.

(1) Voir tableau, fascicule, page 8. (Voir tableau, volume, page 100.)
(2) Voir fascicule n° 2. (Voir volume, chapitre 2.)

Le quartier Sainte-Marie

4. Vue du quartier Sainte-Marie en 1880.

Le développement se poursuit au-delà du ruisseau Saint-Martin. En 1848, Mgr Bourget fait ériger une chapelle en bois, rue de la Visitation. Il en confie la desserte aux pères Oblats qui la remplacent en 1853 par l'actuelle église Saint-Pierre-Apôtre (photo 20). Quant à la communauté anglicane, elle fréquente depuis 1840 la chapelle St. Thomas, construite par la famille Molson, angle Notre-Dame et des Voltigeurs.

Le grand incendie de 1852 (1), qui dévaste la presque totalité du faubourg Saint-Laurent, se propage jusqu'au quartier Sainte-Marie. La brasserie et la distillerie Molson, l'église St. Thomas et de nombreux bâtiments de bois sont détruits. «Une étendue sauvage et fumante, couverte de cheminées ressemblant à une forêt de pins dévastée...» commente «The Montreal Gazette». Signe d'une reprise rapide de l'activité, la «Canadian Rubber» s'installe l'année suivante à l'est de la brasserie reconstruite. C'est la première manufacture canadienne de caoutchouc, spécialisée dans les bottes, chaussures et vêtements imperméables.

Par la suite, une vague d'industrialisation déferle sur le quartier. De grandes industries s'y implantent, comme la «Mc Donald Tobacco» (photo 26) dont le fameux tabac à chiquer, marqué d'un petit coeur, est connu dans les fermes, gares, camps de bûcherons et ports de pêche du pays (2). De petites fabriques, tanneries, briqueteries et fonderies y forment la plus grande concentration industrielle de la ville, après celle du canal de Lachine (3).

Des ruraux à la recherche d'un emploi affluent dans le quartier. En 1871, la population se chiffre à 16 000 personnes. Les travailleurs de Sainte-Marie, débardeurs, charretiers, cordonniers, journaliers, ont déjà la réputation d'être turbulents. La crise de 1874 crée de nombreux chômeurs et suscite beaucoup d'effervescence dans la ville. Au marché Papineau, des assemblées se terminent en émeute.

Cet afflux de population provoque un essor considérable. Les petites maisons en bois sont démolies, remplacées par des bâtiments plus grands, construits en série et recouverts de brique. Les paroisses Sainte-Brigide, Sacré-Coeur-de-Jésus et Saint-Vincent-de-Paul s'organisent autour du clocher de l'église et de l'école paroissiales.

Depuis 1864, le tramway à chevaux parcourt les rues Notre-Dame et Sainte-Catherine. Joseph-Nazaire Dupuis ouvre en 1874 un petit commerce, rue Sainte-Catherine à l'angle de Montcalm. Il y vend des boutons et du fil. Sur cette rue encore résidentielle, d'autres entreprises canadiennes-françaises comme celle de Charles Desjardins, spécialisée dans les vêtements de fourrure, viennent s'installer.

En 1880, le quartier Sainte-Marie est devenu le fief des ouvriers canadiens-français.

(1) Voir fascicule n° 2. (Voir volume, chapitre 2.)
(2) Rumilly, R., *Histoire de Montréal*, Montréal, Fides, 1970, 4 tomes, tome 3, p. 57.
(3) Voir fascicule n° 1. (Voir volume, chapitre 1.)

*5. Vue prise de la prison du Pied-du-Courant.
À gauche, l'entrepôt de malt Molson. À cet endroit, se trouve aujourd'hui le pont Jacques-Cartier.*

Le «faubourg à m'lasse» 1880-1914

Montréal traverse des heures sombres!
En 1886, elle subit la pire inondation de son histoire et une grave épidémie de variole.
La «picote» atteint surtout les enfants. C'est l'époque des familles nombreuses et dès l'âge de douze ans, l'enfant rejoint le marché du travail. Une commission royale d'enquête révèle que chez «Mc Donald Tobacco», deux cents enfants travaillent onze heures par jour, six jours par semaine. Ils ne savent ni lire, ni écrire. Ironie de l'époque, M. Mc Donald, roi du tabac, est alors un des trente millionnaires de la ville.

Le quartier Sainte-Marie est enfumé et bruyant. L'odeur de la mélasse qu'on décharge sur les quais est devenue familière. Et aussi le spectacle des enfants qui en ramassent les coulées s'échappant des grands tonneaux, empilés sur le port.

Les familles bourgeoises quittent alors le quartier. Une des belles résidences du bord de l'eau, celle du juge Panet, devient le pavillon du parc Sohmer, un des lieux les plus populaires de Montréal. Ernest Lavigne, ancien zouave pontifical et musicien émérite, y organise de grands concerts. Les premiers films animés y sont présentés. On y verra réunis les hommes forts de Montréal, les Louis Cyr et Hector Décarie, lors de spectaculaires séances de lutte et de levées de poids.

De la terrasse du parc Sohmer (1), on peut voir le traversier de Longueuil se diriger vers le quai Poupart, voisin du parc Bellerive. Le pittoresque «horse-boat» de jadis, avec sa grande roue à aubes mue par des chevaux, a fait place à un vapeur. Mais Longueuil est toujours isolée de Montréal et on parle d'un pont qui ne se construit jamais.

_____
(1) Voir photo 52.

6. Le Montréal industriel de 1906.

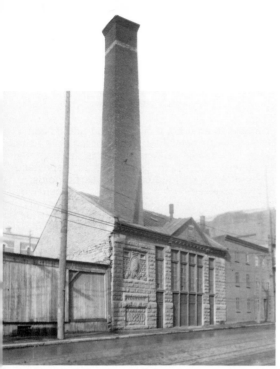

7. Station de pompage rue Saint-Antoine, construite en 1887, à la suite de l'inondation de 1886, qui submergea le Griffintown, les rues Notre-Dame et Saint-Antoine. Cette installation fait partie du système de digues alors mis en place pour mettre fin aux inondations dans la basse-ville.

Vers 1900, le quartier Sainte-Marie atteint son plein développement résidentiel. Les dernières paroisses voient le jour. Mais la grande nouveauté, c'est le tramway électrique... «Les charretiers tiennent par la bride leurs chevaux effrayés. (...) Les habitants venus à la ville (...) parlent (...) de ces chars qui marchent tout seul.» (1) La rue Sainte-Catherine est des plus animées avec ses théâtres, son cinéma, ses banques et ses petites boutiques. Les gens du quartier, les bourgeois de la place Viger et même les ruraux de passage, tous fréquentent le magasin Dupuis & Frères (2), surnommé le «magasin du peuple», déménagé depuis 1882, angle Saint-Hubert et Sainte-Catherine.

Les industries, sûres de trouver une main-d'oeuvre à bon marché, continuent de s'y implanter. Les voies ferrées du Canadien Pacifique et les installations portuaires occupent toute la rive du fleuve. Depuis 1883, le chenal a été élargi et les bateaux accostent aux quais. On peut y voir les débardeurs transbordant les marchandises et les immigrants descendre des navires après de longues traversées.

Les ouvriers s'organisent en syndicats. On les verra mener des luttes épiques pour améliorer leurs conditions de travail. En 1903, la grève des débardeurs occasionne une assemblée monstre au parc Sohmer. Les conducteurs de tramway emboîtent le pas et Montréal est paralysée.
À l'approche de la guerre, la situation s'est peu améliorée. Le salaire ouvrier moyen de 546 $ par an se trouve sous le seuil de la pauvreté. Les chômeurs sont nombreux et plusieurs s'enrôlent dans le Royal 22e, le célèbre bataillon canadien-français.

_____
(1) Rumily, *Histoire de Montréal*, Montréal, Fides, tome 3, page 244.
(2) Aujourd'hui Place Dupuis.

8. Nouvelle usine Barsalou, angle Plessis et Sainte-Catherine, en 1876.

9. Vue prise du port de Montréal, en 1910.
À gauche, le toit cintré du pavillon du parc Sohmer, où se déroulaient concerts, assemblées politiques, séances de lutte...

À l'ombre du centre-ville

1918 à nos jours

Le quartier Sainte-Marie conserve longtemps ses airs de faubourg, mais certains événements vont bientôt venir transformer la vie de ses habitants. L'incendie du parc Sohmer, en 1919, marque la fin d'une grande époque. Le parc Bellerive, aménagé en 1890, reste la seule fenêtre ouverte sur le fleuve. Le Stadium Delorimier, construit en 1929, verra évoluer la carrière glorieuse des Royaux de Montréal de la ligue internationale de baseball. Les pittoresques traversées entre Montréal et Longueuil cessent en 1930, avec l'inauguration du pont Jacques-Cartier qui enjambe le fameux courant Sainte-Marie. Son mérite à l'époque est d'avoir été conçu pour la circulation automobile plutôt que ferroviaire, à l'inverse du pont Victoria. L'île Sainte-Hélène, facilement accessible, est alors aménagée en un vaste parc par l'architecte Frederick Todd.

Le maire Camilien Houde, celui qu'on surnomme le «p'tit gars de Sainte-Marie», fait face en 1930 aux années de crise. Il met sur pied le «secours direct» et différents travaux publics pour venir en aide aux 50 000 chômeurs de la ville. (1)

L'après-guerre verra des projets à l'emporte-pièce, comme l'élargissement du boulevard René-Lévesque et la place Radio-Canada. Dans la même foulée, on érige la place Frontenac et le centre de prévention Parthenais. Depuis lors, le vent a tourné. Les projets se font plus modestes. On restaure les vieux bâtiments et on aménage de petites rues oubliées, comme Dalcourt et Sainte-Rose.

(1) Chiffre de 1932.

11. Le «faubourg à m'lasse» en 1937.
Au centre, l'église «Our Lady of Good Council», située rue Saint-Antoine, et plus au nord, le clocher de l'église Sainte-Brigide. En avant-plan, l'entrepôt du C.P.R., qui sera plus tard au centre du conflit «Les gars de Lapalme».

12. Futur site de Radio-Canada, on voit le tracé des rues du «faubourg à m'lasse» avant le début du chantier.

10. À l'emplacement actuel du parc Bellerive, immenses réservoirs à mélasse, construits en 1955. Ici, était situé le quai Poupart, débarcadère de Longueuil.

13. Installation de l'égout de Lorimier en 1919.
En arrière-plan, la prison du Pied-du-Courant.

Les étapes du développement

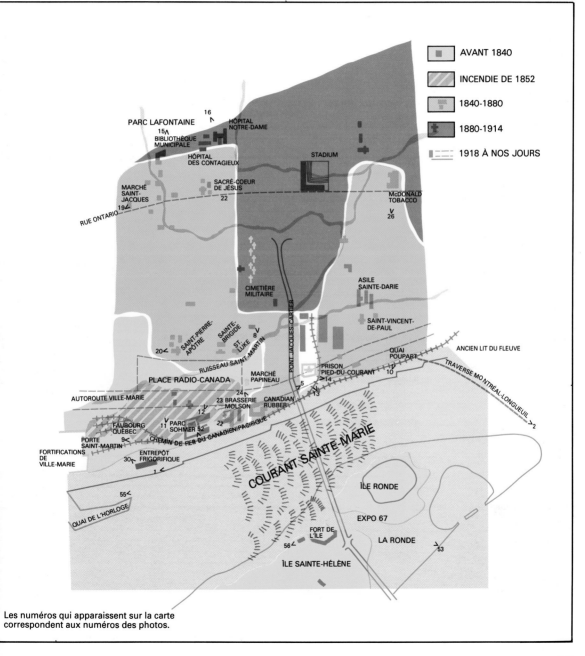

AVANT 1840

INCENDIE DE 1852

1840-1880

1880-1914

1918 À NOS JOURS

PARC LAFONTAINE
15
16
BIBLIOTHÈQUE
MUNICIPALE
HÔPITAL
NOTRE-DAME
HÔPITAL
DES CONTAGIEUX
STADIUM
MARCHÉ
SAINT-
JACQUES
SACRÉ-COEUR
DE JÉSUS
19
22
McDONALD
TOBACCO
RUE ONTARIO
26
CIMETIÈRE
MILITAIRE
ASILE
SAINTE-DARIE
SAINT-PIERRE-
APÔTRE
SAINTE-
BRIGIDE
ST.
LUKE
8
SAINT-VINCENT-
DE-PAUL
20
RUISSEAU SAINT-MARTIN
PONT JACQUES-CARTIER
QUAI
POUPART
ANCIEN LIT DU FLEUVE
PLACE RADIO-CANADA
MARCHÉ
PAPINEAU
PRISON
PIED-DU-COURANT
10
TRAVERSE MONTRÉAL-LONGUEUIL
AUTOROUTE VILLE-MARIE
24
14
23 BRASSERIE
MOLSON
CANADIAN
RUBBER
5
13
FAUBOURG
QUÉBEC
11 PARC
SOHMER 52
12
CHEMIN DE FER DU CANADIEN-PACIFIQUE
2
PORTE
SAINT-MARTIN
9
FORTIFICATIONS
DE
VILLE-MARIE
30
ENTREPÔT
FRIGORIFIQUE
1
COURANT SAINTE-MARIE
ÎLE RONDE
55
QUAI DE L'HORLOGE
EXPO 67
LA RONDE
FORT DE
L'ÎLE
53
56
ÎLE SAINTE-HÉLÈNE

Les numéros qui apparaissent sur la carte
correspondent aux numéros des photos.

Tableau synchronique des événements historiques 1700-1945

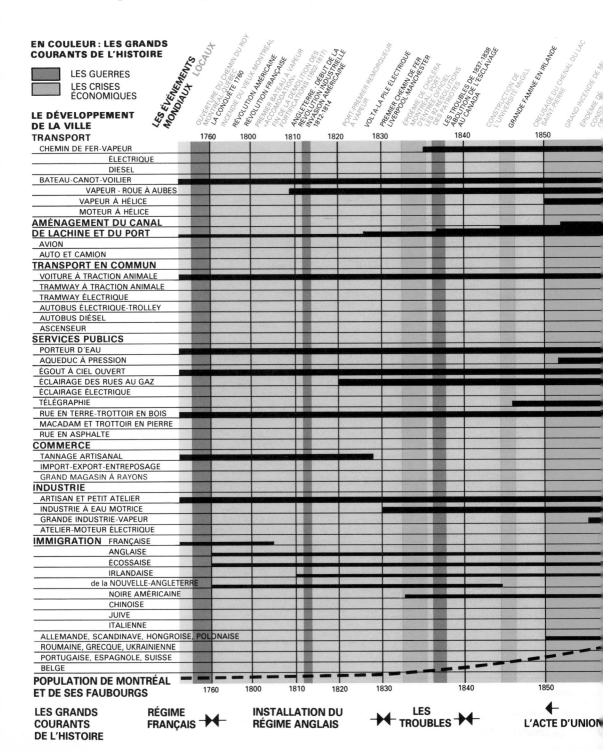

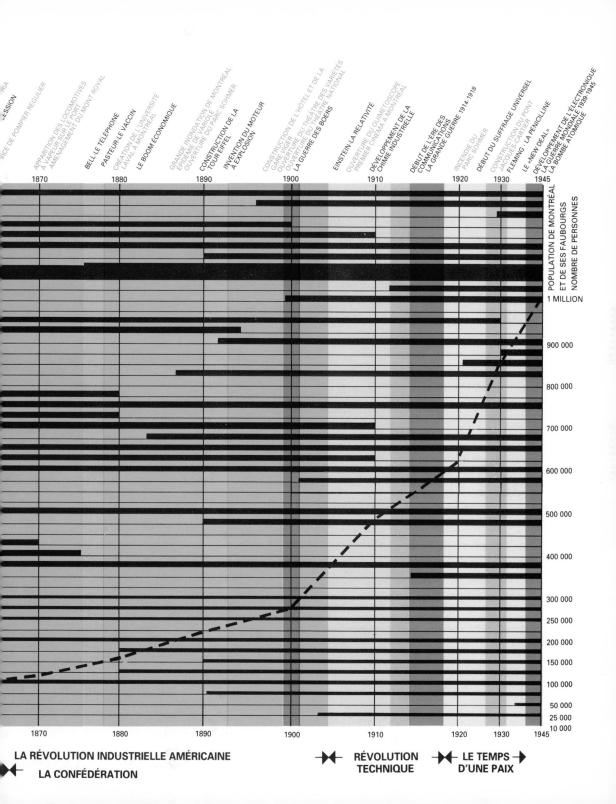

RIA

…ESSION

…VICE DE POMPER RÉGULIER

APPARITION DES LOCOMOTIVES
À VAPEUR SUR LE PORT
AMÉNAGEMENT DU MONT ROYAL

BELL-LE TÉLÉPHONE

PASTEUR: LE VACCIN

CRÉATION DE L'UNIVERSITÉ
LAVAL À MONTRÉAL

LE BOOM ÉCONOMIQUE

GRANDE INONDATION DE MONTRÉAL
ÉPIDÉMIE DE VARIOLE
OUVERTURE DU PARC SOHMER

CONSTRUCTION DE LA
TOUR EIFFEL

INVENTION DU MOTEUR
À EXPLOSION

CONSTRUCTION DE L'HÔTEL ET DE LA
GARE VIGER
OUVERTURE DU THÉÂTRE DES VARIÉTÉS
OUVERTURE DU THÉÂTRE NATIONAL
LA GUERRE DES BOERS

EINSTEIN: LA RELATIVITÉ
OUVERTURE DU OLIMETOSCOPE
PREMIER CINÉMA À MONTRÉAL
DÉVELOPPEMENT DE LA
CHIMIE INDUSTRIELLE

DÉBUT DE L'ÈRE DES
COMMUNICATIONS
LA GRANDE GUERRE 1914-1918

INCENDIE DU
PARC SOHMER
DÉBUT DU SUFFRAGE UNIVERSEL
CONSTRUCTION DU PONT
JACQUES-CARTIER
FLEMING: LA PÉNICILLINE
LE «NEW DEAL»
DÉVELOPPEMENT DE L'ÉLECTRONIQUE
LA GUERRE MONDIALE 1939-1945
LA BOMBE ATOMIQUE

1870   1880   1890   1900   1910   1920   1930   1945

POPULATION DE MONTRÉAL
ET DE SES FAUBOURGS
NOMBRE DE PERSONNES

1 MILLION

900 000

800 000

700 000

600 000

500 000

400 000

300 000

250 000

200 000

150 000

100 000

50 000

25 000

10 000

1870   1880   1890   1900   1910   1920   1930   1945

LA RÉVOLUTION INDUSTRIELLE AMÉRICAINE   ◄►◄ **RÉVOLUTION**   ►◄► **LE TEMPS** ►
                                                      TECHNIQUE   **D'UNE PAIX**
◄►◄ **LA CONFÉDÉRATION**

Architecture publique et institutionnelle d'hier et d'aujourd'hui

14. *Ancienne prison du Pied-du-Courant.*
    905, avenue de Lorimier. À l'exception de la résidence du
    gouverneur de la prison (à gauche), les bâtiments anciens
    sont aujourd'hui cachés par des édifices plus récents.

15. *Bibliothèque municipale vers 1930.*
    1210, rue Sherbrooke Est.

16. *Hôpital Notre-Dame vers 1930.*
    1560, rue Sherbrooke Est.

Le quartier Sainte-Marie attire très tôt de grandes institutions régionales. Dès 1832, on y érige la prison du Pied-du-Courant. Conçu par l'architecte Blaiklock, ce modèle fut reproduit à travers toute la province. L'édifice est remarquable tant par son architecture néo-gothique que par la qualité des personnages qui y ont séjourné. Aujourd'hui occupé par la Société des alcools du Québec, ce bâtiment est le plus vieil édifice public de la ville. En 1873, on élève à l'emplacement actuel du centre Parthenais, l'asile Sainte-Darie, la première prison pour femmes au pays.

Face au parc LaFontaine, rue Sherbrooke, on trouve deux institutions de renom. La Bibliothèque municipale, première bibliothèque laïque à Montréal en 1914, est l'oeuvre d'Eugène Payette également architecte de la bibliothèque Saint-Sulpice (1). Elle se distingue par ses monumentales colonnes corinthiennes. L'édifice de l'hôpital Notre-Dame, angle de Champlain, est érigé en 1922. Fondé en 1880 comme école universitaire, cet hôpital loge d'abord dans l'ancien hôtel Donacona, angle Notre-Dame et Berri. En 1901, Rodolphe Forget, homme d'affaires florissant (2) cède le terrain rue Sherbrooke. Des agrandissements successifs lui donneront sa configuration actuelle.

---

(1) Voir fascicule n° 2. (Voir volume, chapitre 2.)
(2) Dont on peut encore admirer la superbe résidence au 3685, avenue du Musée.

17. *Ancienne caserne de pompiers, 1945, rue Fullum.*
    Le détail du décor est de style Beaux-Arts.

18. Ancien bureau de poste.
1450, rue Sainte-Catherine Est.

Les édifices publics de quartier

On compte trois casernes de pompiers, deux bains publics, un bureau de poste et le marché Saint-Jacques. Certains ont retrouvé une vie nouvelle, tels la caserne rue Fullum et le bureau de poste rue Sainte-Catherine, convertis l'une en théâtre, l'autre en salle de spectacle. Les bains Quintal et Mathieu, modestes bâtiments en brique, ont été construits pendant la crise dans le cadre des mesures d'aide aux chômeurs. Il en est de même du marché Saint-Jacques. En 1931, on démolit le vieux marché pour faire place à l'édifice actuel. L'architecte Zotique Trudel a emprunté à l'art déco, alors en vogue, les motifs décoratifs ornant les façades. Le marché Saint-Jacques sera jusqu'à sa fermeture en 1960 le haut lieu des luttes électorales et la scène hebdomadaire de combats de lutte. Les Montréalais d'alors raffolaient des assemblées contradictoires, surtout quand elles mettaient en scène des personnages colorés, tels Camilien Houde et Fernand Rinfret.

19. Le marché Saint-Jacques construit en 1872.

20. Église Saint-Pierre-Apôtre, 1201, rue de la Visitation.

Les clochers du boulevard René-Lévesque

L'église Saint-Pierre-Apôtre, érigée en 1853, est l'une des plus anciennes de la ville. De style néo-gothique avec ses ouvertures en ogive, ses contreforts et ses pinacles, elle est l'oeuvre de l'architecte Victor Bourgeau, l'un des plus prolifiques de l'époque. Elle occupe avec le presbytère, la maîtrise Saint-Pierre et l'école du même nom, le pourtour du quadrilatère Visitation/Sainte-Rose/Panet/René-Lévesque. Ce type d'occupation du sol — des bâtiments autour d'une cour intérieure — correspond au premier mode d'implantation des ensembles conventuels au Québec. En 1977, le ministère des Affaires culturelles classait site historique ce précieux témoin du passé.

L'église St. Luke, aujourd'hui cathédrale St. Peter & St. Paul, est érigée la même année, angle de Champlain, à la faveur d'une querelle de clocher: depuis 1840, la chapelle St. Thomas, propriété de la famille Molson, dessert la communauté anglicane de Sainte-Marie. Mais Thomas Molson ne reconnaissant pas l'autorité de l'évêque anglican, ce dernier construira un nouveau lieu de culte conforme à l'Église d'Angleterre. L'église Sainte-Brigide, voisine du temple anglican, est érigée en 1878.

Les institutions paroissiales

Les besoins grandissants des paroisses amènent la construction simultanée des églises Sacré-Coeur-de-Jésus, rue Ontario, et Saint-Vincent-de-Paul, rue Sainte-Catherine. Autour de cette dernière se greffe un des ensembles conventuels les plus importants de la fin du XIXe siècle: les foyers de la Providence et Émilie Gamelin, l'hospice Auclair et le pensionnat Sainte-Catherine. Ces bâtiments sont remarquables tant par leur taille imposante que par l'emploi uniforme de la pierre, du toit mansard et la répétition des petites lucarnes de façade.

À partir de 1878, plusieurs écoles sont construites, généralement regroupées autour de l'église. Mentionnons les écoles Jean-Baptiste-Meilleur et Saint-Eusèbe autour de l'église du même nom. Oeuvres de l'architecte Maurice Perrault, elles sont typiques des années 1900. L'école Plessis est la plus ancienne du quartier; en pierre bosselée, coiffée d'un toit mansard et percée de fenêtres en ogive, elle demeure l'un des derniers exemples de ce type à Montréal. L'école Souart, rue Papineau, est une des belles réalisations de l'architecte Omer Marchand. (1)

22. Le presbytère et l'église du Sacré-Coeur-de-Jésus reconstruite en 1922, suite à un incendie.

Les ouvrages militaires

Suite à la guerre anglo-américaine, le gouvernement améliore le système de défense de l'île. Pour ce faire, la citadelle du Vieux-Montréal est remplacée par l'ensemble fortifié de l'île Sainte-Hélène, poste de choix à l'entrée du port. Le gouvernement l'achète en 1818 des barons de Longueuil et y érige le fort, la caserne, l'arsenal et la poudrière. En 1907, l'île n'offre plus d'intérêt militaire et la Ville de Montréal l'acquiert pour en faire un parc. Les différents ouvrages militaires seront ainsi restaurés à des fins de théâtre et musée. Lors de l'Exposition internationale de 1967, l'île sera profondément transformée. (Voir photo no 53).

À noter également, à l'entrée du pont Jacques-Cartier, le parc des Vétérans qui rappelle le petit cimetière militaire ouvert rue Papineau en 1814 et déménagé en 1944 à Pointe-Claire.

[photo: École Jean-Baptiste-Meilleur]

21. École Jean-Baptiste-Meilleur. 2237, rue Fullum.

(1) En collaboration avec Doucet et Morisette.

Carte des quartiers

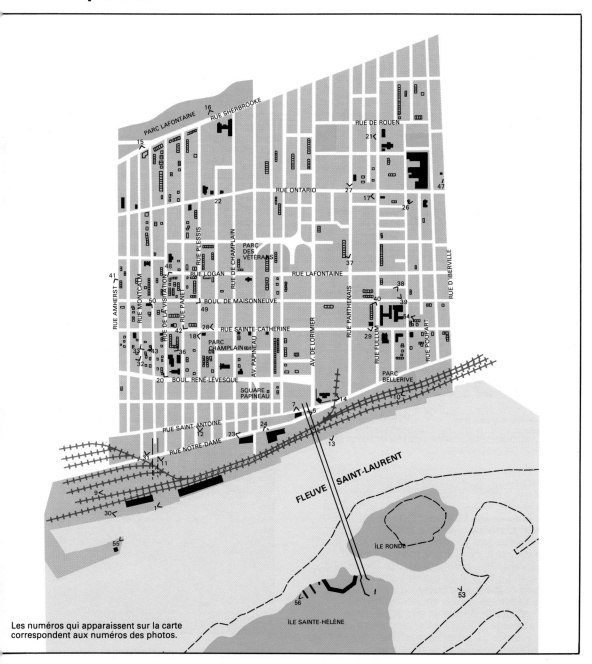

Les numéros qui apparaissent sur la carte
correspondent aux numéros des photos.

Architecture commerciale et industrielle d'hier et d'aujourd'hui

23. *Brasserie Molson en 1910.*

24. *Usine «Canadian Rubber» en 1894,*
1840, rue Notre-Dame Est.
«Une des plus grandes du Dominion, avantageusement
située au square Papineau. Elle fournit plus de 900 emplois
réguliers et bien rémunérés.»

Au cours des ans, le paysage du quartier Sainte-Marie a été dominé par l'architecture industrielle. Maints bâtiments anciens sont disparus mais la brasserie Molson, première entreprise du quartier, témoigne encore aujourd'hui de ce long passé industriel. Le premier édifice en pierre, construit en 1787, est disparu mais la cave d'origine existe toujours, enfouie sous les fondations nouvelles. (1) La façade en pierre de taille, percée d'une porte cochère et d'ouvertures en arcades, constitue l'élément le plus ancien du complexe actuel. Plusieurs incendies et des agrandissements successifs donnent à l'ensemble sa configuration actuelle où on remarque une volonté très nette d'intégrer l'ancien et le moderne.

À l'est de la brasserie, l'édifice de la «Canadian Rubber» aujourd'hui Uni-Royal, a perdu son panache d'antan. De style Second Empire, le bâtiment occupait en 1874, lors de sa construction, un espace beaucoup plus vaste. Il était surmonté d'une mansarde et chaque extrémité formait pavillon. Depuis, la moitié ouest de l'édifice a été démolie et la mansarde modifiée. Selon la réglementation de l'époque, les constructions industrielles devaient être revêtues de pierre. Il semble donc que la «Canadian Rubber» soit à l'origine de l'utilisation de la brique dans l'architecture industrielle montréalaise. (2)

Rue Ontario, la manufacture «Mc Donald Tobacco» conserve, malgré les travaux récents de rénovation, son allure d'origine. La rythmique des façades, soulignée par des pilastres en léger relief, exprime la structure du bâtiment. Les murs en brique rouge sont animés par des lignes blanches continues qui contournent la partie supérieure des fenêtres. L'imposante tour carrée surmontée d'une balustrade et percée de quatre horloges renferme les escaliers comme l'exigeaient les codes de construction de l'époque. (3).

(1) Woods, Shirley E., *La saga des Molson, 1763-1983,*
traduit de l'anglais par Marie-Catherine Laduré,
Montréal, Éd. de l'Homme, © 1983, 447 p.
(2) *Répertoire d'architecture industrielle de la CUM.* 1982, p. 208.
(3) *Ibid.,* p. 225.

25. *Bâtiment industriel, rue Montcalm, en 1925.*

Au début des années 1900, de nombreuses usines de textile et de chaussure s'implantent dans le quartier. Ce sont des bâtiments recouverts de brique, de trois ou cinq étages dont le décor se limite à l'entrée principale et à la corniche. Rue Parthenais, la manufacture Grover est typique des bâtiments à structure d'acier. Les fenêtres en «arc», caractéristiques des bâtiments à charpente de bois, dont le rôle était de soutenir la brique, ont disparu. L'insertion de l'acier dans la structure donne naissance à des ouvertures plus grandes et de forme rectangulaire, améliorant l'éclairage intérieur des ateliers. À noter aussi, l'entrepôt frigorifique du port de Montréal, bâtiment en béton armé construit en 1922, masse imposante ornée d'un décor de style Beaux-Arts et de quatre citernes proéminentes (photo 55).

La rue Sainte-Catherine conserve quelques rares éléments de l'architecture commerciale d'avant 1930. Les belles façades de pierre sont souvent cachées derrières des panneaux-réclames. Le Théâtre National et celui des Variétés, ouverts au tournant du siècle, ont disparu. L'actuel cinéma Ouimetoscope rappelle l'édifice construit en 1906 pour loger le premier cinéma en Amérique du Nord. L'ancien cinéma Arcade, converti en espace commercial, témoigne seul de ce riche passé théâtral.

Les édifices bancaires offrent les meilleurs exemples des constructions du début du siècle. C'est en 1817 qu'est fondée la Banque de Montréal, la première au pays. Cependant, petit fait d'histoire, dès 1809, l'Accomodation fait office de véritable banque flottante. Comme l'argent est rare dans la colonie, les Molson transportent sur le navire des billets payables en argent liquide, à Québec ou en Angleterre, et rapportent à Montréal cet argent sonnant. En 1900, les banques sont bien établies et s'implantent dans tous les quartiers. Angle Papineau et Sainte-Catherine, on trouve une succursale de la Banque de Montréal, construite dans un style un peu pompeux, à l'image d'un petit temple grec, avec fronton et colonnes. Angle Fullum, l'ancien édifice de la «Merchant's Bank» n'est pas moins imposant avec son dôme et son toit en mansarde. Plus modeste, l'édifice de la Banque d'Épargne, angle Dufresne, est l'oeuvre de A. Lapierre, également architecte de la succursale angle Ontario et Alexandre-de-Sève.

26. Usine «Mc Donald Tobacco». 2455, rue Ontario Est.

27. Usine «Grover Knitting Mills». 2025, rue Parthenais.

28. Ancien cinéma Arcade.
    1551-55, rue Sainte-Catherine Est.

29. Ancienne «Merchant's Bank».
    2277-81, rue Sainte-Catherine Est.

30. Technique de construction en usage en 1920 lors de la construction de l'entrepôt frigorifique du port.

Tableau synchronique des éléments architecturaux

LA BRIQUE

AVANT 1875-POREUSE, TEXTURE SABLONNEUSE, ARÊTES ARRONDIES, AUJOURD'HUI PEINTURÉE

APRÈS 1875 : PLUS LISSE, ARÊTES TRANCHANTES, MOINS POREUSE

COMMUNE

À PARTIR DE 1900 POLYCHROME LISSE-CHAMOIS

À PARTIR DE 1920 POLYCHROME STRIÉE-RUSTIQUE-BRUNE

1905-1940 APOGÉE 1905-1915 VERNISSÉE

1900-1940 APOGÉE 1905-1915 CARREAU ORNEMENTAL

1890-1935 APOGÉE 1905-1915 APPAREILLAGE DÉCORATIF

1920-1930 DÉCORATIONS EN PIERRE ARTIFICIELLE ET BRIQUE

ENCADREMENT DES OUVERTURES

BOIS SIMPLE APOGÉE 1850-1870

BOIS OUVRÉ APOGÉE 1880-1895

ARCADE EN BRIQUE APOGÉE 1870-1885

ENCADREMENT EN PIERRE DE TAILLE 1885-1915

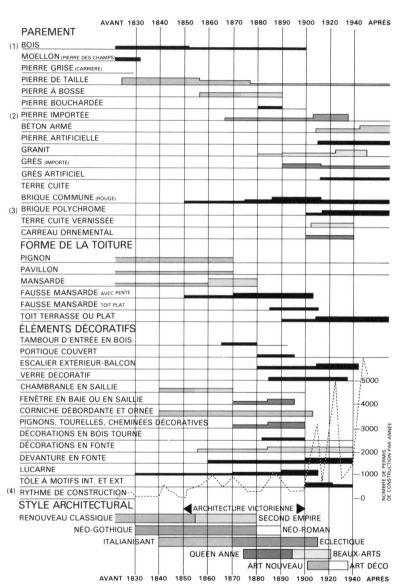

1) Bois: interdit dans le Vieux-Montréal après l'incendie de 1721, dans les faubourgs après celui de 1852, il demeure cependant en usage dans les villages jusqu'à leur annexion autour des années 1900.
2) Pierre importée: pierre plus malléable que la pierre grise, se prêtant mieux aux motifs sculptés.
3) Brique polychrome: de couleur variable et à texture rugueuse contrairement à la brique commune qui est rouge, lisse, et à texture sablonneuse.
4) Certaines données de ce tableau proviennent des études de David B. Hanna, professeur au département de géographie, UQAM.

Architecture résidentielle

La maison de Montréal

Depuis le début de la colonie, la maison au Québec s'est lentement transformée. À la ville comme à la campagne, on a tenté de mieux l'adapter à nos hivers rigoureux. Les fréquents incendies dans la ville amèneront très tôt l'administration de Montréal à émettre des directives détaillées sur les façons de la construire.

Ordonnance du 17 juin 1727...

Ordonnons de... «bâtir aucune maison dans les villes et gros bourgs, où il se trouvera de la pierre commodément, autre qu'en pierres; défendons de les bâtir en bois, de pièces sur pièces et de colombage...»

«construire des «murs de refend» (1) qui excèdent les toits et les coupent en différentes parties, ou qui les séparent d'avec les maisons voisines, à l'effet que le feu se communique moins de l'une à l'autre...»

Défense de construire... *«des toits brisés, dit à la mansarde... qui font sur les toits une forêt de bois...»*

Outre ces nombreux édits, le coût élevé des terrains, la prédominance des locataires et la présence dans le sol de la pierre calcaire et d'une argile propre à la brique ont favorisé la naissance de la maison en rangée, typique à Montréal.

Cette maison type se rencontre, avec des variantes, dans tous les quartiers de la ville, mêlée à d'autres habitations moins nombreuses, mais qui toutes ont connu leurs heures de popularité:
• la maison villageoise
• la maison urbaine traditionnelle
• la maison en rangée
• la villa
• la maison contiguë
• la maison semi-détachée
• la maison à logements multiples
• la maison de rapport.

Les maisons les plus représentatives du quartier seront reprises dans les pages suivantes pour illustrer l'évolution du patrimoine résidentiel.

Maisons du faubourg

Au début du XVIIIe siècle, la ville déborde au-delà des fortifications. Des petites maisons apparaissent le long de la route rurale (2) qui se prolonge vers l'est à la sortie de la porte Saint-Martin. Vers 1800, les fermes des familles Papineau, Dufresne et Viger sont divisées en lots de toute dimension selon l'initiative du propriétaire. Le développement se poursuit de façon anarchique. Certaines rues comme Sainte-Rose, Champagne et Lartigue sont en cul-de-sac ou s'arrêtent brusquement à l'intersection suivante. La proximité de la citadelle et de l'hôpital de l'armée attire les militaires dans le quartier. Le grand incendie de Montréal fera disparaître les bâtiments datant de cette époque. Malgré les interdits de la ville, la construction des maisons lambrissées de bois se poursuivra après 1852.

La maison urbaine traditionnelle

maison en pierre calcaire ou en brique, à façade très dépouillée; elle est coiffée d'un toit à pignon percé de petites lucarnes; elle est séparée de ses voisines par des murs coupe-feu.

(1) Murs coupe-feu.
(2) Chemin du Roy ou rue Notre-Dame.

31. 511, rue Montcalm
Voici le type de maison que l'on trouvait à l'intérieur des fortifications. Ce remarquable bâtiment de pierre, datant du début du XIXe siècle, a-t-il échappé aux flammes du grand incendie? Il est aujourd'hui unique en son genre dans le quartier Sainte-Marie.

32. 1250-58, rue Montcalm
Premier modèle de maison ouvrière, typique des années 1860. On reconnaît son ancienneté à la présence du toit à pignon, des petites lucarnes et de la façade sans balcon ni escalier.

La maison villageoise
maison en bois ou en moellon, le plus souvent à toit à pignon, avec galerie ou accès direct au niveau du sol; elle est isolée ou adossée à d'autres habitations.

33. 1295, rue Montcalm
Une des dernières maisons lambrissées de bois. Minuscule, coquettement coiffée de son pignon, elle semble frêle et menacée alors qu'autour le quartier se rénove et rajeunit.

L'ambiance chaleureuse du faubourg, c'était tout à la fois... les petites boutiques à deux pas des habitations; les logements qui ouvrent directement sur la rue; le trottoir, immense perron familial, sans barreau ni parapet; les «fonds de cour» où les familles, riches de leurs nombreux enfants, vivaient coude à coude. Vie joyeuse, criarde, vie de pauvreté où les liens de voisinage avaient la première place.

34. Maison du «faubourg à m'lasse» autour de 1940.

35. Les belles maisons du faubourg avant les projets de développement.

La maison en rangée

est incluse dans un ensemble de bâtiments résidentiels alignés le long d'une rue, construits (en même temps) selon un plan d'ensemble et dont les façades sont semblables; elle est séparée des autres habitations par un mur coupe-feu mitoyen.

En 1844, la famille Molson fait bâtir, à proximité de la brasserie, une des premières séries de maisons en rangée de la ville. Les «Terraces Molson», oeuvre de l'architecte George Browne, comprennent quarante logements ayant vue sur le fleuve. Les Molson y habitent pendant plusieurs années. En 1861, les maisons, devenues vacantes, servent aux officiers de l'armée britannique. Elles ont été démolies à une date inconnue.

Vers 1875, ce sont des maisons ouvrières à toit plat et recouvertes de brique qu'on bâtit dans le quartier. La population rurale afflue vers les villes et s'installe à proximité des usines. Les entrepreneurs construisent alors en série, selon les techniques les plus rentables.
De petits détails, comme la forme de la toiture, la corniche ou le linteau, nous en suggère l'époque de construction.

36. 1307-45, rue Sainte-Rose
Maisons construites vers 1875, caractérisées par la présence d'un grand logement sur deux étages. La toiture terminée par une fausse mansarde est de construction moins économique que le toit plat, généralisé vers 1885-1890. À proximité de l'église paroissiale, on trouve souvent des maisons spacieuses comme celle-ci, où logent les mieux nantis.

37. 1680-1742, rue Parthenais
Maisons typiques d'ouvriers, les plus courantes dans le quartier. La corniche à cannelures est en bois tout comme les linteaux, pièces horizontales au-dessus des portes et des fenêtres.

38. 2240-66, rue Olivier-Robert.
Maisons situées sur une petite rue en cul-de-sac. Vers 1885, l'industrie du bois produit en série les motifs décoratifs comme les demi-éventails qui ornent les balcons. Les linteaux en brique ont une forme légèrement cintrée.

39. 2237-59, de Maisonneuve
Rare exemple d'une série de maisons à deux étages pourvues d'un long escalier extérieur. La corniche plus élaborée est en bois et le linteau en pierre.

C'est vers 1900 que le grand escalier extérieur se généralise. Déjà d'usage courant dans les cours arrière, il en était venu à remplacer l'échelle comme accès aux logements de fortune aménagés, à l'origine, au-dessus des remises et des étables. (1) Par la suite, il devint le mode d'accès type des logements montréalais. Interdit par la réglementation municipale, il ne sera plus construit après les années 1940.

40. 1420-72, rue Fullum
Maisons avoisinant le complexe paroissial Saint-Vincent-de-Paul. L'alternance des saillies et des retraits et l'homogénéité de l'ensemble en font des bâtiments d'architecture exceptionnelle. Les corniches en pierre prolongent la façade des bâtiments au-delà de la ligne des toits.

La maison contiguë

est incluse dans une suite de bâtiments résidentiels, construits à l'unité, selon un plan individuel et dont l'ornementation des façades varie; elle est séparée de ses voisines par des murs coupe-feu.

Alors que les maisons en rangée sont identiques, les maisons contiguës forment des enfilades discontinues: différence dans la hauteur des bâtiments, le matériau de revêtement, la forme de l'escalier ou la position des portes. Ce type de construction, très populaire à Montréal, en vint à remplacer de plus en plus la maison en rangée. On en trouve de multiples versions. En voici quelques-unes.

41. 1701-11, rue Amherst
La maison contiguë se trouve couramment sur les rues commerciales. Bâtiments à toit mansard datant de la période 1865-1875. À l'origine, la structure soutenant les vitrines des commerces était en bois ou en fonte.

42. 1307-27, rue Sainte-Catherine Est.
Vers 1900, sur la rue Sainte-Catherine, principale rue commerciale du quartier, on construit de grands bâtiments de pierre, certains monumentaux. La fenestration se résume en un alignement d'ouvertures rectangulaires et l'ornementation se limite à la corniche.

(1) Voir Marsan, J.C., *Montréal en évolution*, page 270.

43. **1270-96, rue Beaudry**
   Les maisons en pierre sont peu nombreuses dans le quartier
   et dénotent l'aisance de leur propriétaire. Le quartier Sainte-
   Marie offre, par ailleurs, beaucoup d'exemples de maisons
   pourvues de porte cochère.

La porte cochère se retrouve dans les secteurs les plus anciens où la profondeur des îlots atteint jusqu'à 71,3 mètres. Elle donne accès aux remises à chevaux et à carrioles situées dans la cour arrière, et le plus souvent, aux logements en fond de cour. Car rares sont les ouvriers qui possèdent de tels équipages, quelques charretiers sans doute, le porteur d'eau et les notables de la place. Débardeurs, cordonniers et manoeuvres se rendent à pied à leur travail.

On trouve aussi, dans les cours arrières, les dépendances, hangars, fosses d'aisance et puits. Heureux si on dispose d'un puits! Ce n'est que vers 1870 que l'eau courante fait son apparition à Montréal. Jusque là, c'est le porteur d'eau qui, puisant dans le fleuve, circule à travers le faubourg, vendant son eau à la chaudière. Les logements ne sont pas non plus équipés de bain, ni de «toilette». Les familles utilisent la «toilette» commune, appelée «bécosse». (1) En 1891, on dénombre à Montréal 26,6 personnes par fosse d'aisance! On entrepose aussi, dans la cour arrière, le charbon pour se chauffer pendant l'hiver. Peut-être y a-t-il un lilas, comme le décrit Marcel Dubé dans son roman. (2)

44. *Porte cochère à linteau droit en bois.*

45. *Porte cochère à linteau en pierre formant un arc surbaissé.*

46. *Porte cochère formant un arc plein cintre.*

(1) Back house.
(2) *Le temps des lilas,* dont le récit s'inspire de l'ambiance du quartier Sainte-Marie des années 30.

48. 1300-20, rue Logan, angle Visitation
La fausse mansarde, caractéristique de l'époque victorienne, est empreinte de romantisme et d'exagération, à l'image de cette surprenante tourelle. Elle dissimule un toit plat derrière un large pan de toiture débordante et permet de grandes variétés de décoration. Bien que la lourde charpente de bois en soit absente, cette toiture peu économique restera réservée aux gens à l'aise. Personnages célèbres ayant habité rue Logan: Camilien Houde, maire de Montréal et Marcel Dubé, écrivain.

47. 2364-70, rue Iberville
Maison bourgeoise construite après la Première Guerre, caractérisée par sa tourelle proéminente et sa brique vernissée.

La maison semi-détachée

est incluse dans une suite de bâtiments résidentiels; elle est souvent jumelée, ou située à l'encoignure de rues; elle a des ouvertures sur trois côtés.

Les bâtiments de «coin de rue» intègrent souvent de petits commerces aux habitations. Cette manière de faire, très courante dans les quartiers de l'est montréalais, est absente des quartiers anglophones de l'ouest de la ville. Ici, l'épicier du coin, le cordonnier et le dépanneur, c'est un peu «le journal parlé» du quartier.

Les bâtiments semi-détachés offrent plus de liberté dans le choix des toitures et du décor. Les trois types suivants illustrent ce propos.

49. 1401-03, boul. de Maisonneuve
Bâtiment construit vers 1860-1870 et coiffé d'un toit mansard. Ce type de toiture repose sur une imposante charpente de bois, coûteuse à construire et propice aux incendies. Interdite en 1721, elle est de nouveau en vogue vers 1850.

50. Sud-ouest des rues Maisonneuve-Beaudry
Bâtiment à toit plat, le plus courant dans le quartier.
À noter, la grande galerie qui orne les deux façades du bâti-
ment, modèle peu fréquent à Montréal.

Rêveries de Jean Narrache à Radio-Canada....

... Il me semble que je voyais en haut (de la côte Panet) des
lumières du parc Sohmer par-dessus sa grande clôture grise...
Il me semblait que j'étais frôlé par tous les amoureux qui
venaient de débarquer des petits chars sur la rue Craig et qui
montaient la côte, eux autres aussi, en écoutant l'orgue de Barba-
rie qui jouait «Le carnaval de Venise»... pour accompagner les
chevaux de bois qui tournaient dans le parc.
... C'était le rendez-vous de toute la société, la haute gomme
comme de la petite bière, des riches comme des pauvres.

51. Charrette Molson transportant les barils de bière. Vue brisée devant de belles maisons contiguës (1908).

2. *La terrasse du parc Sohmer.*

Photos de la page couverture arrière:
53. *Île Sainte-Hélène.*
54. *Rue Champagne.*
55. *Port de Montréal.*
56. *Fort de l'Île Sainte-Hélène.*

«Cette salle à manger ne saurait être quittée cependant sans un coup d'oeil à la fenêtre. C'est une habitude qu'on a prise de s'approcher, même sans y penser vraiment, de cette fenêtre qui donne sur le carrefour, afin de tâter le pouls du quartier qui, par ce long rectangle ouvert sur sa vie active se livre sans résistance à la curiosité. Qu'y voit-on? Deux plans, en fait, l'un tout proche donnant directement sur le croisement des deux rues, Ontario et Cuvillier, l'autre s'étendant au-delà, vers le jardin des Soeurs, qu'une haute palissade tend assez hideusement à dissimuler. Mais ce premier plan, malgré un fond de décor immuable, en vient à se modifier constamment au fil des heures. On conserve d'abord le souvenir, face à la fenêtre, si le regard s'adresse droit devant soi, d'un pâté de maisons de taille médiocre qui fit place, à un certain moment difficile à préciser, à une longue maison moderne en briques beiges, sans grand caractère, qui reléguait dans l'arrière-boutique du passé de vieilles briques rouges, des fenêtres aux jalousies délavées, des galeries d'un gris neutre, des passerelles de même ton menant à des hangars de tôle rouillée.

... Que l'on prenne donc la peine de s'approcher de la balustrade de bois peinte en gris qui surplombe la rue Cuvillier, qu'on découvre à cette hauteur le panorama qui se développe sur tout un côté de cette rue et que verra-t-on? En des temps plus anciens, alors que la rue Darling n'aspirait même pas, en ce secteur privilégié, à l'existence, encore moins à la suprême distinction, la rue Joliette, entre la rue Notre-Dame et la rue Sainte-Catherine, affichait elle aussi un certain air bourgeois, avec des maisons en grosse pierre grise d'une solidité à toute épreuve. Aussi le grand-père Gaudois avait-il choisi dès son arrivée à Hochelaga, peu après le début du siècle, d'y établir sa famille, venue de Longueuil. Il habitait le rez-de-chaussée d'une de ces maisons, d'allure presque cossue, comme on en trouvait alors dans le quartier latin, rue Saint-Hubert ou Saint-Denis, une clôture basse en fer, un brin de terrain où croissait quelque herbe, un mince trottoir de bois précédaient la porte d'entrée, flanquée de deux belles fenêtres dont une éclairait un vaste salon où se voyait un piano. Tout ce tronçon de la rue montrait un air confortable qui le distinguait de la partie basse du quartier. Il faut préciser que lui faisait face la haute clôture de bois, peinte en gris, du couvent d'Hochelaga, surplombée de beaux ormes qui n'étaient pas peu dans l'air de distinction qu'on lui accordait volontiers, avec le calme et la paix.»[1]

1 Hamelin, Jean, *Les rumeurs d'Hochelaga*, récits, éditions Hurtubise HMH ltée, 1971.

5

Le rêve industriel

Le patrimoine de Montréal
Quartiers Hochelaga, Maisonneuve
et Préfontaine

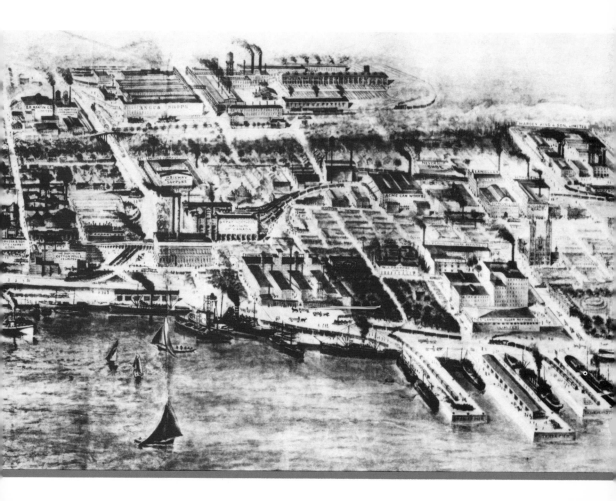

Le rêve industriel

Nous aborderons, dans ce chapitre, l'histoire des quartiers Hochelaga, Maisonneuve et Préfontaine. L'accent sera principalement mis sur le patrimoine architectural et historique de la période antérieure à 1930.

Au XIXᵉ siècle, le développement de Montréal se poursuit vers l'est, longeant le « chemin du Roy» qui mène à Québec. Le fleuve et plus tard les voies ferrées donneront naissance, un peu comme à l'ouest le canal Lachine, à une importante implantation industrielle. Vie ouvrière et rêve des chefs d'entreprise se mêleront, formant ainsi la trame historique de deux villages ouvriers: Hochelaga et Maisonneuve.

2. Endroit dit «Old Elm», à Hochelaga, en 1865... quelque part le long du chemin du Roy...

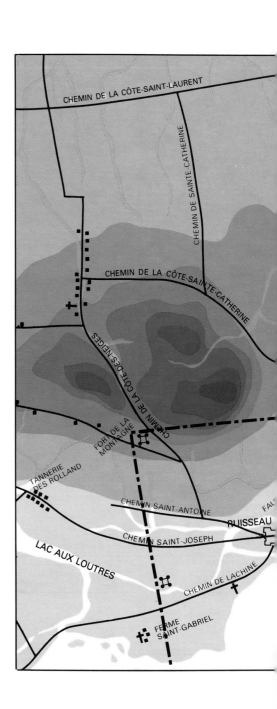

Photo de la page précédente:
1. Vue des industries en 1906.

Relief et cours d'eau de Montréal au XVIIIe siècle

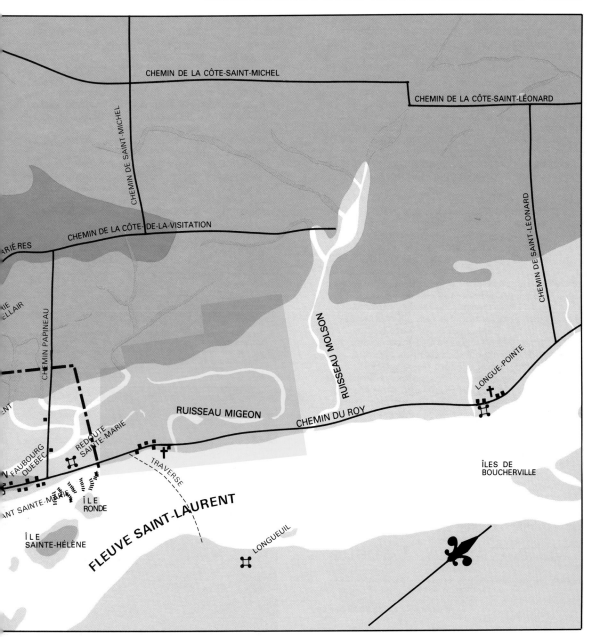

Le village d'Hochelaga   Avant 1883

À partir de 1737, le Saint-Laurent n'est plus la seule grand-route du pays. Il y a le chemin du Roy, aujourd'hui rue Notre-Dame, qu'empruntent les voyageurs en direction de Québec. La diligence quitte la place d'Armes et traverse le faubourg Québec (1). À cent chaînes (2) des fortifications, aux environs de la rue Iberville, la barrière à péage indique les limites de la ville. Le voyageur débourse cinq cents pour le passage et le cocher, vingt cents pour la voiture. Tout autour, la campagne; ni port, ni industrie mais de belles fermes qui s'étendent jusqu'au fleuve. Le bac de la Pointe-aux-Trembles permet d'atteindre la rive nord, puis Québec, quatre jours plus tard.

Le chemin du Roy est très achalandé. En 1840, on y dénombre 1 400 voitures par jour. Le développement s'étend maintenant au-delà du faubourg Québec. Il y a le mouvement des militaires dont les casernes occupent, au pied du courant Sainte-Marie, une position stratégique; dès 1659, on trouvait dans les environs, une redoute, poste de défense avancé contre les attaques des Indiens. S'y est installée aussi la compagnie du gaz. Depuis 1845, les rues de la ville sont éclairées au gaz et on y engage des allumeurs de réverbères. Les tramways à chevaux circulent, rue Notre-Dame. Depuis 1860, la Compagnie des chars urbains a installé ici, terminus du «p'tit char», ses écuries et ateliers de réparation.

C'est dans ce contexte que naît, aux limites de la ville, le petit village d'Hochelaga. Rue Marlborough, à deux pas des casernes militaires, des familles anglophones ont érigé une école et la chapelle St. Mary. La communauté francophone se regroupe, rue Dézéry, autour de la chapelle de la Nativité, de l'hôtel de ville et du marché public. L'été, les fermiers de Longueuil viennent y vendre leurs légumes. À la tombée du jour, ils retournent prendre le bac au pied du courant.

La construction de la filature de Victor Hudon accélère le développement du village. Plusieurs ruraux s'établissent à Hochelaga, au lieu de joindre les rangs de ceux qui partent, toujours plus nombreux, vers les «factories à coton des États». La construction, en 1876, de la voie ferrée du Nord (3) constitue un autre événement majeur: cette voie traverse le village du nord au sud et le coupe à jamais de son territoire plus à l'ouest (4). Ce chemin de fer voit le jour grâce au curé Labelle qui le réclamait à grands cris pour la colonisation des pays d'en-haut.

En 1883, le village a pris de l'expansion. La venue de familles ouvrières nécessite l'ouverture de rues et l'installation de services publics: eau, gaz et bientôt électricité. La communauté est modeste; les ouvriers travaillent dans les tanneries, aux abattoirs de l'Est, à la filature Hudon et gagnent de maigres salaires. On croit alors plus sage de s'annexer à Montréal, qui en est fort aise: cette annexion lui assure une confortable majorité francophone. Et vive le quartier Hochelaga!

(1) Voir fascicule n° 4. (Voir volume, chapitre 4.)
(2) Environ deux kilomètres.
(3) Le «Montreal, Ottawa et Occidental Railway», devenu le Canadien Pacifique en 1881.
(4) Le secteur entre la rue Iberville et la voie ferrée sera par la suite intégré au quartier Sainte-Marie.

3. La loterie, ce n'est pas d'hier...

4. Plan d'Hochelaga, 1868.

La ville de Maisonneuve   1883-1909

5. Les ouvriers de la chaussure...

Les grands propriétaires d'Hochelaga, qui possèdent les terres à l'est de la rue Bourbonnière, refusent l'annexion à Montréal et fondent la ville de Maisonneuve. À ses débuts, c'est une petite ville de campagne où n'habitent que cinquante familles disséminées le long du chemin du Roy. Les grandes fermes ont été achetées par des Montréalais clairvoyants qui attendent le moment propice pour lotir.

Ces hommes croient au progrès. Ils sont d'ailleurs de prospères chefs d'entreprise. Mentionnons Joseph Barsalou, propriétaire de la savonnerie du même nom et premier maire de Maisonneuve, Alphonse Desjardins, dont la fabrique de tuiles puise l'argile à même le flanc de la falaise Sherbrooke [1]; et Charles-Théodore Viau, propriétaire d'une des biscuiteries les plus réputées de l'Empire britannique.

Dans l'esprit de ses fondateurs, Maisonneuve doit devenir le paradis de l'industrie et se peupler rapidement d'ouvriers attirés par d'alléchantes perspectives d'emploi. Leur jugement sûr et leur don de stratège permettront cette réussite exceptionnelle: en quinze ans, Maisonneuve devient la cinquième ville industrielle du Canada.

Moins connu au niveau local, un autre homme n'en domine pas moins la destinée des petites gens d'Hochelaga-Maisonneuve. Il s'agit de Louis G. Forget, riche montréalais qui contrôle le tramway, le gaz et l'électricité. Il est à l'origine de la fusion des filatures Hudon et Sainte-Anne pour former la puissante «Dominion Textile». Il s'est affirmé comme dur négociateur, notamment lors de la grève des conducteurs de tramway en 1903. Sa résidence du «Golden Square Mile» [2] donne un aperçu de sa richesse.

Époque des grandes fortunes mais aussi des pires misères pour les gagne-petit. Ils sont plus de 10 000 travailleurs dans le textile, la chaussure, l'alimentation ou au port. Les crises économiques répétées [3] ont des répercussions dramatiques: chômage, salaire de famine! Le menuisier gagne 17½ ¢ de l'heure en 1901; une livre de beurre coûte 24 ¢, de quoi manger son pain sec! À l'usine, les conditions de travail sont épuisantes: poussière, vacarme, insalubrité. Les épidémies de variole et de typhoïde [3] font de nombreuses victimes parmi les travailleurs.

Les longues heures de travail ne les empêchent pas de se réunir en foule le dimanche au stade, situé à l'emplacement actuel du parc Ovila-Pelletier. Leur équipe de crosse, le National, remportera le championnat mondial en 1910. Mais peu à peu, le hockey supplante la crosse et on assiste nombreux aux premières parties des Canadiens à la patinoire du Jubilée, angle Marlborough et Sainte-Catherine. Celle-ci avoisine la gare Moreau, terminus du Canadien Nord [4] qui traverse d'est en ouest Hochelaga-Maisonneuve depuis 1896. L'été, la visite du parc Riverside, situé à l'angle des rues Notre-Dame et Pie IX, offre un grand attrait. L'air du fleuve rappelle la campagne; les activités de toutes sortes y font oublier la grisaille des usines.

---

(1) La «Montreal Terra-Cotta» était située angle Desjardins et Pierre-de-Coubertin.
(2) 1195, rue Sherbrooke Ouest, voir fascicule n° 3. (Voir volume, chapitre 3.)
(3) Voir tableau synchronique des événements historiques, page 8. (Voir volume, page 130.)
(4) Devenu le Canadien National en 1918.

6. Partie de crosse au stade national.

Le «petit Westmount» de l'Est

1909-1918

L'implantation, en 1905, des usines Angus dans le village voisin de Rosemont, accélère le développement, au nord, du quartier Hochelaga. Celui-ci affirme résolument son caractère de banlieue ouvrière. L'histoire de Maisonneuve suit un autre cours...

Vers 1900, des hommes d'affaires francophones en viennent à dominer certains secteurs de l'industrie, tel celui de la chaussure. Jusque-là, les anglophones, avec à leur tête les familles Molson, Dow, Ogilvie, Allan (1), en avaient eu le monopole incontesté. Cette nouvelle bourgeoisie, s'affirmera par des projets grandioses. La famille Dufresne illustre cette fierté ambitieuse de l'élite francophone d'alors. Le père, Thomas, fonde une des premières usines de chaussures de Maisonneuve. Son fils, Oscar, y accumule une fortune impressionnante que confirme la construction du château Dufresne. Quant à son frère, Marius, il est l'instigateur de tous les projets de grandeur mis de l'avant par le Conseil municipal.

Dans l'esprit de cette élite, Maisonneuve doit être une cité modèle! Voici ce dont on rêve... D'un parc immense, grands jardins de Montréal, qui serait, dans l'Est, l'équivalent du mont Royal. Et pour les réunir, une voie royale surplombant le bas de la ville... la rue Sherbrooke. On pense aussi à une large avenue, unissant le fleuve à la rivière des Prairies... c'est le boulevard Pie IX, bordé d'arbres et de belles demeures. Et pourquoi ne pas relier ce boulevard à Longueuil par un tunnel sous le fleuve! Maisonneuve se doit aussi d'avoir les plus beaux édifices publics. C'est ainsi qu'elle se dote d'un nouvel hôtel de ville, d'un marché, de bains publics et d'une caserne de pompiers, tous d'une exceptionnelle qualité.

(1) Voir fascicule n° 3. (Voir volume, chapitre 3.)

8. Château Dufresne, 4040, rue Sherbrooke Est.

9. Boulevard Pie IX, angle Sainte-Catherine.

7. Boulevard Morgan, le marché et les bains Maisonneuve.

Désillusion...

Personne n'avait prévu la Première Guerre mondiale et l'effondrement des marchés immobiliers. Le grand projet d'aménagement du parc Maisonneuve, avec ses amphithéâtres, son autodrome, son jardin de plantes, reste en plan. La municipalité doit assumer une lourde dette publique. La population ouvrière, aux prises avec le chômage, traverse une crise aiguë du logement. Suivant en cela le sort de onze petites municipalités environnantes, Maisonneuve s'annexe à Montréal en 1918.

Des quartiers ouvriers

Après 1918

En 1921, le secteur nord du quartier Hochelaga devient le quartier Préfontaine. On y fonde la paroisse Sainte-Jeanne-d'Arc. Et les trois quartiers se figent dans un long engourdissement... peu de constructions et de nouveaux apports de population. Les Montréalais s'établissent dans les quartiers neufs: Rosemont, Saint-Édouard, Villeray. Le gouvernement initie pendant la crise quelques projets pour contrer le chômage: les parcs Lalancette et Morgan ainsi que le pavillon du Jardin botanique.

Les usines ont vieilli. La «Dominion Textile» ferme ses portes. Les petites industries de la chaussure perdent leur dynamisme d'antan. L'époque du fil et de l'aiguille est révolue. Le port et l'industrie de pointe glissent plus à l'est, au-delà de la rue Viau, le long des nouvelles voies de communication routières.

L'ère de l'automobile annonce de profondes transformations du tissu urbain. Faut-il le rappeler, il n'y a, en 1906, que deux cents automobiles à Montréal. Longtemps encore, les routes déblayées aux seuls abords de la ville, ne sont praticables pendant l'hiver qu'en traîneaux (1). Les années 60 marquent le début d'importants travaux routiers dont l'autoroute est-ouest. La rue Notre-Dame, axe de peuplement des anciens villages, devient alors un «no man's land». La démolition d'une centaine de logements s'inscrira telle une rupture brutale dans l'histoire du quartier.

L'aménagement du Parc olympique, en 1976, poursuit le grand rêve des fondateurs de Maisonneuve. Déjà, dans les années 30, le frère Marie Victorin donnait, avec le Jardin botanique, une vocation unique à ce site. Les Olympiques doteront ce quartier du plus grand complexe sportif de Montréal.

_____
(1) C'est encore le cas en 1930 selon Raoul Blanchard.

11. Vue de la rue Sainte-Catherine vers l'ouest, angle Préfontaine. En arrière-plan, les calèches en attente devant la gare Moreau.

10. À l'heure du modernisme: rails, poteaux, fils électriques, bornes-fontaines...

12. Installations de la «Canadian Vickers» avec la cale sèche au premier plan.

13. *14 février 1880, inauguration du chemin de fer sur glace entre Montréal et Longueuil, au pied de la filature Hudon (à gauche sur la gravure). Deux ans plus tard, émoi au village! On verra la locomotive s'enfoncer... la glace s'est rompue!*

14. *Manoeuvre d'artillerie, au Pied-du-Courant face aux casernes militaires d'Hochelaga.*

15. *Les ateliers d'Hochelaga de la «Montreal Street Railway» rue Notre-Dame, où fut construit le célèbre «char 890»... À l'arrière-plan, les immenses réservoirs de gaz...*

Les étapes du développement

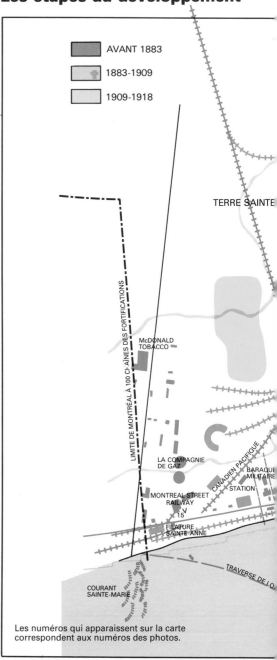

AVANT 1883

1883-1909

1909-1918

TERRE SAINTE

LIMITE DE MONTRÉAL À 100 Cʰ AÎNES DES FORTIFICATIONS

McDONALD TOBACCO

LA COMPAGNIE DE GAZ

CANADIEN PACIFIQUE

BARAQUE MILITAIRE

STATION

MONTREAL STREET RAILWAY
15

FILATURE SAINTE-ANNE

TRAVERSE DE L'Q

COURANT SAINTE-MARIE

Les numéros qui apparaissent sur la carte correspondent aux numéros des photos.

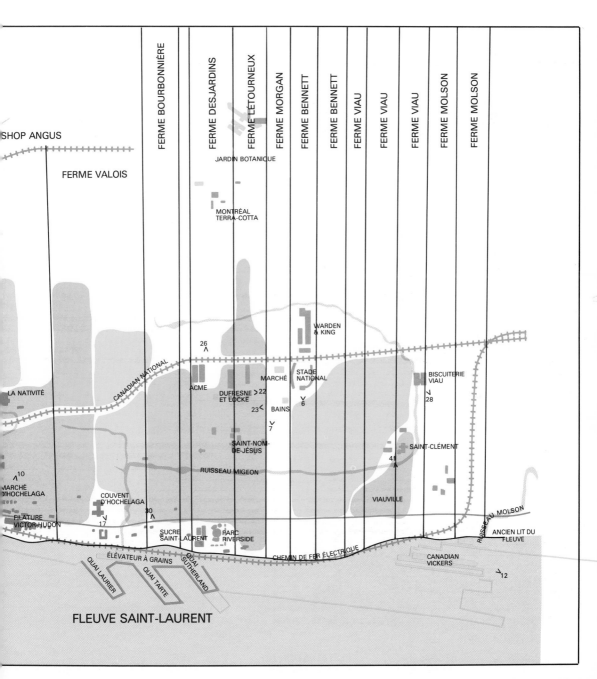

SHOP ANGUS

FERME VALOIS

FERME BOURBONNIÈRE

FERME DESJARDINS

FERME LÉTOURNEUX

FERME MORGAN

FERME BENNETT

FERME BENNETT

FERME VIAU

FERME VIAU

FERME VIAU

FERME MOLSON

FERME MOLSON

JARDIN BOTANIQUE

MONTRÉAL
TERRA-COTTA

WARDEN
& KING

26
∧

CANADIAN NATIONAL

LA NATIVITÉ

ACME

MARCHÉ

STADE
NATIONAL

DUFRESNE ⟩22
ET LOCKE

23⟨   BAINS

∨6

BISCUITERIE
VIAU

28
∨

23⟨

∨7

SAINT-NON-
DE-JÉSUS

SAINT-CLÉMENT

41
∧

RUISSEAU MIGEON

10
∧

MARCHÉ
D'HOCHELAGA

COUVENT
D'HOCHELAGA

30
∧

VIAUVILLE

FILATURE
VICTOR-HUDON

17
∨

SUCRE
SAINT-LAURENT

PARC
RIVERSIDE

RUISSEAU MOLSON

ANCIEN LIT DU
FLEUVE

ÉLÉVATEUR À GRAINS

CHEMIN DE FER ÉLECTRIQUE

CANADIAN
VICKERS

∨12

QUAI LAURIER

QUAI TARTE

QUAI
SUTHERLAND

FLEUVE SAINT-LAURENT

Tableau synchronique des événements historiques 1700-1945

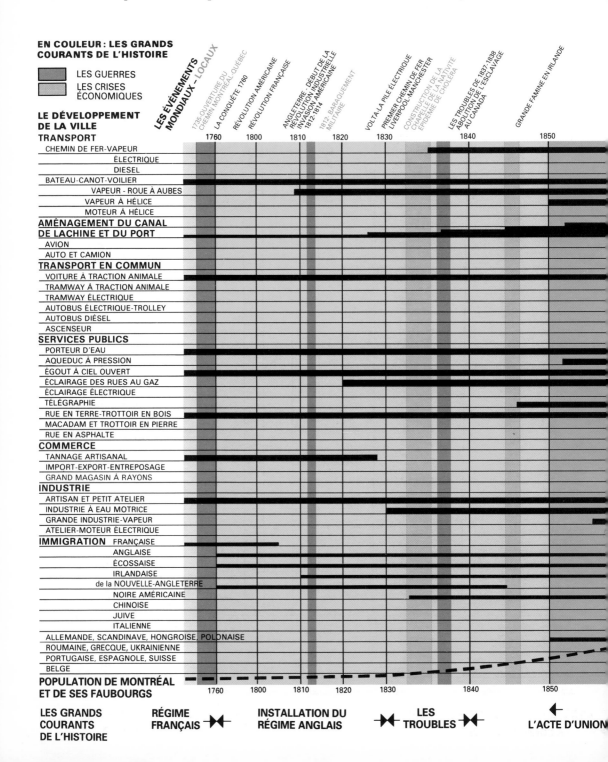

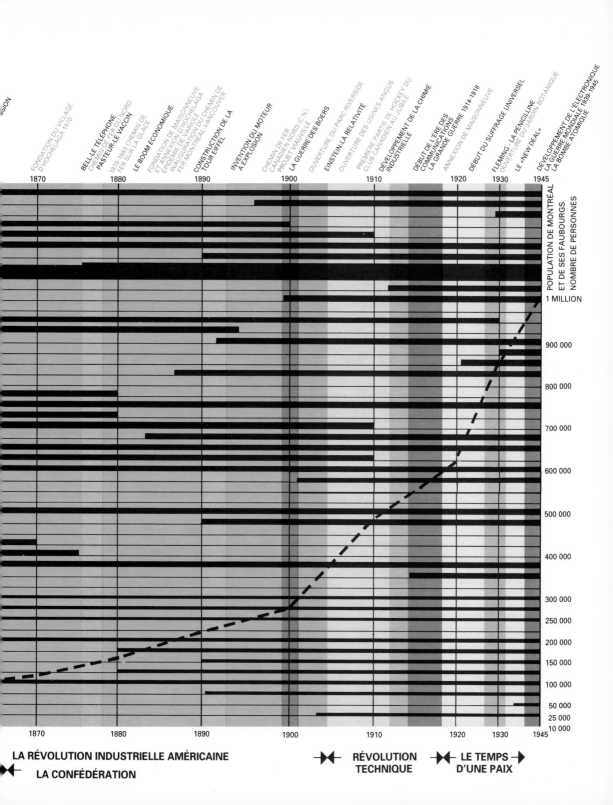

FONDATION DU VILLAGE
D'HOCHELAGA 1870

BELL-LE TÉLÉPHONE
CHEMIN DE FER DU NORD
PASTEUR-LE VACCIN
1879-1883 CHEMIN DE
FER SUR LA GLACE

LE BOOM ÉCONOMIQUE

FONDATION DE MAISONNEUVE
ET ANNEXION D'HOCHELAGA
ÉPIDÉMIE DE VARIOLE
INAUGURATION DU CHEMIN DE
FER MONTRÉAL-VANCOUVER

CONSTRUCTION DE LA
TOUR EIFFEL

INVENTION DU MOTEUR
A EXPLOSION

CHEMIN DE FER
CANADIEN NORD (C.N.)
PROJET VIAUVILLE

LA GUERRE DES BOERS

OUVERTURE DU PARC RIVERSIDE

EINSTEIN-LA RELATIVITÉ

OUVERTURE DES USINES ANGUS

PREMIÈRE PARTIE DE HOCKEY DU
CLUB CANADIEN AU JUBILÉ

DÉVELOPPEMENT DE LA CHIMIE
INDUSTRIELLE

DÉBUT DE L'ÈRE DES
COMMUNICATIONS
LA GRANDE GUERRE

ANNEXION DE MAISONNEUVE

LA GRANDE GUERRE 1914-1918

DÉBUT DU SUFFRAGE UNIVERSEL

FLEMING : LA PÉNICILLINE
OUVERTURE DU JARDIN BOTANIQUE
LE «NEW DEAL»

DÉVELOPPEMENT DE L'ÉLECTRONIQUE
LA GUERRE MONDIALE 1939-1945
LA BOMBE ATOMIQUE

1870   1880   1890   1900   1910   1920   1930   1945

POPULATION DE MONTRÉAL
ET DE SES FAUBOURGS
NOMBRE DE PERSONNES

1 MILLION

900 000

800 000

700 000

600 000

500 000

400 000

300 000

250 000

200 000

150 000

100 000

50 000

25 000

10 000

1870   1880   1890   1900   1910   1920   1930   1945

LA RÉVOLUTION INDUSTRIELLE AMÉRICAINE   RÉVOLUTION   LE TEMPS
                                               TECHNIQUE   D'UNE PAIX
LA CONFÉDÉRATION

Architecture publique et institutionnelle d'hier et d'aujourd'hui

En traversant le paisible parc Dézéry, il est difficile de s'imaginer l'ambiance du village de jadis, l'animation du marché... les bâtiments publics qui s'y trouvaient ont tous disparu. Rue Sainte-Catherine, le bureau de poste, érigé en 1901, demeure le plus ancien témoin du passé. Ce bel édifice de pierre, coiffé d'un toit pavillon et pourvu de hautes cheminées, ressemble à une demeure bourgeoise de l'ouest de la ville.

16. À gauche, l'ancien bureau de poste d'Hochelaga. 3130, rue Sainte-Catherine Est.

17. Couvent d'Hochelaga, angle Notre-Dame et Joliette.

L'église paroissiale d'Hochelaga, construite en 1876, a été détruite par les flammes. Dans l'enceinte de cette première bâtisse, on reconstruit en 1922 l'église actuelle de la Nativité-de-la-Sainte-Vierge, avec l'espoir d'en faire la cathédrale de l'est de Montréal et le deuxième diocèse de l'île. La sobriété de la façade démontre l'influence de la mode Beaux-Arts, caractéristique de l'architecture religieuse des années 1900. Les églises du Très-Saint-Nom-de-Jésus et Très-Saint-Rédempteur, construites en 1903 et 1913, reflètent le même courant de pensée mais conservent, au niveau des clochers, ce goût du décor surchargé propre à l'époque victorienne.

Au XIXe siècle, l'instruction n'est pas obligatoire. Les enfants d'ouvriers, par nécessité de subsistance, travaillent en usine. L'école demeure le privilège de la bourgeoisie. C'est dans ce contexte qu'on érige le couvent Hochelaga en 1860. Situé en pleine campagne, il est relié à Montréal par un omnibus à chevaux. Sa réputation déborde largement la ville et les pensionnaires viennent des villages riverains du fleuve y apprendre le piano, l'orgue, le chant et tous les arts d'agrément. Ce splendide édifice est disparu, comme

bien d'autres, en 1971, dans le cadre du projet de l'autoroute est-ouest. Orné de sa magnifique colonnade de bois, il était considéré comme un des plus remarquables de la ville.

... érigée en 1902, accueille des pensionnaires jusqu'en 1976. Heureusement conservé, cet édifice constitue aujourd'hui un des rares exemples de couvents, construits à la façon du XIXe siècle: façade en pierre grise, toit en mansarde, clocheton et alignement de petites lucarnes. Son intérêt est accentué par le voisinage de l'église Saint-Clément de Viauville, construite en 1899, par le prolifique architecte Joseph Venne. L'église, le presbytère et le couvent forment l'ensemble le plus ancien du quartier.

18. Église Saint-Clément-de-Viauville 4901, rue Adam.

Dans les années 20, la croissance rapide de la population donne lieu a la construction de nombreuses écoles. Elles s'inscrivent dans la foulée de la démocratisation scolaire d'alors. Un plan type s'impose et les édifices deviennent de plus en plus standardisés. Une des plus remarquables est l'école Baril (1), érigée en 1910 par Viau et Venne, également architectes de l'école Jeanne-d'Arc (2) et de l'église de la Nativité. Mentionnons aussi l'école Stadacona, reconnaissable à sa façade de briques de couleurs contrastantes. Dans Maisonneuve, les édifices scolaires prennent l'allure imposante des autres bâtiments publics. L'académie du Saint-Nom-de-Marie (3) et l'école Saint-Jean-Baptiste (4), construites en 1917-1918 par l'architecte Charles Reeves, également inspecteur en chef de la ville, illustrent ce propos.

L'ancien hôtel de ville de Maisonneuve, aujourd'hui maison de la culture, le marché et les bains publics, témoignent de ce goût du luxe de l'élite d'alors. Les lourdes portes en bronze de l'ancien hôtel de ville, l'escalier de marbre et la superbe verrière ont été conservés. Les bains Maisonneuve, construits en 1915, sont considérés comme une des plus belles oeuvres en Amérique. Mentionnons que les premiers bains publics construits à Montréal en 1890, étaient situés à Hochelaga (5). Leur usage en était exclusivement réservé aux hommes.

La localisation du marché Maisonneuve dans l'axe du boulevard Morgan, et le dégagement de la place publique mettent en valeur ce magnifique bâtiment. Dans la vaste salle du marché, la foule a maintes fois applaudi et hué les orateurs politiques. Sur la grand-place, la fontaine ornée d'une fermière, oeuvre du célèbre sculpteur Alfred Laliberté, est la première pièce de bronze de cette importance coulée au Canada.

Le poste de pompiers, angle Notre-Dame et Létourneux, a été construit en 1915 sur l'emplacement du premier hôtel de ville de Maisonneuve. Son architecture, inspirée de l'oeuvre de Frank L. Wright, dérouta pour le moins à l'époque: le journal *Le Devoir* n'hésite pas à affirmer que «le style en serait égyptien»

19. Ancienne école Stadacona (actuelle école Hochelaga) 3349, rue Adam.

20. Fontaine sur la place du marché Maisonneuve, oeuvre du sculpteur Alfred Laliberté.

---

1) 3603, rue Adam.
2) 1680, rue Jeanne-d'Arc.
3) 4140 , rue Hochelaga.
4) 2355, boulevard Pie IX..
5) À l'emplacement actuel du parc Dézéry.

134

Carte des quartiers

Les numéros qui apparaissent sur la carte correspondent aux numéros des photos.

FLEUVE SAINT-LAURENT

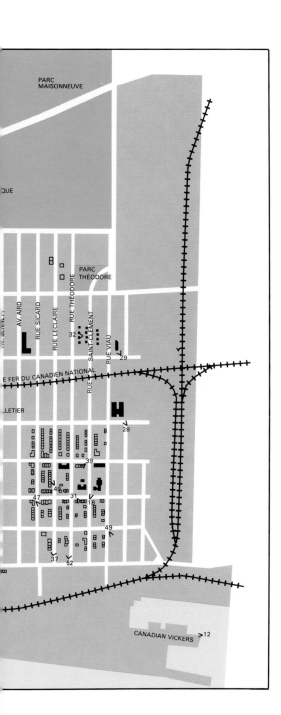

21. En 1920, les ouvriers de la Fonderie de Maisonneuve, située sur l'avenue de Lasalle.

22. Rue Ontario, angle Lasalle en 1912.
À gauche, la Banque Toronto-Dominion dont la façade, recouverte de terra-cotta émaillée blanc, se démarque des bâtiments environnants.

23. Bains Maisonneuve, 1875, boulevard Morgan
Un des bâtiments de style Beaux-Arts les plus remarquables de Montréal.

Architecture commerciale et industrielle d'hier et d'aujourd'hui

24. Intérieur du marché Maisonneuve.

La rue Notre-Dame a été le premier pôle de développement des villages Hochelaga et Maisonneuve. Leur expansion vers le nord a amené le déplacement des activités, rues Sainte-Catherine et Ontario. Le premier tramway électrique à Montréal, surnommé le Rocket (1), circule rue Sainte-Catherine en 1892. Épiceries, merceries, ateliers d'électriciens s'y établissent, affirmant le rôle prépondérant de cette artère dans le quartier. En 1905, le «char 890», qu'on qualifie de révolutionnaire, fait son apparition: c'est une première mondiale, un tramway à perception automatique où les passagers paient en entrant. Les ouvriers du quartier en sont fiers: il a été construit aux ateliers d'Hochelaga.

La «Bank of Toronto», actuelle Banque Toronto-Dominion, s'établit la première à Maisonneuve, en 1903. L'édifice, angle Lasalle et Ontario, illustre le modèle courant des années 1900; petit temple à colonnes, un peu prétentieux, témoignant de la santé économique des institutions bancaires.

Leur architecture se démocratise vers 1920 et on voit apparaître des logements au-dessus des succursales de banque, tel qu'on peut le voir pour la Banque Canadienne Nationale, angle Pie IX et Ontario.

Le cinéma, né au début du siècle, se répand dans les quartiers. À Hochelaga, il y eut le cinéma Laurier, incendié en 1927. La mort tragique de soixante-dix-huit enfants amena la Ville à élaborer une réglementation stricte en matière de sécurité dans les lieux publics. Le théâtre Granada, actuel théâtre Denise-Pelletier, brille encore de la splendeur des «années folles». Son décor intérieur est l'oeuvre de Briffa, décorateur renommé à qui l'on doit les fastes des cinémas Capitol, Loews et Palace d'alors.

---

(1) Conservé au Musée ferroviaire canadien de Saint-Constant.

25. *Intérieur de l'ancien théâtre Granada.*
Maintenant théâtre Denise-Pelletier (NCT).
4353, rue Sainte-Catherine Est.

Les industries du bord de l'eau

Le fleuve concourut grandement au destin industriel d'Hochelaga-Maisonneuve. On lui doit la venue de la première industrie, la filature Victor-Hudon; l'eau fournit alors l'énergie nécessaire pour actionner les trois cents métiers à tisser. Les navires déchargent sur le quai, sans transbordement inutile, les immenses balles de coton en provenance du Sud. En 1905, cette usine est fusionnée à la «Dominion Textile», puissant monopole qui contrôle 50 % de l'industrie textile au Canada. Le bâtiment de brique, avec sa haute cheminée repère, disparaît en 1970 à la suite d'un incendie. Maisonneuve eut aussi sa filature, la «Canadian Spool Cotton», aujourd'hui J.P. Coats, implantée en 1907 sur le site du parc Riverside. Sa venue confirme la vocation industrielle de la rive du fleuve.

27. *Intérieur de l'ancienne filature «Canadian Spool Cotton».*
421, boulevard Pie IX.

26. *Usine «American Can».*
2030, boulevard Pie IX.

En face, on trouve la raffinerie de sucre Saint-Laurent. Elle fut la première usine, en 1887, à profiter de la généreuse politique d'exemptions fiscales mise de l'avant par Maisonneuve.
La tonnellerie, située au nord de la rue Notre-Dame, demeure le seul bâtiment de cette époque. En 1889, on construit le quai Sutherland pour l'accostage des bateaux transportant la canne à sucre. Les quais Laurier et Tarte s'ajoutent par la suite pour former le coeur portuaire de l'Est. Le ministre des Travaux publics d'alors, Israël Tarte, préconise l'acheminement du grain par le Saint-Laurent, au lieu de suivre la route des canaux américains. Il conçoit un vaste projet: bassins, jetées et immenses élévateurs pour entreposer le grain. En 1905, le silo n° 3 est construit, tout de béton, structure futuriste dans un environnement de briques rouges (photo 51).

Autre grande réalisation portuaire, la «Canadian Vickers», le plus grand chantier naval du pays. Son immense cale sèche, remorquée à travers l'océan depuis l'Angleterre, servit pendant la guerre à la construction de sous-marins et d'hydravions.

Les industries de la voie ferrée

Le chemin de fer ouvre alors des perspectives inouïes. En 1886, le Canadien Pacifique atteint l'ouest du pays. Victor Hudon rêve d'exporter en Chine. En 1896, les abords de la voie du Canadien National qui traverse d'est en ouest le territoire, deviennent le site idéal de l'industrie. Plus d'une douzaine d'industries de la chaussure s'y établissent, comme Dufresne et Locke, Dupont & frères et la «United Machinery». Cette dernière produit les machines-outils nécessaires à la fabrication des chaussures. En 1910, Maisonneuve devient la capitale mondiale de la chaussure.

Une des plus grosses fonderies du Québec, «Warden King & Sons» s'y établit en 1904. Fondée en 1850, cette entreprise fabrique des fournaises et objets en fonte. Elle se spécialise dans les systèmes de chauffage central avec radiateurs à eau chaude, fort répandus dans les maisons de rapport du début du siècle. À l'angle du boulevard Pie IX et de la voie ferrée, la compagnie «American Can» construit en 1918 un bâtiment en béton armé, une innovation pour l'époque. Ce matériau, de grande capacité portante, permet de libérer le sol des colonnes encombrantes, d'agrandir les surfaces vitrées et de mieux éclairer les ateliers.

28. Biscuiterie Viau. Bâtiment à charpente de bois, recouvert de brique, toit plat, longue cheminée, architecture industrielle type des années 1900.

29. «Air liquide Canada», usine française, succursale de Paris, implantée à Maisonneuve en 1911, utilisait alors une technique de pointe pour la fabrication d'oxygène pur et d'acétylène.

ableau synchronique des éléments architecturaux

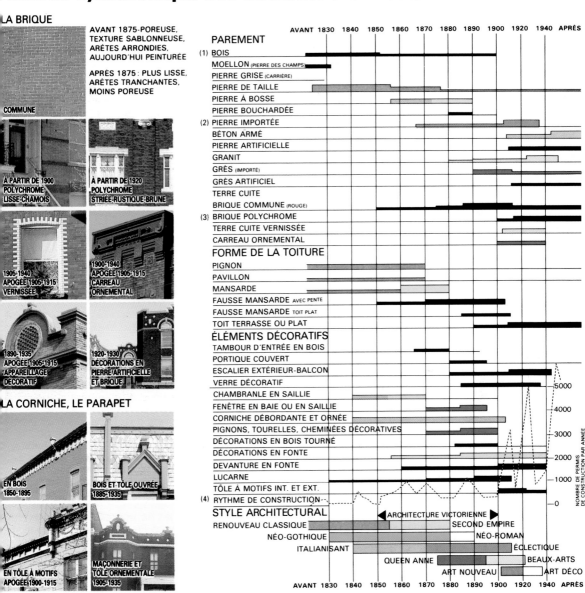

LA BRIQUE

AVANT 1875-POREUSE, TEXTURE SABLONNEUSE, ARÊTES ARRONDIES, AUJOURD'HUI PEINTURÉE

APRÈS 1875 : PLUS LISSE, ARÊTES TRANCHANTES, MOINS POREUSE

COMMUNE

À PARTIR DE 1900 POLYCHROME LISSE-CHAMOIS

À PARTIR DE 1920 POLYCHROME STRIÉE-RUSTIQUE-BRUNE

1905-1940 APOGÉE 1905-1915 VERNISSÉE

1900-1940 APOGÉE 1905-1915 CARREAU ORNEMENTAL

1890-1935 APOGÉE 1905-1915 APPAREILLAGE DÉCORATIF

1920-1930 DÉCORATIONS EN PIERRE ARTIFICIELLE ET BRIQUE

LA CORNICHE, LE PARAPET

EN BOIS 1850-1895

BOIS ET TÔLE OUVRÉE 1885-1935

EN TÔLE À MOTIFS APOGÉE 1900-1915

MAÇONNERIE ET TÔLE ORNEMENTALE 1905-1935

PAREMENT
(1) BOIS
MOELLON (PIERRE DES CHAMPS)
PIERRE GRISE (CARRIÈRE)
PIERRE DE TAILLE
PIERRE À BOSSE
PIERRE BOUCHARDÉE
(2) PIERRE IMPORTÉE
BÉTON ARMÉ
PIERRE ARTIFICIELLE
GRANIT
GRÈS (IMPORTÉ)
GRÈS ARTIFICIEL
TERRE CUITE
BRIQUE COMMUNE (ROUGE)
(3) BRIQUE POLYCHROME
TERRE CUITE VERNISSÉE
CARREAU ORNEMENTAL

FORME DE LA TOITURE
PIGNON
PAVILLON
MANSARDE
FAUSSE MANSARDE AVEC PENTE
FAUSSE MANSARDE TOIT PLAT
TOIT TERRASSE OU PLAT

ÉLÉMENTS DÉCORATIFS
TAMBOUR D'ENTRÉE EN BOIS
PORTIQUE COUVERT
ESCALIER EXTÉRIEUR-BALCON
VERRE DÉCORATIF
CHAMBRANLE EN SAILLIE
FENÊTRE EN BAIE OU EN SAILLIE
CORNICHE DÉBORDANTE ET ORNÉE
PIGNONS, TOURELLES, CHEMINÉES DÉCORATIVES
DÉCORATIONS EN BOIS TOURNÉ
DÉCORATIONS EN FONTE
DEVANTURE EN FONTE
LUCARNE
TÔLE À MOTIFS INT. ET EXT.
(4) RYTHME DE CONSTRUCTION

STYLE ARCHITECTURAL
RENOUVEAU CLASSIQUE
NÉO-GOTHIQUE
ITALIANISANT
QUEEN ANNE
ART NOUVEAU

ARCHITECTURE VICTORIENNE
SECOND EMPIRE
NÉO-ROMAN
ÉCLECTIQUE
BEAUX-ARTS
ART DÉCO

AVANT 1830 1840 1850 1860 1870 1880 1890 1900 1920 1940 APRÈS

NOMBRE DE PERMIS DE CONSTRUCTION PAR ANNÉE
5000
4000
3000
2000
1000
0

(1) Bois: interdit dans le Vieux-Montréal après l'incendie de 1721, dans les faubourgs après celui de 1852, il demeure cependant en usage dans les villages jusqu'à leur annexion autour des années 1900.
(2) Pierre importée: pierre plus malléable que la pierre grise, se prêtant mieux aux motifs sculptés.
(3) Brique polychrome: de couleur variable et à texture rugueuse contrairement à la brique qui est rouge, lisse, et à texture sablonneuse.
(4) Certaines données de ce tableau proviennent des études de David B. Hanna, professeur au département de géographie, UQAM.

Architecture résidentielle d'hier et d'aujourd'hui

La maison de Montréal

Depuis le début de la colonie, la maison au Québec s'est lentement transformée. À la ville comme à la campagne, on a tenté de mieux l'adapter à nos hivers rigoureux. Les fréquents incendies dans la ville amèneront très tôt l'administration de Montréal à émettre des directives détaillées sur les façons de la construire.

Ordonnance du 17 juin 1727...
Ordonnons de... «*bâtir aucune maison dans les villes et gros bourgs, où il se trouvera de la pierre commodément, autre qu'en pierres; défendons de les bâtir en bois, de pièces sur pièces et de colombage...*»
«*construire des «murs de refend» (1) qui excèdent les toits et les coupent en différentes parties, ou qui les séparent d'avec les maisons voisines, à l'effet que le feu se communique moins de l'une à l'autre...*»
Défense de construire... «*des toits brisés, dit à la mansarde... qui font sur les toits une forêt de bois...*»

Outre ces nombreux édits, le coût élevé des terrains, la prédominance des locataires et la présence dans le sol de la pierre calcaire et d'une argile propre à la brique ont favorisé la naissance de la maison en rangée, typique à Montréal.

Cette maison type se rencontre, avec des variantes, dans tous les quartiers de la ville, mêlée à d'autres habitations moins nombreuses, mais qui toutes ont connu leurs heures de popularité:
- la maison villageoise
- la maison urbaine traditionnelle
- la maison en rangée
- la villa
- la maison contiguë
- la maison semi-détachée
- la maison à logements multiples
- la maison de rapport.

Les maisons les plus représentatives du quartier seront reprises dans les pages suivantes pour illustrer l'évolution du patrimoine résidentiel.

La villa ou bungalow
maison isolée avec jardin, grande résidence familiale, ou maisonnette.

Comme dans les autres quartiers montréalais, le développement d'Hochelaga-Maisonneuve suit le système de la côte (2). Ce territoire se dénomme d'ailleurs à l'origine Côte-Sainte-Marie et Côte-Saint-Martin. Ce terme désigne l'alignement des terres concédées par les seigneurs de

l'île et disposées perpendiculairement au fleuve; ces longues bandes étroites s'étendant jusqu'aux confins d'Hochelaga — actuels boulevards Saint-Joseph et Rosemont — permettent au plus grand nombre d'accéder au fleuve et au chemin du Roy.

30. Métairie Bourbonnière. Maison de ferme, située sur la terre de Joseph Bourbonnière, maire de Maisonneuve (1889-1890).

De la résidence d'été à la maison des vétérans

Au XIXᵉ siècle, les terres en bordure du fleuve sont vendues à des bourgeois comme domaine de villégiature. Les familles Cuvillier, Valois et Morgan y ont de splendides demeures entourées de jardins. James Morgan (3), propriétaire du grand magasin de la rue Sainte-Catherine, habite jusqu'en 1920 un manoir de 28 pièces à l'emplacement du parc qui porte aujourd'hui son nom.

Vers 1900, les notables de Maisonneuve s'installent rue Adam et Lafontaine dans de grandes demeures familiales entourées de larges galeries couvertes et décorées de frontons et tourelles exubérantes. Boulevard Pie IX, un zonage spécial délimite de plus grands terrains destinés à recevoir les maisons des «riches», comme celle de la famille Dufresne.

Accrochée au flanc de la falaise Sherbrooke, cette luxueuse résidence prend appui sur des piliers en béton armé destinés à prévenir les glis-

---

(1) Murs coupe-feu.
(2) Voir fascicule n° 7. (Voir volume, chapitre 7.)
(3) Voir fascicule n° 3. (Voir volume, chapitre 3.)

31. 4797, rue Adam

32. Maisons des vétérans.

sements de terrain. Pour sa construction, les frères Dufresne ne lésinent en rien: bois importé, pierre blanche de l'Indiana, marbre d'Italie.

Les années 50 marquent la venue dans le quartier d'une clientèle plus modeste, les vétérans, pour qui le gouvernement érige en série des maisonnettes au nord de la rue Rouen.

33. Intérieur du château Dufresne.

142

Du temps du village d'Hochelaga...
Le vieux-Hochelaga se situe au sud de la rue
Adam, entre les rues Marlborough et Darling.
Aucune réglementation ne semble en avoir guidé
le développement. De là l'existence de petites
rues sans prolongement, comme Hudon, Provost
ou Rouville. On y trouve encore quelques témoins
intéressants des années 1870 et 1880.

La maison villageoise

34. *3618-20, rue Provost*
Pimpante maison villageoise.
Peut-être est-elle la plus ancienne du quartier, cette maison
en bois dissimulée «en fond de cour»? Le recouvrement en
bois est interdit en 1883 lors de l'annexion d'Hochelaga à
Montréal et dès 1903, dans Maisonneuve. Son toit à pignon
témoigne de son âge vénérable; la pente, plus douce que
celle des maisons urbaines du début de la colonie (1), se pro-
longe au-dessus de la galerie.

La maison en rangée d'allure artisanale
Il s'agit de petits groupements d'habitations
antérieurs à la période d'industrialisation et qui
conservent des caractéristiques rurales.

35. *1405-15, rue Moreau*
Rue Moreau, on note la présence de trois habitations coiffées
d'une mansarde. Ce type de toiture, peu fréquent dans le
quartier, est formé de deux pentes sur le même versant: le
terrasson ou pente supérieure et le brisis qui se prolonge au-
dessus de la galerie-perron, comme il est coutumier dans les
campagnes. En ville, le brisis s'arrête généralement à quel-
ques pieds du mur de façade. L'absence de dégagement laté-
ral a fait naître dans les villes ce type de mansarde à deux
versants. Dans l'architecture institutionnelle, comme l'illustre
l'académie Sainte-Émilie, la mansarde forme les quatre ver-
sants de la toiture.

Les maisons Hudon
La crise de 1874 et l'immigration des ruraux
vers les villes, entraînent une grave pénurie de
logements à Montréal. C'est à cette époque que
Victor Hudon bâtit, rue Saint-Germain, plus de
quarante habitations afin d'y loger les ouvriers de
son usine. Construites en bordure du trottoir, elles
forment une longue façade en brique sans escaliers extérieurs; la toiture, en mansarde ou à pavillon, est percée de petites lucarnes.

36. *1469-77, rue Saint-Germain*
Intérêt particulier des maisons Hudon, les petites lucarnes
rondes et le toit pavillon, rarement associé à l'habitation
ouvrière.

(1) Voir fascicule n° 2, page 18. (Voir volume, chapitre 2, page 50.)

La maison en rangée

est inclue dans un ensemble de bâtiments résidentiels alignés le long d'une rue, construits (en même temps) selon un plan d'ensemble et dont les façades sont semblables; elle est séparée des autres habitations par un mur coupe-feu mitoyen.

C'est la plus courante dans le quartier. Elle est généralement en brique, de trois étages et recouverte d'un toit plat. Construite entre 1890 et 1930, elle aurait l'allure terne sans l'apport de sa corniche et de son escalier.

Le parement de brique caractérise le logement ouvrier de l'époque. De fabrication locale, la brique supplante la pierre vers 1915 alors que l'extraction de la pierre devient plus coûteuse sur l'île de Montréal. Les teintes les plus courantes sont à prédominance rouge. On note aussi une brique de couleur ocre, populaire vers 1910, et une autre, brun foncé, apparue après la guerre. Seul le secteur huppé de Viauville (1) inclura dans sa réglementation, l'obligation d'utiliser la pierre.

7. 553-55, rue Leclaire
Vers 1900, les mieux nantis habitent de belles maisons de pierre chapeautées de tourelles pittoresques, situées dans la partie est de Maisonneuve.

Le toit plat se généralise vers 1890. «Le toit en terrasse est communément appelé plat à cause de la faible pente que l'on donne à ces pans inclinés, ceux-ci convergent vers un point placé au niveau inférieur où se trouve le tuyau de descente conduisant dans le système de canalisation des égouts de la maison (2)». Cette forme de toit, plus économique que le toit à pignon et à fausse mansarde, est aussi mieux adaptée à nos hivers, évitant les chutes de glaces et la formation des glaçons en bordure.

Le toit plat se termine par une corniche simple ou ouvragée; les unes, en bois, se composent de plusieurs moulures ou sont rythmées de modillons; les autres, de tôle embossée, reproduisent des motifs empruntés à l'art populaire.
Lorsqu'elles sont en pierre ou en brique, elles prolongent le bâtiment, formant un fronton au-delà de la ligne du toit.

_____
(1) Voir page 22. (Voir volume, page **144**.)
(2) Morgentaler, E., «Pratiques standardisées dans la construction des habitations» dans la revue *Technique*, vol. XII, n° 10, décembre 1937, p. 483-487.

38. 559-621, rue Nicolet.
Noter à droite, la corniche en brique; ailleurs, elle a été supprimée lors de rénovations antérieures.

39. 4820-64, rue Lafontaine
Maisons de Viauville. Exemple de corniche en pierre.

La maison contiguë

est incluse dans une suite de bâtiments résidentiels, construits à l'unité, selon un plan individuel et dont l'ornementation des façades varie; elle est séparée de ses voisines par des murs coupe-feu.

Viauville nous en fournit les plus beaux exemples. En 1897, Charles-Théodore Viau conçoit un vaste projet d'aménagement de sa terre, aujourd'hui formée par les rues Théodore, Saint-Clément et Viau. Le lotissement se confine alors au sud de la rue Ontario. Une forme de zonage avant la lettre est imposée aux acheteurs, par le biais des contrats de vente (1) qui stipulent «de ne construire qu'à dix pieds du trottoir et de n'ériger que des maisons de deux étages avec façade en pierre de taille».

Ce promoteur audacieux demande l'incorporation de sa propriété en municipalité, d'où ce nom de «Viauville». Ce qui lui fut refusé! Son initiative donne naissance à un quartier résidentiel huppé où s'installe la petite bourgeoisie de l'époque. Plus de deux cent cinquante habitations, construites entre 1900 et 1920, témoignent aujourd'hui du goût du pittoresque et de l'aisance financière de ses premiers habitants.

Symphonie d'escaliers

Autre visage familier du quartier... les longs escaliers (2), et les belles galeries en bois qui courent sur la façade principale des bâtiments.

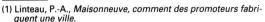

(1) Linteau, P.-A., *Maisonneuve, comment des promoteurs fabriquent une ville.*
(2) Voir fascicule n° 5, (voir volume, chapitre 5) sur les escaliers.

41. *Rue de Viauville en terre battue et trottoirs en bois.*

42. *1854-64, rue Joliette*
Escalier intégré dans une galerie-loggia...

40. *591-613, rue Bourbonnière*
Escalier en spirale...

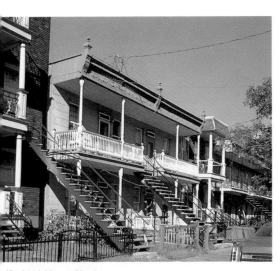

43. 2114-22, rue Nicolet
Escalier à volée droite...

La maison semi-détachée
est incluse dans une suite de bâtiments résidentiels; elle est souvent jumelée, ou située à l'encoignure de rues; elle a des ouvertures sur trois côtés.

Pour tous ceux qui portent grand soin à leur image publique, les banques, les commerçants, l'élite locale, les «coins de rue» constituent des emplacements de choix. On y construit des bâtiments impressionnants, points de repère dans le quartier!

45. Coin sud-ouest des rues Préfontaine et Sainte-Catherine. Bâtiment résidentiel et commercial du Vieux-Hochelaga. Remarquable tourelle d'angle.

44. 1642-56, rue William-David
Exubérance des galeries en bois...

46. Coin sud-ouest des rues Létourneux et Sainte-Catherine. Bâtiment résidentiel et commercial du Vieux-Maisonneuve. Décor plus modeste, formé par la corniche à modillon et la tourelle chapeautant l'angle tronqué de la façade où s'insère l'entrée du commerce.

47. *Coin sud-est des rues Adam et Sicard.*
   Bâtiment luxueux de type multifamilial. Le prolongement sur la façade latérale de la corniche et de la galerie montre le souci de donner aux deux façades un traitement d'égale importance. Très fréquent sur les rues est-ouest du quartier Maisonneuve.

48. *Coin sud-ouest de la rue Lafontaine et du boulevard Pie IX.*
   Maison bourgeoise du boulevard Pie IX.

49. *Coin sud-est des rues Sainte-Catherine et Viau.*
   Une des rares maisons de rapport du quartier.

50. «*Dufresne Construction*», *qui compte au nombre de ses réalisations, plusieurs des ponts de l'île, dont le pont Jacques-Cartier.*

51. Silo à grain n° 3. Vue du fleuve, depuis Longueuil.
52. Rue Théodore, à Viauville.
53. Jardin botanique.
54. Stade olympique. La photo date de 1983. Depuis, la tour du
    stade a été complétée.

«Par la montagne, et baigné du flot volatil que le soleil met dans l'air, dans l'herbe et le ligneux, je gagne l'est de la ville, ce quartier de la rue Saint-Laurent entre Duluth et Prince-Arthur, si beau, si multiple et multicolore, où toutes les langues bruissent, barguignant, marchandant, trafiquant des cuirs, des étoffes, des épices, des anguilles et des viandes fumées».[1]

«Spectacle que j'ai déjà remarqué à l'est, dans les petites rues adjacentes à Saint-Hubert et Papineau, et que je n'ai jamais vu qu'à Montréal: ces centaines d'escaliers qui montent au premier étage, et parfois au second, droits parfois, le plus souvent en spirales, devant les façades. On a l'impression d'escalades invraisemblables, d'un décor de théâtre populiste, d'une gymnastique inutile et bizarre. Il y a je ne sais quelle allégresse et je ne sais quel charme baroque dans tous ces escaliers qui montent devant les maisons en pleine rue.»[2]

«Dans la rue Garnier, elles longèrent le côté est de l'église Saint-Stanislas-de-Kostka, entre la rue Gilford et le boulevard Saint-Joseph. C'était une des plus grosses églises de Montréal, qui arborait orgueilleusement ses deux clochers, ses dorures et son célèbre plafond bleu ciel au coeur d'une paroisse en majeure partie très pauvre mais dont l'élite, composée de médecins, de dentistes, de notaires et d'avocats ayant pignon sur rue le long du boulevard Saint-Joseph, essayait de relever la réputation à grands coups de dons personnels, de bals de charité et de ferveur trop appuyée, clinquante, vulgaire.»[3]

1 Marteau, Robert, *Mont-Royal*, Gallimard, 1981.
2 Straram, Patrick, *Tea for one/no more tea*, Les herbes rouges, 1983.
3 Tremblay, Michel, *Thérèse et Pierrette à l'église des Saints-Anges*, Bernard Grasset, Paris, 1983.

6

Les villages du Plateau

Le patrimoine de Montréal
Quartiers du plateau Mont-Royal

Les villages du Plateau

Ce chapitre, consacré aux quartiers municipaux Saint-Louis, Saint-Laurent Nord, Saint-Jean-Baptiste, Saint-Michel, Saint-Denis, Lafontaine et au village De Lorimier, s'attache surtout à leur aspect historique et architectural d'avant 1930.

Au début du XIXe siècle, la ville de Montréal n'a pas l'envergure d'aujourd'hui. Elle s'arrête au nord, à la hauteur de la rue Duluth. Au-delà, c'est la campagne et les petits hameaux du Coteau-Saint-Louis, de Saint-Jean-Baptiste, de Saint-Louis-du-Mile End et du village De Lorimier.

Au fil des ans, ces petites agglomérations deviendront villages, puis villes, puis quartiers quand la métropole les aura rejoints. C'est l'histoire colorée de ces communautés du Plateau qui est racontée dans les pages suivantes.

2. Carré Saint-Louis.

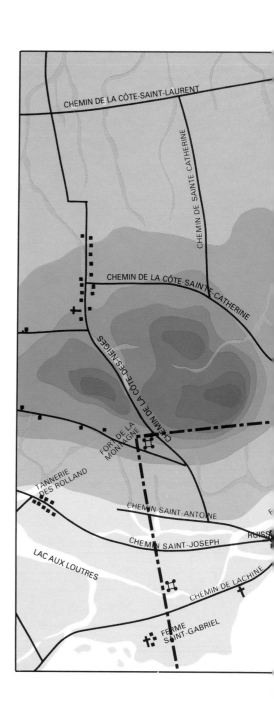

Photo de la page précédente:
1. Rue Saint-Laurent, au nord de la rue Marie-Anne vers 1880.

Relief et cours d'eau de Montréal au XVIIIᵉ siècle

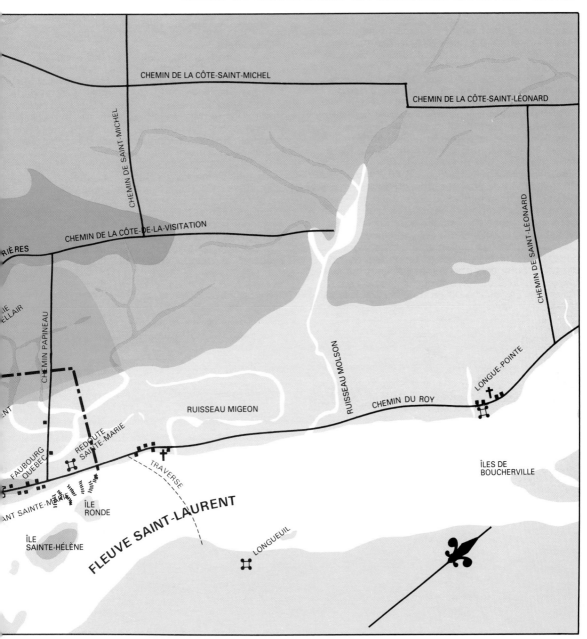

CHEMIN DE LA CÔTE-SAINT-MICHEL

CHEMIN DE LA CÔTE-SAINT-LÉONARD

CHEMIN DE SAINT-MICHEL

CHEMIN DE SAINT-LÉONARD

CHEMIN DE LA CÔTE-DE-LA-VISITATION

RIÈRES

ÉE BELLAIR

CHEMIN PAPINEAU

RUISSEAU MOLSON

LONGUE-POINTE

CHEMIN DU ROY

RUISSEAU MIGEON

ÎLES DE BOUCHERVILLE

REDOUTE SAINTE-MARIE

FAUBOURG QUÉBEC

TRAVERSE

AINT SAINTE-M

ÎLE RONDE

ÎLE SAINTE-HÉLÈNE

FLEUVE SAINT-LAURENT

LONGUEUIL

Le chemin des carrières

Dès 1745, la ville déborde des fortifications et le faubourg Saint-Laurent s'agrandit vers le nord. Mais il n'y a que bien peu d'habitations au-delà de la côte Sherbrooke quand l'administration de Montréal décide, en 1792, de porter à cent chaînes(1) des fortifications les limites de la ville. Au nord, les nouvelles bornes de Montréal deviennent la montagne et la rue Duluth.

Seul le chemin Saint-Laurent mène vers les villages situés le long de la rivière des Prairies. Avant de quitter la ville, on traverse la Côte-à-Baron. C'est ainsi que l'on nomme les hauteurs de Montréal de part et d'autre de la rue Sherbrooke, des rues Durocher à Amherst. On longe alors fermes et vergers. Pas très loin à l'ouest, les hospitalières de Saint-Joseph détiennent une vaste propriété réservée à leur futur Hôtel-Dieu. Aux alentours, les terres concédées au début de la colonie ont été morcelées et vendues à des familles anglophones. Elles y ont construit de vastes demeures entourées de jardins. Ces bourgeois bien nantis habitent les hauteurs de la ville où l'air est pur et la vue splendide. En calèche ou en traîneau selon la saison, leurs fringants chevaux les mènent en un rien de temps à leur place d'affaires, rue Saint-Paul.

A l'est du chemin Saint-Laurent, le paysage plus rural présente de paisibles maisons de campagne au milieu des champs. Les terres sont immenses; celle de M. de Courville s'étend de la rue Sherbrooke à la rue du Mont-Royal. On y trouve aussi les fermes de la bourgeoisie montréalaise connue, les Guy, Cherrier, Viger et Papineau; leurs terres forment de longues bandes de même largeur se succédant jusqu'au chemin Papineau. En 1845, M. de Courville lotit sa terre et y trace les rues Coloniale, de Bullion et Hôtel-de-Ville. Ouvriers et petits artisans viennent y habiter. La Ville installe un réservoir d'aqueduc à l'emplacement actuel du carré Saint-Louis pour approvisionner la population de la Côte-à-Baron. Le gouvernement fédéral achète la ferme Logan, site actuel du parc Lafontaine, pour en faire un champ de manoeuvres militaires.

_____

(1) Environ deux kilomètres.

3. Scène de chasse. Départ d'une expédition de chasse à courre, chemin du Mile End (avenue du Mont-Royal.)

Avant 1850

4. Le travail dans une carrière de Montréal en 1877.

trop éloignées, on construit une chapelle sur un terrain, don du notable Pierre Beaubien. Connu comme le médecin de la prison de Montréal, celui-ci est aussi un des plus grands propriétaires de l'île. Six ans plus tard, à l'emplacement de la chapelle, devenue trop petite, on érige l'église Saint-Enfant-Jésus-du-Mile End.

À l'extérieur de la ville, on a découvert, il y a plusieurs années, de la bonne pierre de construction. Rapidement des familles se sont installées à proximité de la tannerie des Bellair, aux environs des rues Henri-Julien et Mont-Royal. De là part le chemin qui mène aux carrières. Les «carriéreurs», solides gaillards, exercent un dur métier. Ils font d'abord le «découvert» en enlevant la couche de dépôt. Une pierre bleuâtre apparaît qui, par la suite, est concassée et sert pour les ouvrages de gros oeuvres et de fondations. La mince strate de banc de pierre rougeâtre qui sépare la pierre bleue de la pierre de taille est ensuite extraite pour la production du macadam. Le soir venu, les charretiers défilent avec leur chargement de belles pierres calcaires. C'est dit-on, du Coteau-Saint-Louis qu'on a tiré la pierre pour construire l'église Notre-Dame, le marché Bonsecours et plusieurs autres édifices de la ville.

L'activité des carrières suscite la naissance, en 1846, du village du Coteau-Saint-Louis, aussi nommé village des pieds-noirs. L'eau courante n'existe pas à l'époque. Les villageois s'alimentent à la source qui coule de la montagne vers les marécages, futurs étangs du parc Lafontaine. On en fait donc un usage économe. Selon la légende, les «carriéreurs» qui travaillent tout le jour à extraire la pierre, le soir, adorent marcher pieds nus. Les passants ne tardent pas à les affubler du sobriquet de «pieds-noirs».

Pour desservir cette communauté naissante, Mgr Bourget établit une mission en 1848. L'église Notre-Dame et la cathédrale Saint-Jacques étant

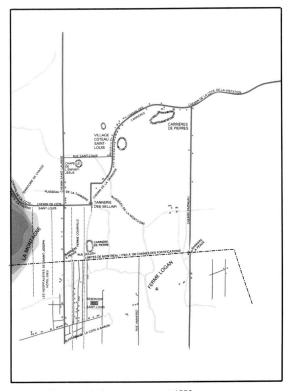

Plan synthèse du développement avant 1850.

Terminus, rue du Mont-Royal!

Avant 1860, les Montréalais voyagent à pied. Le transport en commun n'existe pas et les ouvriers logent près de leur lieu de travail. La côte Sherbrooke est un obstacle majeur au développement du plateau plus au nord, mais une nouvelle époque débute avec l'inauguration du tramway.

Des communautés religieuses choisissent de s'établir sur les hauteurs. Le grand air et l'éloignement diminuent les risques d'épidémies. Les soeurs hospitalières construisent donc leur nouvel Hôtel-Dieu, avenue des Pins. Elles vendent le terrain adjacent à la rue Sherbrooke où l'on voit s'élever, rues Jeanne-Mance, Sainte-Famille et Saint-Urbain, de belles résidences de la bourgeoisie anglophone.

En 1864, les soeurs de la Providence érigent, rue Saint-Denis, l'Institut des sourdes-muettes. Deux pensionnats ouvrent leurs portes pour desservir les enfants de familles aisées des rues Laval et Saint-Denis. Ce sont les académies Saint-Denis, à l'emplacement actuel de l'école Olier et Saint-Louis-de-Gonzague, un impressionnant édifice en pierre, rue Sherbrooke, incendié en 1967.

À cette époque, l'administration de Montréal acquiert le flanc est de la montagne et y aménage le parc du Mont-Royal. Elle loue du fédéral la ferme Logan qui devient, en 1888, le parc Lafontaine. Le réservoir de la Côte-à-Baron, désaffecté depuis le grand incendie de 1852 (1), est remplacé par le carré Saint-Louis, un des plus beaux squares de la ville.

5. Tramway d'hiver en 1861, et tramway d'été en 1887.

6. Vers 1895, la rue Sherbrooke butait, au chemin Papineau, sur les fours Limoges. Ces fours, d'un style tout nouveau, brûlaient 18 000 kg de pure chaux par jour, une chaux de première qualité pour la construction. La pierre à chaux provenait des carrières Saint-Michel, à 5 kilomètres de Montréal. (Voir fascicule n° 11).

L'expansion de la ville se poursuit au-delà de la rue Duluth. Les ouvriers viennent habiter le long du parcours des «p'tits chars», rue Saint-Laurent. L'été le tramway roule sur rail, tiré par deux chevaux. L'hiver, les rues n'étant pas déneigées, on remplace les roues par des patins. Les conducteurs étendent de la paille sur le plancher pour réchauffer les pieds des passagers. Au printemps et à l'automne, on sort le tramway omnibus, muni de hautes roues pour ne pas s'embourber. Des écuries et des forges de la compagnie des chars urbains, s'échappent odeurs et vacarme qui incommodent le voisinage.

C'est dans cette joyeuse animation que prend forme le village de Saint-Jean-Baptiste. Angle Saint-Laurent et Rachel, le marché marque le coeur du village. On y assiste, certains jours, à des débats enflammés: le projet de la Confédération, le départ des zouaves pontificaux vers la ville sainte (2), l'affaire Riel, sont tous des sujets qui passionnent la société de 1860. À proximité du marché, on trouve le bureau de poste, le télégraphe et plusieurs hôtels réputés. Après les heures de marché, les fermiers de l'île Jésus y séjournent pour la nuit. À la sortie du village, rue du Mont-Royal, il y a, comme sur beaucoup de chemins à l'extérieur de la ville, une barrière à péage. Pour poursuivre leur route, les voyageurs, en calèche ou autrement, car c'est aussi le terminus des «p'tits chars», doivent débourser un droit de passage.

(1) Voir fascicule n° 2. (Voir volume, chapitre 2.)
(2) En 1868-1870, les troupes de Garibaldi attaquent les États pontificaux et quelque 135 jeunes Québécois partent en Italie défendre la papauté.

Par la rue Laval, on atteint le village du Coteau-Saint-Louis. Plus de 2 000 personnes y vivent de l'extraction de la pierre. La plupart travaillent aux carrières Dubuc et Limoges, situées à l'emplacement actuel du parc Laurier. À partir de 1876, la voie ferrée Montréal-Saint-Jérôme longe les carrières. Ce chemin de fer entraîne la naissance d'un troisième village, Saint-Louis-du-Mile End. Modeste à ses débuts, il se compose de petits bâtiments de bois regroupés autour de l'église Saint-Enfant-Jésus, de l'Institut des sourds-muets dirigé par les clercs de Saint-Viateur et de la maison des soeurs de la Providence. De la gare du Mile End partent colons et politiciens, les uns vers les pays d'en-haut et les autres vers Ottawa. Les industries s'implantent dans le village vers 1888, attirés par les perspectives d'un chemin de fer qui atteint maintenant l'océan Pacifique.

Plus à l'est, le développement s'amorce autour du chemin Papineau. Les frères Lionais comptent bien en accélérer le rythme, en donnant un terrain pour bâtir une chapelle: à l'endroit nommé le Mont-Thabor, emplacement actuel de l'église Immaculée-Conception, les jésuites construisent, en 1884, un collège et l'église Saint-Grégoire-le-Thaumaturge.

8. Avenue des Pins vers l'est. À gauche, l'Hôtel-Dieu.

7. Le parc Logan, en 1894, aujourd'hui parc Lafontaine. À droite, les célèbres serres du square Viger, construites en 1865 et déménagées ici en 1888. Les étangs ne seront creusés qu'en 1901. En arrière-plan, la caserne de pompiers, rue Rachel.

«Tu comprends, le parc Lafontaine dans le temps c'tait pas comme aujourd'hui. C'tait ben plus beau. En 1906, les rues étaient pas encore en asphalte, y'avait quasiment pas de chars, à Montréal! ()... le monde prenait le temps de se promener dans c'temps-là, y passaient pas à travers le parc en pétant le feu comme à c't'heure».

Tremblay, M., La grosse femme d'à-côté est enceinte, Léméac, 1978, 329 p.

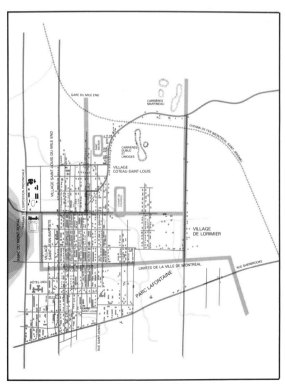

Plan synthèse du développement avant 1890

Villages devenus quartiers

La ville de Montréal poursuit son expansion; elle absorbe un à un les villages adjacents. Le Coteau-Saint-Louis est annexé en 1893. Après quelques années, la pierre de surface s'épuise, l'exploitation des carrières devient coûteuse et l'activité d'extraction se déplace vers le nord. La population, peu fortunée, se compose de travailleurs de la pierre et de quelques notables, avocats, notaires, installés rue Saint-Denis. Pendant plusieurs années encore, les «pieds-noirs» rappelleront aux Montréalais le souvenir de ce village, lors de leurs célèbres altercations avec les «nombrils-jaunes», leurs voisins du Mile End. (1)

En 1895, le peuplement déborde largement à l'est du chemin Papineau. Un nouveau village y voit le jour absorbé par Montréal en 1909. C'est le village De Lorimier, charmante banlieue résidentielle dotée de belles avenues, de trottoirs en béton et d'élégantes demeures. Le parc Fairmount, aujourd'hui village De Lorimier, offre fraîcheur et verdure. On y trouve une piste de course de chevaux réputée, le «Montreal Driving Club», site actuel du parc Baldwin. Cet hippodrome sera

déplacé, en 1911, au nord de la rue Masson, en bordure des voies ferrées.

Saint-Louis-du-Mile End est annexé en 1909. Le temps où on y venait chasser le gibier est révolu... (vers 1900). Avec ses 37 000 habitants, c'est la ville la plus populeuse, après Montréal et Québec. Ses beaux édifices publics reflètent l'aisance de la population et la prospérité des industries. On en compte une vingtaine, la plupart en bordure des voies ferrées, où travaillent quelque 5 000 personnes. Les gens du Mile End sont fiers du boulevard Saint-Joseph, le «premier boulevard planté» (2) de la ville. S'y dressent les résidences des gens à l'aise et les meilleures maisons d'éducation: la Providence Saint-Enfant-Jésus et l'académie du Boulevard. La montagne, toute proche, apporte «de frais ombrages et des brises parfumées». (3)

---

(1) Deux «gangs» rivales, qui se bagarraient régulièrement pour le contrôle de leur territoire; voir page 18. (Voir volume, page 170.)
(2) Canadian Municipal Journal, 1908.
(3) *Ibid.*

9. Vue prise du mont Royal montrant le quartier ouest de Saint-Louis-du-Mile End, surnommé l'Annexe.

1890-1914

À compter des années 1900, Saint-Louis devient une ville cosmopolite. Juifs, Allemands, Polonais et autres viennent enrichir la communauté de leur savoir et de leur culture. Grâce à ces nouveaux arrivants, le quartier à l'ouest de la rue Saint-Laurent, surnommé l'Annexe, se développe rapidement. Sur l'ancien terrain de l'exposition provinciale — le quadrilatère Mont-Royal, Saint-Joseph, Saint-Urbain et du Parc — s'élèvent des rangées de bâtiments solides, agrémentés de jardins. De nouvelles paroisses naissent: Saint-Georges et St. Michael the Archangel; des temples protestants et des synagogues sont érigés. Rue Saint-Laurent, les immigrants ouvrent boutiques et ateliers de confection. Ils adoptent vite l'anglais, langue des affaires. Cette rue est de plus en plus identifiée comme la frontière ethnique entre le monde anglophone à l'ouest et francophone à l'est.

11. L'avenue de Lorimier, en 1905, plantée de ses ormes magnifiques qui jettent leur ombrage sur les longues enfilades d'escaliers.

10. Le village De Lorimier avait aussi ses industries: la carrière Morrison, avenue de Lorimier et les abattoirs de l'Est en bordure des voies ferrées.
Au centre, la piste de course de chevaux «Montreal Driving Club».

Vers 1900, le plateau Mont-Royal prend le visage qu'on lui connaît. Un boom important de construction porte la densité à un sommet encore inégalé. Des maisons à logements multiples couvrent le territoire. C'est à cette époque qu'on érige plusieurs des plus beaux bâtiments du Plateau. Mentionnons le «Commercial & Technical High School» et l'école des Beaux-Arts, aujourd'hui Bibliothèque nationale du Québec, angle Sherbrooke et Saint-Urbain; l'arsenal du 65e régiment, avenue des Pins et l'église Sainte-Agnès, actuel sanctuaire du Rosaire et de Saint-Jude, rue Saint-Denis. Les nouvelles paroisses, Saint-Stanislas-de-Kotska, Saint-Pierre-Claver et les nombreuses écoles en construction indiquent l'ampleur du mouvement qui atteint un point de saturation à la veille de la Première Guerre mondiale.

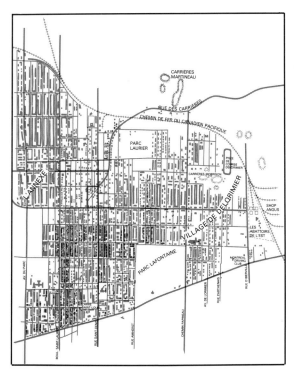

Plan synthèse du développement avant 1914.

Tableau synchronique des événements historiques 1700-1945

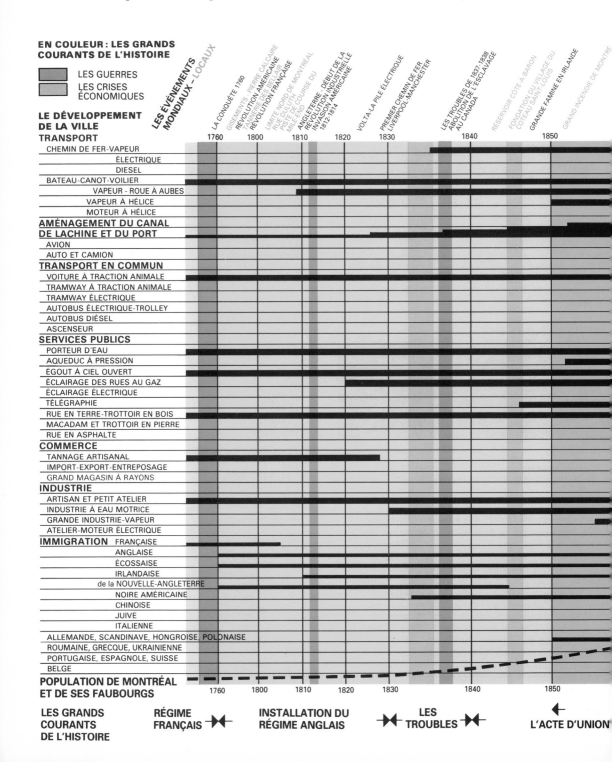

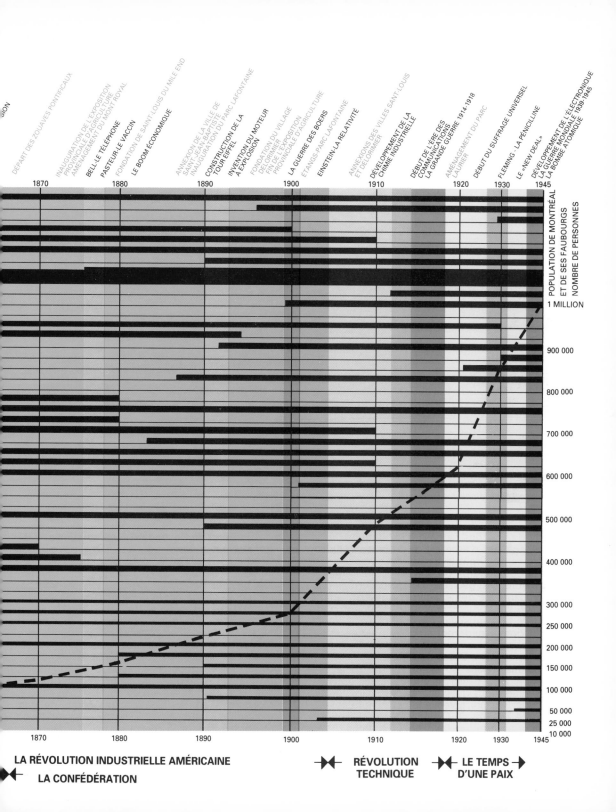

DÉPART DES ZOUAVES PONTIFICAUX

INAUGURATION DE L'EXPOSITION PROVINCIALE D'AGRICULTURE
AMÉNAGEMENT DU MONT-ROYAL
BELL-LE TÉLÉPHONE
PASTEUR-LE VACCIN
FONDATION DE SAINT-LOUIS DU MILE END
LE BOOM ÉCONOMIQUE

ANNEXION DE LA VILLE DE SAINT-JEAN-BAPTISTE
INAUGURATION DU PARC LAFONTAINE
CONSTRUCTION DE LA TOUR EIFFEL
INVENTION DU MOTEUR À EXPLOSION
FONDATION DU VILLAGE DELORIMIER
FIN DE L'EXPOSITION PROVINCIALE D'AGRICULTURE
LA GUERRE DES BOERS
ÉTANGS-PARC LAFONTAINE
EINSTEIN-LA RELATIVITÉ

ANNEXIONS DES VILLES SAINT-LOUIS ET DELORIMIER
DÉVELOPPEMENT DE LA CHIMIE INDUSTRIELLE
DÉBUT DE L'ÈRE DES COMMUNICATIONS
LA GRANDE GUERRE 1914-1918
AMÉNAGEMENT DU PARC LAURIER
DÉBUT DU SUFFRAGE UNIVERSEL
FLEMING : LA PÉNICILLINE
LE «NEW DEAL»
DÉVELOPPEMENT DE L'ÉLECTRONIQUE
LA GUERRE MONDIALE 1939-1945
LA BOMBE ATOMIQUE

1870   1880   1890   1900   1910   1920   1930   1945

POPULATION DE MONTRÉAL ET DE SES FAUBOURGS
NOMBRE DE PERSONNES

1 MILLION

900 000

800 000

700 000

600 000

500 000

400 000

300 000

250 000

200 000

150 000

100 000

50 000

25 000

10 000

1870   1880   1890   1900   1910   1920   1930   1945

LA RÉVOLUTION INDUSTRIELLE AMÉRICAINE
◄►◄ LA CONFÉDÉRATION   ◄►◄ RÉVOLUTION TECHNIQUE   ◄►◄ LE TEMPS D'UNE PAIX ►

Le plateau Mont-Royal

12. Voici l'aspect que présentait le Plateau, vers 1905, lorsqu'on prenait le funiculaire menant au sommet de la montagne.

À perte de vue, des rangées d'habitations ouvrières, égayées d'escaliers et de balcons de toutes sortes, couvrent le territoire. Les anciennes rues de la Côte-à-Baron offrent le spectacle de belles maisons bourgeoises, bientôt désertées par leurs occupants. Le déménagement de l'Université de Montréal sur la montagne, vers 1920, entraîne le départ de la bourgeoisie francophone. Les anglophones quitteront aussi le quartier, attirés par des lieux plus verdoyants, comme Westmount et Notre-Dame-de-Grâce.

La crise des années 30 marque l'arrêt de la construction. Pour pallier le chômage, les gouvernements initient quelques chantiers publics: la clinique Laurier, la cour juvénile (aujourd'hui École nationale de Théâtre du Canada), le chalet du parc Laurier et le tunnel Iberville. Le marché Saint-Jean-Baptiste, vieux de soixante ans, est remplacé par un édifice moderne et la gare du Mile End, par la gare Jean-Talon.

À la fin de la Seconde Guerre mondiale, des transformations majeures s'opèrent, pas toujours très heureuses. On maquille de beaux édifices, comme la synagogue Fairmount, pour l'adapter aux besoins de l'heure. Sur les rues commerciales, un affichage criard dissimule les façades de pierre. Rues Casgrain et de Gaspé, des tours industrielles écrasent le voisinage de leur masse dénudée. Rues Sherbrooke, Parc-Lafontaine et boulevard Saint-Joseph, des tours d'habitation, flanquées de mornes stationnements, rompent la continuité des plus belles avenues résidentielles du Plateau. Le boulevard Saint-Joseph perd son terre-plein et ses arbres en 1962. L'avenue du Mont-Royal amorce une longue période de stagnation. De grands travaux, comme le carrefour étagé des Pins et le complexe La Cité détruisent plusieurs des splendides maisons victoriennes du quartier Milton-Parc.

Après 1914

Pendant ce temps, le Plateau Mont-Royal, continue d'être le refuge des communautés ethniques à leur arrivée au pays. Les Juifs, tout en maintenant leur place d'affaires boulevard Saint-Laurent, déménagent à Outremont et Côte-des-Neiges. La communauté grecque les remplace, amenant avec elle l'art de la pâtisserie et de la boulangerie. Avenue du Parc et sur les nouvelles rues commerciales à la mode, se multiplient les restaurants grecs offrant le populaire souvlaki.

Dernières venues, les communautés portugaise et vietnamienne. Les Portugais sauront imprégner les quartiers Saint-Louis et Saint-Jean-Baptiste de la chaleur de leur pays. Les maisons vétustes sont repeintes de couleurs vives et rajeunies grâce aux remarquables efforts d'entraide de cette communauté. La présence des Vietnamiens, plus diffuse, se remarque au nombre croissant de petits restaurants de leur cru.

Le mouvement récent de retour à la ville attire sur le Plateau professionnels, étudiants et artistes, qui se découvrent un engouement pour les grandes maisons et la vie de quartier. Les logements ouvriers, sous la poussée de différents programmes de rénovation, se modernisent. On sent un vent de renouveau! Les villages se sont estompés... Une mosaïque de communautés culturelles et sociales a pris place, donnant au Plateau son visage aux multiples facettes.

14. Rue Saint-Denis, vers le nord. C'est d'une de ces belles maisons, côté ouest, dont parle Robert de Roquebrune dans son roman «Carré Saint-Louis».

15. Vue de l'avenue du Mont-Royal vers l'ouest, angle Saint-Denis.

3. Équipement à neige en usage à Montréal, vers 1930. Vue prise angle avenues du Parc et du Mont-Royal, avec en arrière-plan, l'ancien terminus de tramway et centre électrique de la «Montreal Light, Heat & Power».

Architecture publique et institutionnelle d'hier et d'aujourd'hui

L'Hôtel-Dieu, premier hôpital de la ville, loge dans le Vieux-Montréal à partir de sa fondation en 1642. Près de cent ans plus tard, la communauté reçoit en donation un grand domaine, limité au sud par la rue Sherbrooke et au nord par la rue Fairmount. Les soeurs hospitalières quitteront la rue Saint-Paul en 1860 pour cet endroit éloigné, plus salutaire aux malades.

Elles choisissent l'architecte Victor Bourgeau pour la construction de leur nouvel Hôtel-Dieu, avenue des Pins. Les bâtiments aux lignes sobres et sévères comprennent la maison mère, l'hôpital et un orphelinat. La chapelle surmontée d'un dôme émerge, bien en évidence, au sommet de la rue Sainte-Famille. Le tout est enclos d'un mur en pierre des champs.

16. Hôtel-Dieu, avenue des Pins.

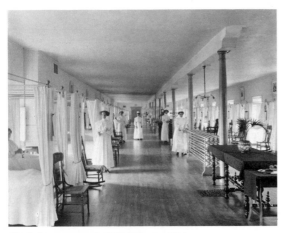

17. Salle commune de l'Hôtel-Dieu en 1911.

18. Intérieur de la chapelle de l'Institut des sourdes-muettes.

En 1864, les soeurs de la Providence s'établissent à l'extrémité est de l'avenue des Pins. Côme-Séraphin Cherrier, avocat bien connu de Montréal, patriote de 1837 et riche propriétaire de la Côte-à-Baron, donne un terrain pour la construction de l'Institut des sourdes-muettes. L'épaisse couche de glaise qui recouvre cette partie du Plateau rend le sol instable et nécessitera la démolion des premiers bâtiments. Les édifices actuels, construits à partir des années 1882, reposent sur des pilotis de cèdre ancrés dans le roc à 22 mètres de profondeur. Ici encore, la chapelle, qu'on repère à son dôme proéminent, occupe le centre du bâtiment dans la tradition conventuelle de la seconde moitié du XIXe siècle.

Le village du Coteau-Saint-Louis

C'est en suivant l'ancien tracé d'une rue qu'on peut faire revivre le village du Coteau-Saint-Louis, car la particularité la plus singulière de ce hameau, c'est d'avoir été longtemps confiné à une seule rue, le chemin des Carrières. Celui-ci partait de la tannerie des Bellair pour rejoindre les carrières plus au nord. On le retrace aujourd'hui en suivant les rues Gilford, Pontiac, Berri, Saint-Grégoire et des Carrières, tel un chemin sinueux dans la grille des rues ordonnées de la ville.

Le parc Laurier occupe l'emplacement d'une des plus anciennes carrières du Coteau-Saint-Louis. Lors de l'annexion du village, en 1893, la Ville de Montréal fera l'acquisition de cette carrière désaffectée à des fins de dépotoir. Les gens du quartier se plaindront fréquemment de ce voisinage insalubre, ce qui amènera la Ville, vers 1925, à aménager le parc actuel.

Le village Saint-Jean-Baptiste

À l'exception de quelques bâtiments profondément modifiés, rien ne subsiste du premier noyau du boulevard Saint-Laurent. C'est autour de l'église Saint-Jean-Baptiste, rue Rachel, qu'on retrouve les bâtiments les plus anciens. À cet endroit, était située la ferme Comte, vendue en 1864 aux notables Sévère Rivard, Gustave Drolet et quelques autres. Les deux premiers sont connus comme de fervents zouaves pontificaux. Bons catholiques et spéculateurs avertis, ils cèdent le terrain de l'église, conscients que ce geste accélérera le développement de leurs propriétés. Ce qui ne manqua pas de se produire.

Dès 1874, les charretiers s'affairaient à transporter la pierre des carrières pour la construction de l'église Saint-Jean-Baptiste. Celle-ci devient aussitôt le pôle d'un regroupement institutionnel. L'année suivante, l'académie Marie-Rose ouvre ses portes aux jeunes filles de bonne famille, suivie en 1883 d'une maison d'éducation pour garçons, l'académie Saint-Jean-Baptiste. En 1888, on érige la chapelle du Sacré-Coeur; en 1892, l'académie du Sacré-Coeur et en 1894, l'hospice Auclair, un des premiers bâtiments en pierre et béton de Montréal. À l'épreuve du feu, il résiste d'ailleurs aux incendies de 1898 et de 1911 qui, à deux reprises, détruisent l'église Saint-Jean-Baptiste. L'église actuelle, reconstruite en 1911, l'hospice et l'académie Marie-Rose forment un ensemble de grande valeur patrimoniale.

19. Chalet du parc Laurier.

20. Académie Marie-Rose . 410, rue Rachel Est.

21. Maniement de l'échelle collerette devant la caserne n° 16, rue Rachel.

Saint-Louis-du-Mile End

À l'angle des rues Laurier et Saint-Laurent, on peut admirer de magnifiques bâtiments, symboles des pouvoirs civil et religieux de l'ancienne municipalité. L'église Saint-Enfant-Jésus, construite en 1857, est agrandie en 1901. L'architecte Joseph Venne ajoute alors à la nef centrale de l'ancienne église la façade exubérante qu'on voit aujourd'hui. Voisine de l'église, la maison des soeurs de la Providence, construite en 1874 et 1894 (boulevard Saint-Joseph), loge à l'origine un jardin d'enfants, une école et un pensionnat. Ces deux bâtiments, mis en évidence par le parc Lahaye, forment un ensemble impressionnant, de grande qualité architecturale.

De biais avec ce parc, l'ancien hôtel de ville, avec sa tourelle et son allure de château fort avec donjon, est un des bâtiments les plus originaux de Montréal. Oeuvre de l'architecte J.-E. Vanier, l'édifice regroupait en 1905 tous les besoins de la municipalité d'alors; salle de conseil, caserne de pompiers, poste de police, cour du greffier, dortoir, écuries et grenier à fourrage.

23. *Église Saint-Enfant-Jésus-du-Mile End 5037, rue Saint-Dominique.*

22. *Ancien hôtel de ville de Saint-Louis, en 1953.*

Le village De Lorimier

L'hôtel de ville est contruit en 1901 à l'angle des rues du Mont-Royal et des Érables. Les élus d'alors y votèrent de nombreux règlements sur la construction, l'hygiène et les nuisances publiques, qui ont valu à cette municipalité une réputation de ville bien gérée. La première église paroissiale du village De Lorimier, construite par les jésuites en 1886, sera remplacée en 1895 par l'actuelle église Immaculée-Conception.

74. Ancien hôtel de ville de De Lorimier, incluant le poste de pompiers.

Les monastères

Les architectes Resther, père et fils, construisent en 1892 et 1895 le monastère des pères du Très-Saint-Sacrement et le couvent Saint-Basile, récemment transformé en logements pour personnes âgées et bibliothèque de quartier. Ce bel ensemble de pierre est situé à deux pas de la station de métro Mont-Royal, en plein cœur de la vie commerçante du Plateau. En 1896, les carmélites quittent leur monastère du quartier Hochelaga pour un édifice plus conforme à leurs besoins. Leur nouvelle demeure, rue du Carmel, comprend quatre corps de bâtiments aux lignes sobres, ouvrant sur un préau. Le jardin attenant permet aux religieuses de s'adonner à la culture potagère. La clôture en pierre des champs n'assure plus, comme jadis, le calme et l'intimité du cloître. La vie monacale est dorénavant soumise à «l'oeil voyeur» des occupants des hautes tours industrielles voisines.

25. Monastère du Très-Saint-Sacrement.

Le Plateau des «années 1900»

Les différentes communautés ethniques ont érigé leurs temples, églises et synagogues à ouest du boulevard Saint-Laurent. Modestes pour la plupart, quelques-uns de ces bâtiments sont néanmoins remarquables par leur architecture. Mentionnons, rue Sainte-Famille, le temple «First Presbyterian», de style néo-gothique et rue Saint-Urbain, l'église St. Michael the Archangel, construite en 1914. Cette dernière, surmontée d'une imposante coupole et flanquée d'une tour-clocher à l'allure d'un minaret, étonne dans le paysage de la ville. Elle est d'inspiration byzantine, architecture qui a prévalu lors de la construction des premiers temples de l'Église. Soulignons enfin l'intérêt patrimonial de l'école protestante Edward II, dû à son décor élaboré de briques à deux teintes.

Pendant ce temps, les francophones érigent de nouvelles paroisses, à l'est du boulevard Saint-Laurent. L'architecte Joseph Venne construit les églises Saint-Stanislas-de-Kostka et Saint-Pierre-Claver (1) dont les clochers se dressent, boulevard Saint-Joseph, entourés des écoles paroissiales. C'est vers 1910 que l'architecte Charles Bernier popularise, sur le Plateau, l'école dite montréalaise: de forme rectangulaire, le bâtiment est en brique, à deux ou trois niveaux et recouvert d'un toit plat. Mentionnons l'académie des Saints-Anges, citée par Michel Tremblay (2) et les académies Proulx (école Sainte-Véronique) et Marie-Immaculée (école Le Plateau annexe).

(1) En collaboration avec J.O. Marchand.
(2) Dans ses chroniques du Plateau Mont-Royal, *Thérèse et Pierrette à l'école des Saints-Anges,* Paris, Bernard Grasset, 1983, 367 p.

27. *Église St. Michael*
5580, rue Saint-Urbain.

6. *École Delorimier (actuelle école Chamilly-de-Lorimier)*
2015, rue Gilford.

Architecture commerciale et industrielle d'hier et d'aujourd'hui

Le boulevard Saint-Laurent a joué un rôle majeur dans l'histoire du Plateau. Petits artisans, forgerons, marchands de foin y eurent leurs quartiers. Les bâtiments de cette époque (vers 1850), à toit pignon et lambrissés de bois, sont presque tous disparus. Grande route des voyageurs, elle fut aussi connue pour ses nombreux hôtels dont certains, comme les hôtels Vallière et Wiseman ont fait les manchettes du temps; situés de part et d'autre de l'avenue du Mont-Royal, alors limite des villages de Saint-Jean-Baptiste et de Saint-Louis du Mile End, le premier était le repère des «pieds-noirs» et le second, des «nombrils-jaunes». S'y organisaient des bagarres légendaires et les mutins, à la vue des policiers, traversaient la frontière interdite... où les agents de la paix n'avaient point juridiction!

Vers 1900, cette rue devenue boulevard prend figure de grande artère commerciale. Des bâtiments exclusivement commerciaux, des manufactures et des banques y apparaissent. Les immigrants y ouvrent des boutiques. Besogneux et habiles, les commerçants juifs offrent les meilleures aubaines en ville. C'est ici que la famille Steinberg ouvre, en 1917, une minuscule épicerie, embryon de la grande chaîne de supermarchés. Les nombreux ateliers de couture et les industries de textile comme «Peck & Sons» – qui emploie 600 ouvriers en 1908 –, illustrent l'importance, toujours actuelle, de la communauté juive dans ce domaine.

29. Un des anciens hôtels du boulevard Saint-Laurent, aujourd'hui brasserie. L'hôtel de la Gare avoisinait la gare du Mile End, désaffectée en 1930 à la suite de la construction de la gare Jean-Talon.

On note aussi, sur cette artère, des bâtiments de grande qualité architecturale. Mentionnons l'édifice Vineberg, semblable au «Unity Building»[1] et les bâtiments au sud de l'avenue des Pins, remarquables par leurs fenêtres en arcades. (Voir illustration n° 82).

Au tournant du siècle, de petits commerces s'établissent, avenue du Mont-Royal, pour répondre aux besoins de la population croissante. Le caractère local de cette rue se manifeste par l'échelle réduite des bâtiments et la parfaite intégration des commerces à l'habitation. Les banques, implantées à toutes les intersections importantes, adoptent l'allure familière du quartier. Vers 1920, des magasins à rayons, comme «Woolworth» et «Grover's», étalent leur grande surface de plancher et font exception à la règle.

28. Marchand de foin, de paille et d'équipement aratoire installé, en 1904, angle Saint-Laurent et Duluth.

(1) Voir fascicule n° 3. (Voir volume, chapitre 3.)

30. Édifice «Scotland Dress» dont la façade est en terre cuite émaillée blanche.
4239, boulevard Saint-Laurent.

31. Avenue du Mont-Royal vers l'ouest, angle Papineau
À gauche, le magasin à rayons «Metropolitan».

Les banques

La première, la «Merchant's Bank», s'implante en 1899, dans la municipalité de Saint-Louis-du-Mile End, la plus prospère du Plateau. Le prestigieux édifice, situé à deux pas de l'hôtel de ville, se caractérise par la forme bombée de son toit, aujourd'hui remplacé par un entablement massif. La «Merchant's Bank» se fusionne en 1921 à la Banque de Montréal, actuel occupant de l'édifice.

Fondée en 1900, la Banque Provinciale ouvre, deux ans plus tard, une succursale dans la paroisse Saint-Louis-de-France. On compte la famille Beaubien au nombre de ses fondateurs. Son but est de venir en aide à la petite entreprise canadienne-française. L'édifice d'allure modeste est peu conforme à la mode d'alors. Il conserve cependant les colonnes, élément le plus courant dans le décor des édifices bancaires.

En 1908, la Banque d'Hochelaga ouvre une succursale dans la municipalité de De Lorimier. L'édifice, en pierre de taille, couronnée à la ligne de toit par une balustrade, est de style Beaux-Arts. La Banque d'Hochelaga, autre institution canadienne-française, se fusionne en 1922 à la Banque canadienne nationale, aujourd'hui Banque nationale du Canada.

32. Ancienne Banque Provinciale
175, rue Roy Est.
À gauche, ancienne académie Saint-Louis-de-France, récemment transformée en logements coopératifs.

172

Le loisir et les sports

L'éloignement du Plateau, longtemps considéré comme la campagne montréalaise, n'est sans doute pas étranger à la présence de plusieurs pistes de course de chevaux. Mentionnons le parc Decker et le «Montreal Driving Club». C'est également dans ce quartier que se tient l'Exposition provinciale d'Agriculture, événement très couru à l'époque. Pour ce faire, le gouvernement acquiert, en 1870, une partie du vaste domaine de l'Hôtel-Dieu — le quadrilatère Mont-Royal, Saint-Joseph, Saint-Urbain, avenue du Parc Tous les bâtiments de l'Exposition, y compris le célèbre «Crystal Palace» (1) reconstruit à cet endroit en 1877, sont détruits par le feu en 1896. Mentionnons aussi le Stadium, rue Rachel. Ce vaste bâtiment abrite l'hiver une patinoire et l'été, devient l'hôte du grand cirque. Construit en bois, il est à son tour la proie des flammes en 1911.

Longtemps privilège de l'élite anglophone, le sport organisé se démocratise vers 1870. L'industrialisation change les mentalités. Le besoin d'espaces libres se fait sentir. Le mont Royal et le parc Lafontaine s'ouvrent au public. Les clubs de raquetteurs se multiplient et certains, comme le Montagnard du village de Saint-Jean-Baptiste, défendent des couleurs locales. La bourgeoisie de la Côte-à-Baron, formée de notables et d'universitaires, fonde en 1913 une association de loisirs et de sports, la Palestre Nationale, rue Cherrier. La communauté juive fait de même en 1930, avec la construction du «Young Men Hebrew Association», avenue du mont-Royal. Plusieurs cinémas ouvrent leurs portes dans les années 20. Le théâtre Rialto est un des seuls qui a su conserver son décor art déco.

(1) Voir fascicule n° 3. (Voir volume, chapitre 3.)

33. Terrain de l'Exposition provinciale.

Carte des quartiers

Les numéros qui apparaissent sur la carte correspondent aux numéros des photos.

174

34. Ancienne Palestre nationale
actuel pavillon Latourelle, UQAM
840, rue Cherrier.

35. Théâtre Rialto en 1936
5723, avenue du Parc.

36. Ancien centre Mont-Royal en 1925, angle Saint-Urbain et
du Mont-Royal. Événement mémorable: la venue de Caruso,
chanteur d'opéra de grande renommée qui y attira une foule
immense.

L'industrie

Le Plateau est avant tout une mosaïque de quartiers résidentiels. Peu de bâtiments industriels offrent un intérêt patrimonial. Mentionnons deux points de repère connus: l'entrepôt Van Horne et l'édifice Bovril dont la forme irrégulière épouse celle du terrain, coincé entre la rue Van Horne et la voie ferrée.

Rues Mentana et Rachel, on note la présence d'un long bâtiment en pierre au centre d'un îlot résidentiel. Il s'agit de l'ancien édifice de la compagnie d'électricité Saint-Jean-Baptiste, construit en 1893, époque naissante de l'éclairage électrique à Montréal. Cette petite centrale électrique, probablement alimentée au charbon, a été intégrée par la suite à la «Montreal Light, Heat & Power», comme de nombreuses autres sur l'île de Montréal.

37. Ancien édifice Bovril en 1920
angle Van Horne et du Parc.

38. *Bâtiment commercial, rue Papineau,*
remarquable pour l'ornementation de sa corniche en tôle à motifs et reliefs de bois.

Et pour terminer, une structure familière dans le paysage du Plateau: l'ancien terminus Fullum. Mais laissons Michel Tremblay raconter:

«Mercedès avait rencontré Béatrice dans le tramway 52 qui partait du petit terminus au coin de Mont-Royal et Fullum pour descendre jusqu'à Atwater et Sainte-Catherine, en passant par la rue Saint-Laurent. C'était la plus longue ride en ville et les ménagères du Plateau Mont-Royal en profitaient largement. Tant que le tramway longeait la rue Mont-Royal, elles étaient chez elles. Mais quand le tramway tournait la rue Saint-Laurent vers le sud, elles se calmaient d'un coup et se renfonçaient dans leur banc de paille tressée: toutes, sans exception, elles devaient de l'argent aux Juifs de la rue Saint-Laurent...»

Extrait de «*La grosse femme d'à-côté est enceinte*», Léméac, 1978, page 22.

39. *Ancien terminus Fullum,*
actuel garage de la STCUM.

Tableau synchronique des éléments architecturaux

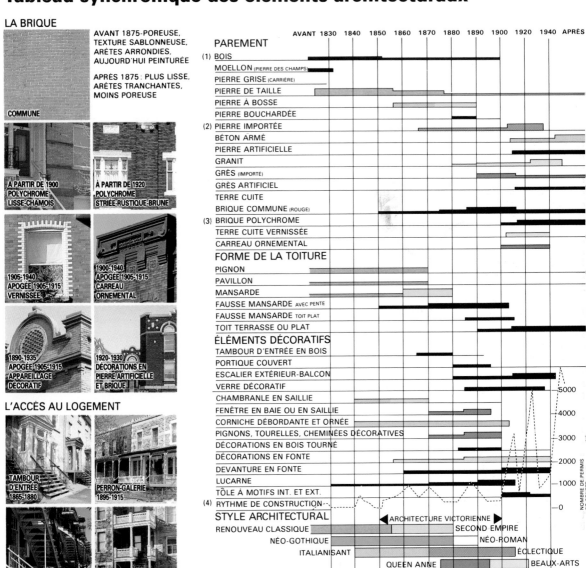

LA BRIQUE

AVANT 1875-POREUSE, TEXTURE SABLONNEUSE, ARÊTES ARRONDIES, AUJOURD'HUI PEINTURÉE

APRÈS 1875 : PLUS LISSE, ARÊTES TRANCHANTES, MOINS POREUSE

COMMUNE

À PARTIR DE 1900 POLYCHROME LISSE-CHAMOIS

À PARTIR DE 1920 POLYCHROME STRIÉE-RUSTIQUE-BRUNE

1905-1940 APOGÉE 1905-1915 VERNISSÉE

1900-1940 APOGÉE 1905-1915 CARREAU ORNEMENTAL

1890-1935 APOGÉE 1905-1915 APPAREILLAGE DÉCORATIF

1920-1930 DÉCORATIONS EN PIERRE ARTIFICIELLE ET BRIQUE

L'ACCÈS AU LOGEMENT

TAMBOUR D'ENTRÉE 1865-1880

PERRON-GALERIE 1895-1915

ESCALIER EN FER TOURNÉ 1905-1915

BALCONS-PERRONS 1915-1930

(1) Bois: interdit dans le Vieux-Montréal après l'incendie de 1721, dans les faubourgs après celui de 1852, il demeure cependant en usage dans les villages jusqu'à leur annexion autour des années 1900.
(2) Pierre importée: pierre plus malléable que la pierre grise, se prêtant mieux aux motifs sculptés.
(3) Brique polychrome: de couleur variable et à texture rugueuse contrairement à la brique commune qui est rouge, lisse, et à texture sablonneuse.
(4) Certaines données de ce tableau proviennent des études de David B. Hanna, professeur au département de géographie, UQAM.

6.24

Architecture résidentielle

La maison de Montréal

Depuis le début de la colonie, la maison au Québec s'est lentement transformée. À la ville comme à la campagne, on a tenté de mieux l'adapter à nos hivers rigoureux. Les fréquents incendies dans la ville amèneront très tôt l'administration de Montréal à émettre des directives détaillées sur les façons de la construire. Ordonnance du 17 juin 1727...

Ordonnons de... «bâtir aucune maison dans les villes et gros bourgs, où il se trouvera de la pierre commodément, autre qu'en pierres; défendons de les bâtir en bois, de pièces sur pièces et de colombage...»

«construire des «murs de refend» (1) qui excèdent les toits et les coupent en différentes parties, ou qui les séparent d'avec les maisons voisines, à l'effet que le feu se communique moins de l'une à l'autre...»

Défense de construire... «des toits brisés, dit à la mansarde... qui font sur les toits une forêt de bois...»

Outre ces nombreux édits, le coût élevé des terrains, la prédominance des locataires et la présence dans le sol de la pierre calcaire et d'une argile propre à la brique, ont favorisé la naissance de la maison en rangée, typique à Montréal.

Cette maison type se rencontre, avec des variantes, dans tous les quartiers de la ville mêlée à d'autres habitations moins nombreuses, mais qui toutes ont connu leurs heures de popularité:
• la maison villageoise
• la maison urbaine traditionnelle
• la maison en rangée
• la villa
• la maison contiguë
• la maison semi-détachée
• la maison à logements multiples
• la maison de rapport.

Les maisons les plus représentatives du quartier seront reprises dans les pages suivantes pour illustrer l'évolution du patrimoine résidentiel.

La maison villageoise

maison en bois ou en moellon, le plus souvent à toit à pignon, avec galerie ou accès direct au niveau du sol; elle est isolée ou adossée à d'autres habitations.

En 1816, on compte entre la rue Sherbrooke et l'avenue du Mont-Royal, alors chemin des Tanneries, deux maisons, un hôtel et une tannerie. En 1840, Jacques Viger, premier maire de Montréal, écrit: «Les concessions faites dernièrement par M. Cadieux de Courville (2) sur sa terre de la Côte-à-Baron unissent presque déjà la ville (rue Duluth) au village des Tanneries». Lors de sa fondation, en 1861, le village de Saint-Jean-Baptiste est en pleine campagne.

40. 469-471, rue Garneau
Leur minuscule silhouette aide à les repérer, malgré leur nouveau recouvrement – clins d'aluminium, brique, papier brique ou tôle. Modification subséquente ou option d'origine, le toit mansard remplace le pignon traditionnel. La mansarde offre en fait plus d'espace logeable, l'équivalent d'un étage supplémentaire.

---

(1) Murs coupe-feu.
(2) Voir page 2. (Voir volume, page 154.)

À cette époque, les artisans de la pierre et les tanneurs construisent eux-mêmes leurs demeures. Dans la forêt environnante, le bois abonde et sert à bâtir ces petites maisons villageoises. Vers 1860, les ouvriers qui s'y établissent, grâce au service de tramway, bâtissent aussi leur propre demeure sur des terrains au coût peu élevé, jusqu'à l'arrivée des promoteurs vers 1870.

L'évolution de la construction progresse plus lentement dans les villages qu'en milieu urbain. Les maisons lambrissées de bois continuent de s'y ériger, longtemps après leur interdiction à Montréal (après l'incendie de 1852). Quelques-unes ont survécu rues Lagarde, Berri, Garneau, Demers. Vers 1890, elles y sont nombreuses, habitées surtout par des «carriéreurs». En 1891, 66 % des maisons de Saint-Louis-du-Mile End sont encore entièrement en bois. En voici quelques sur-vivantes!

42. 4226, rue Brébeuf
Les rues Brébeuf et de la Roche, anciens chemins menant aux carrières Dubuc et Martineau, offrent quelques exemples de maisonnettes en bois.

41. Angle des rues de la Roche et Gilford.

43. 5210, rue Berri
Des familles plus aisées — peut-être propriétaires de carrières — utiliseront la pierre. À noter, le mur porteur en pierre, les encadrements des fenêtres en pierre sculptée et le prolongement de la toiture au-dessus de la galerie à la manière des maison rurales.

Les premières maisons de ville

La villa :

maison isolée avec jardin, grande résidence familiale, emprunt à plusieurs styles architecturaux.

Outre les «carriéreurs», les bourgeois anglophones furent les premiers occupants du Plateau. Un de ceux-là, Thomas Torrance, construit vers 1815 une spacieuse villa, à l'angle des rues Saint-Laurent et Sherbrooke. On trouve alors si extravagante l'idée de s'établir loin de la ville — celle-ci confine au sud de la rue Sainte-Catherine — que des plaisantins surnomment l'endroit «la folie de Torrance».

45. 3567, rue Saint-Urbain
Grande résidence de la Côte-à-Baron. Pierre de taille en façade et brique sur les côtés. Toit en demi-mansarde comme si la maison était conçue pour s'accoler à ses voisines.

44. «La folie de Torrance». Vendue en 1825 à John Molson, elle fut rebaptisée «Belmont Hall» et quatre générations de Molson y habitèrent. Revendue en 1911, elle fut incendiée en 1937.

Le prestige de la rue Sherbrooke se maintient au XIXᵉ et au XXᵉ siècle, et les riches continuent d'y élire domicile. Mentionnons le photographe Notman, dont la résidence existe encore, à l'angle nord-ouest de la rue Clark. Les villages eurent aussi leurs rues de notables, comme l'avenue Laurier dans Saint-Louis-du-Mile End et De Lorimier dans le village du même nom.

46. 901, rue Sherbrooke Est
Villa construite vers 1880-1900.
Toit pavillon, tourelle en cuivres, escaliers en pierre. Vers 1825, on trouvait sur ce site une résidence dominant la basse-ville. On y accédait par une longue allée bordée d'arbres, partant de la rue Mignonne, aujourd'hui de Maisonneuve.

L'aisance des premiers occupants se reflète dans la qualité des matériaux utilisés, comme la pierre, le cuivre, l'ardoise, ou encore dans la variété des toitures. Le plateau Mont-Royal, comme on l'a vu, contient de la pierre calcaire à profusion, ce qui a donné au Montréal des XVIIIᵉ et XIXᵉ siècles, sa couleur grise particulière. Un géologue américain, de passage en 1819, dira «a number one of the modern houses of Montreal and of its environs, which are constructed of this stone, handsomely hewn, are very beautiful and would be ornements to the City of London or to Westminster itself». (1) Cette pierre, belle et durable, se taille difficilement, ce qui en augmente le coût. Elle sera peu à peu remplacée par la brique, au début des années 1900.

_____
(1) Benjamin Sulliman, *Remarks Made on a Short Tour between Hartford and Quebec, in the Autumn of 1819*, 2ⁿᵈ ed., New Haven, S. Converse, 1824, 443 p., p. 358.
«Plusieurs des belles maisons de Montréal et des environs sont construites avec cette pierre finement taillée et seraient de belle venue à Londres comme à Westminster».

La maison urbaine traditionnelle
maison en pierre calcaire ou en brique, à façade très dépouillée; elle est coiffée d'un toit à pignon, percée de petites lucarnes; elle est séparée de ses voisines par des murs coupe-feu.

Comme on l'a mentionné plus tôt, le premier développement en série apparaît sur la terre de Jean-Marie Cadieux de Courville. On y ouvre, en 1834, les rues Coloniale, De Bullion et Hôtel-de-Ville (alors rue Cadieux), et d'ouest en est, les rues Rachel et Marie-Anne. Plus tard, on y érige en série des habitations modestes, lambrissées de briques et destinées aux ouvriers.

48. *Avenue du Mont-Royal, côté sud, entre les rues Saint-Laurent et Saint-Dominique.*
Toit en fer-blanc, donnant à la ville cette blancheur et luminosité qui frappaient les voyageurs.

Par leur gabarit comme par le traitement de leur façade — austérité, portes et fenêtres sans chambranle, entrée de plain-pied, toit à pignon et petites lucarnes — ces maisons établissent une continuité avec celles du faubourg Saint-Laurent et du Vieux-Montréal, construites avant 1850. Témoins d'une époque, elles en reproduisent les techniques de construction, aujourd'hui disparues.

47. *4370, avenue de Lorimier*
Façade en pierre de taille alternant avec la pierre à bosse. Toit plat terminé par une corniche en tôle. Magnifiques galerie et balcon en bois ouvragé.

49. 3935, rue Coloniale
Maison construite vers 1870.

La maison en rangée

*est incluse dans un ensemble de bâtiments rési-
dentiels alignés le long d'une rue, construits (en
même temps) selon un plan d'ensemble et dont
les façades sont semblables; elle est séparée des
autres habitations par un mur coupe-feu
mitoyen.*

La longue évolution du Plateau Mont-Royal, de
1860 à 1930, a donné naissance à un patrimoine
résidentiel d'une richesse unique. Ces pages-ci
ne suffisent pas à répertorier tous les ensembles
dignes de mention.

La maison en rangée se présente sous plusieurs
formes, selon l'époque de sa construction et la
population à qui on la destine. La Côte-à-Baron
offre des exemples de type «terrace», construits
vers 1870 pour notables et professionnels.
Ce modèle, d'influence britannique, regroupe de
trois à sept unités d'habitations identiques. L'habitation de chaque famille se répartit sur trois ou
quatre niveaux. L'entrée sous le porche donne
accès aux cuisines situées au niveau du sol.
Le rez-de-chaussée, étage noble où se situent
salons et pièces de réception, loge aussi le grand
escalier intérieur conduisant à l'étage des chambres. L'escalier de service, situé dans les pièces
arrière, donne accès au niveau des combes où
logent des domestiques.

Ces immenses maisons familiales, aujourd'hui
transformées en maisons de chambre ou d'appar-
tement, ont précédé la maison à plusieurs logements superposés, dits de plain-pied ou «flat»,
typiques du Plateau Mont-Royal. Une solution
intermédiaire apparaît avec la maison familiale sur
deux niveaux, incluant au niveau du sol un logement en location. Très répandu sur les rues Saint-
Denis, Laval et les environs, ce type d'aménagement offre au propriétaire le confort d'un grand
logement et le revenu d'un loyer.

Puis apparaît le «flat», maison de trois étages,
chaque étage étant occupé par un logement de
plain-pied d'où le nom emprunté aux Anglais.
Généralisé au tournant du siècle, on retrouve couramment ce modèle, caractérisé par un long escalier extérieur donnant accès au premier étage,
dans les anciens villages de Saint-Louis et de
De Lorimier.

50. 3484, rue Sainte-Famille
Maisons en rangée de type «terrace».

Opinion d'un bourgeois du XIXe siècle, qui habite une maison
de type «terrace», rue Saint-Denis.

«Mais mon père professait le plus profond mépris pour les flats.
Que des gens, qui ne se connaissent pas, consentent à vivre
tous ensemble sous un même toit lui paraissait affreux. Cette
promiscuité était dégoûtante. À toute heure du jour et de la
nuit, des bruits indiscrets devaient traverser les plafonds et les
murs de ces boîtes humaines. Quant à lui, il tenait à vivre seul
avec sa famille, disait-il, et ne voulait pas entendre sur sa tête
et sous ses pieds remuer, parler et exister «des peuplades
étrangères».

Robert de Roquebrune, *Quartier Saint-Louis,* Montréal, Fides, 1981.

51. *Rue Villeneuve, angle Esplanade*
Ensemble de maisons construites en 1910, et dotées — ce qui est rare à l'époque — d'un seul et unique système de chauffage.

Vers 1880, la Ville de Montréal amorce la réglementation de son développement. Elle rend obligatoire l'approbation du plan de lotissement et impose l'alignement des constructions — une marge de recul d'environ 3 mètres de la bordure de la rue. Le cadastre devient ainsi standardisé: les lots de 7,75 mètres de largeur, s'étendant jusqu'à la ruelle, sur une profondeur de 21,7 à 37,2 mètres, se généralisent. Sur ces lots étroits, on bâtit des maisons en forme de «L», intégrant une cour latérale au hangar. On instaure la mode du grand escalier extérieur, mettant à profit l'espace libre à l'avant du bâtiment et gagnant d'autant plus d'espace à l'intérieur.

Le grand escalier extérieur est devenu typique des quartiers de l'est montréalais. Les contraintes de construction et le désir d'originalité des constructeurs feront naître des interprétations variées; escalier à volée droite s'appuyant sur la maison à la manière d'une échelle, ou à multiples quartiers tournants — tire-bouchon, «S», fer à cheval, colimaçon, etc..., — donnant accès aux galeries et balcons, univers privilégié du monde du Plateau. C'est «en veillant su'l perron» que s'est développée cette vie d'intenses relations caractéristique du quartier.

52. *5114-78, rue Casgrain*
La répétition des escaliers, des balcons et des corniches modulées par les frontons donne à cette rue le rythme et le décor tout à fait représentatif de l'architecture domiciliaire montréalaise.

53. *3458-64, rue de Bullion*
Le tambour en bois, très populaire de 1865 à 1880, tend à disparaître de l'architecture résidentielle montréalaise; lors de rénovation, on le supprime au lieu de le restaurer.

54. *3610-76, rue Clark*
Long ensemble de maisons se prolongeant rue Milton.

Le quartier Saint-Jean-Baptiste et le vieux Coteau-Saint-Louis présentent de nombreux exemples de séries de maisons remarquables par leur architecture. Souvent unifamiliales, elles devaient être destinées à une population à revenu modeste mais suffisant pour permettre l'accession à la propriété.

56. *4668-98, rue de Grandpré*
Maisons construites vers 1895.
Les galeries finement ouvragées rappellent un art de bâtir révolu.

55. *4412-20, rue Parthenais*
Maisons ouvrières, simples et belles.

57. Rue Marie-Anne, angle Boyer
Les tourelles de cet ensemble émergent au-dessus des toits, créant un effet remarquable sur cette rue sans prétention.

58. 5321-41, rue Waverly
Maisons colorées, «petite patrie des Grecs» dans la grande ville.

59. Rue Cherrier, angle Saint-André
Ensemble en rangée de type monumental.

La maison contiguë

est incluse dans une suite de bâtiments résidentiels, construits à l'unité, selon un plan individuel et dont l'ornementation des façades varie; elle est séparée de ses voisines par des murs coupe-feu.

Les maisons en rangée, au lieu d'être construites en série, le sont parfois à l'unité. Cette façon de faire, très répandue au début du siècle, a toujours existé sur les rues commerciales et dans les secteurs bourgeois du Plateau. Elle devait convenir davantage à la classe aisée de la population, apte financièrement à retenir les services d'un architecte, ou à choisir des matériaux et des techniques de construction adaptés à leurs goûts et souvent plus coûteuses.

61. *3937-41, rue Berri*
    Magnifique escalier en fer forgé.

0. 4075-91, rue Saint-Hubert
Véritable rue-spectacle où abondent les maisons au décor remarquable.

Sur les rues Saint-Hubert et Parc-Lafontaine, tracées sur la terre de Joseph-Charles-Hubert Lacroix, on trouve, en grand nombre, ces magnifiques maisons contiguës. Vers 1855, des maisons s'élèvent, rues Saint-André, Mentana et Parc-Lafontaine. Mais cet habile promoteur retardera le développement de la rue Saint-Hubert, assurant ainsi aux terrains une valeur accrue. Il en vendra les lots vers 1910, et on y construira les maisons bourgeoises qui en font aujourd'hui une des plus belles rues de la ville.

62. *3738, rue Saint-André*
    La rue Saint-André, au sud de la rue Duluth, est l'une des plus anciennes du Plateau. Petites maisons familiales construites vers 1860-1880, uniques dans le quartier.
    À noter, le toit en mansarde et le travail raffiné de l'artisan qui a sculpté portes et fenêtres.

Autre développement de grand intérêt, le carré Saint-Louis. Propriété en 1848 d'un homme d'affaires bien connu, Alexandre-Maurice Delisle, l'emplacement est alors vendu à la Ville pour le réservoir de l'aqueduc, à certaines conditions: le réservoir devra être entouré d'arbres et aucun bâtiment ne devra entraver la vue sur les rues Laval et Saint-Denis. Le carré Saint-Louis est aménagé en 1876 et alors seulement, la succession Delisle vend les terrains qui l'entourent. La bourgeoisie francophone y fait construire les belles résidences cossues qu'on voit encore aujourd'hui.

63. *Rue Hutchison.*

64. *Rue Laval et carré Saint-Louis*
Coeur de la paroisse Saint-Louis-de-France, celle de la grande bourgeoisie montréalaise de l'époque. L'église était située rue Laval jusqu'en 1933 et l'ancien presbytère y existe toujours au nord de la rue Roy. Sur cette dernière se concentre, vers 1890, toute l'activité commerciale du quartier.

65. 4597-4619 boulevard Saint-Laurent
Un des rares bâtiments exclusivement résidentiel de cette artère. Modèle jumelé qui a conservé tous ses éléments d'architecture d'origine.

L'extrémité ouest du Mile End offre des exemples d'un développement plus récent. Le secteur compris entre les rues Saint-Laurent et Hutchison, qu'on surnomme l'Annexe, est peu peuplé en 1895. Seule la partie comprise entre les rues Fairmount et Saint-Viateur est alors systématiquement occupée. Ce n'est qu'en 1905 que les terrains de l'Exposition et la propriété des soeurs de l'Hôtel-Dieu, comprise entre Saint-Joseph et Fairmount, seront urbanisés. On y construira de belles maisons solides, égayées de petits jardins en façade.

66. 5437-39, rue Jeanne-Mance
Maisons de l'Annexe.

Terminons par le Coteau-Saint-Louis. Aux environs du chemin des Carrières, on découvre des maisons surprenantes sans pareilles à Montréal. Plus à l'est, le développement datant du début du XXᵉ siècle offre des exemples d'une architecture montréalaise typique: grands escaliers extérieurs, polychromie de la brique, toit plat et corniches variées.

67. 4660, de Grandpré
Maisons jumelées construites avant 1880. Portiques, tourelle à toit pavillon, fausse mansarde, petites lucarnes, tous les éléments de l'architecture bourgeoise de l'époque.

68. 5236-44, rue Marquette
Variété de briques vernissées et de corniches. Brique brune en fronton postiche; brique blanche et ocre, corniche simplifiée formée par le jeu de couleur de la brique.

69. 4625-33, rue Bordeaux
Modèle jumelé en brique, avec grands escaliers extérieurs montant à l'assaut du troisième étage.

70. 4524-28, avenue de Lorimier
Modèle plus sophistiqué, situé sur la rue bourgeoise de l'ancien village de De Lorimier.

La maison semi-détachée
est incluse dans une suite de bâtiments résidentiels; elle est souvent jumelée, ou située à l'encoignure des rues; elle a des ouvertures sur trois côtés.

Parmi les variantes de ce modèle, on trouve des édifices situés à l'encoignure de deux rues. De ce nombre, les bâtiments mixtes, comprenant à la fois commerces et habitations, sont sans doute les plus intéressants. Contrairement au modèle mixte intégré dans une rangée, ceux-ci ont été, pour la plupart, conçus dès l'origine à des fins commerciales.

71. Le chantier de construction de l'édifice Bovril, angle avenue du Parc et Van Horne.

72. Coin sud-est des rues Duluth et de Bullion
Rue commerciale à la mode. Magnifique façade souligné par une fausse mansarde percée de petites lucarnes et une tourelle d'angle ornée d'un oeil-de-boeuf.

73. 945-49 rue Marie-Anne, angle Mentana
Modèle peu courant, intégrant une série de quatre escaliers extérieurs, insérés dans la structure du bâtiment.

Dans le quartier Saint-Jean-Baptiste, on en trouve près d'une centaine, apparues dès 1860, pour se maintenir jusqu'en 1930. La forme du toit suit l'évolution des techniques de construction: à pignon ou mansard avant 1885, en fausse mansarde ou plat de 1885 à 1900 et plat, après cette date.

L'arête d'angle du bâtiment est tronquée et l'entrée du commerce, de plain-pied avec la chaussée, s'y insère. On y observe généralement un décor plus élaboré, telles rotondes, tourelles ou colonnes. L'accès aux logements se fait par des escaliers intérieurs.

74. 2000, avenue du Mont-Royal, angle Bordeaux
Façade monumentale en pierre. La prestance de ce bâtiment construit en 1912, n'est sans doute pas étrangère à la proximité de l'hôtel de ville du village De Lorimier et de l'imposant édifice de la Banque d'Hochelaga.

Le bâtiment semi-détaché a parfois moins d'envergure. L'ornementation se concentre sur la façade principale. Les côtés du bâtiment sont traités à la façon des maisons en rangée et seules les minuscules ouvertures laissent deviner le parti architectural d'origine.

75. 4354, rue de Bullion
Fausse mansarde limitée à la façade principale. Décor raffiné de style victorien: portique, lucarnes ouvragées, fenêtres cintrées, escalier joliment courbé.

Le tracé irrégulier d'une rue, comme ce fut le cas du chemin des Carrières, a donné naissance à des constructions originales, qui réjouissent l'oeil du passant. Le constructeur s'est adapté à la forme triangulaire du terrain et le bâtiment a pris une forme inattendue, comme celle de la proue d'un navire.

76. 361, rue Gilford
Maison triangulaire, unique dans le quartier.

La maison de rapport:
ensemble de logements dans un bâtiment de plus de quatre étages avec un ou plusieurs accès en façade et services en commun aux locataires.

On trouve ce type de maison surtout aux environs de l'avenue du Parc. Cette dernière est tracée, en 1873, comme accès principal au parc du Mont-Royal alors en voie d'aménagement. Dès 1885, le tramway y circule. Dix ans plus tard, c'est de là, angle Mont-Royal, qu'on entreprend le long voyage vers Côte-des-Neiges et Notre-Dame-de-Grâce.

Sur cette artère importante et prestigieuse, on construit, vers 1915, un nouveau mode d'habitation destiné à une clientèle fortunée. Ce style de vie s'apparente à celui des grands hôtels.

Les locataires y bénéficient des services d'un portier, du chauffage central, d'espaces de stationnement, etc.

Deux modèles se généralisent: le premier se présente sous forme d'un édifice carré ou rectangulaire de dix à vingt logements regroupés autour d'une cour intérieure — voir l'édifice sis au 5415, avenue du Parc; le second, sous forme de «U» occupé en son centre par une place-jardin ouvrant sur le trottoir. On y compte de vingt à soixante unités d'habitation. Dans les deux cas, l'ornementation est très élaborée et l'édifice est désigné par un nom prestigieux, tel le «Château Esplanade».

77. 5300-08, avenue du Parc
   Plan en «U», style «manoir écossais». La façade très élaborée se découpe par un jeu de saillies et de retraits.

78. *Vue du boulevard Saint-Joseph vers l'ouest, angle Marquette*
Les maisons construites en série ves 1920, sont remar-
quables par la qualité de leur construction: détail de la pierre,
bel appareillage de brique brune et insertion de vitraux.

Il est tout indiqué de faire mention ici du boulevard Saint-Joseph où l'on trouve une forme
d'habitation intermédiaire entre la maison en rangée et la maison de rapport. Le grand escalier
extérieur est absent mais on retrouve deux accès
côte à côte: l'un conduit au logement du premier
niveau et l'autre, aux logements des étages.
Ce modèle évolue vers l'entrée commune, caractéristique de la maison de rapport.

79. *Château de l'Esplanade, rue Esplanade*
Plan en «U» de type peu courant, intégrant de longs esca-
liers extérieurs. En 1915, les quarante-deux locataires des
lieux se trouvèrent dans une fâcheuse position, suite à un
jugement de la cour. «Ils sont sans escalier... parce que leur
propriétaire n'est pas propriétaire de la portion de terrain
située en face de cette dite maison.»

80. Synagogue rue Saint-Urbain, vers 1905, aujourd'hui démolie.

81. Boulevard Saint-Laurent.
82. Rue Duluth.
83. Parc Lafontaine.
84. Escalier du plateau.

«Et si, au flanc du mont Royal, on respire à son aise, si le bruit de la ville n'y est qu'une rumeur, si la civilisation y reste à la portée de la main, cet espace privilégié, cette altitude se payent cher aurait, je crois, dit Flaubert.

C'est pourquoi le quartier dans son plateau, et jusque dans la côte, possède une collection invraisemblable de maisons riches entourées de pelouses soignées comme chevelure de femme mais d'un goût douteux et dont le style hésite entre le home anglais et le split-level américain, s'enrobant parfois avec amour de ces pierres des champs que chérissaient les premiers Montréalais. Et les Côte-des-Neigeois savent bien que ces boîtes en briques hollandaises, fabriquées en série dès après la guerre, et piquées au bas de la jupe du quartier, ne seront jamais que les bidonvilles de leur altitudité, de leur noblesse.

En haut, chaque demeure, quand vient janvier, est un refuge de chaleur et de paix exquises; au bas de la côte les rues en enfilade accumulent platement des façades ternes que cherche en vain à rehausser, parfois, un portique à l'italienne où brille soir et jour un luminaire-spoutnik cuivré et des murs parsemés de briquelettes de couleur rose...»[1]

«La Côte-des-Neiges était un jardin. Près de l'Oratoire, dont la coupole construite par dom Bellot se dressait sur le ciel comme un hommage tardif à Brunelleschi, le vieil immeuble du Rockhill montait paisiblement étagé dans le paysage, la colline du Mont-Royal, préfacé d'un jardin. Les marches lentes menaient à des bâtiments de brique faits pour le bonheur de vivre. On y trouvait de jolis appartements à étages qui donnaient l'illusion d'une maison. On a démoli cet ensemble et c'est un immeuble de vingt-trois étages qui le remplace. Il se projette sur le ciel de Montréal comme un hurlement de verre et de béton; digne symbole de la disparition d'une vie calme et rayonnante et de son remplacement par une conception toute géométrique du devenir humain. Suis-je à ce point raidi que tout ce qui appartient au passé me semble plus beau, et plus vrai, que ce qui touche au présent et, peut-être, relève de l'avenir?»[2]

---

1 Godbout, Jacques, «La Côte-des-Neiges» dans *Liberté*, vol. 5, n° 4, juillet-août 1963.
2 Éthier-Blais, Jean, *La Côte-des-Neiges d'antan, Morceaux du grand Montréal*, sous la direction de Robert Guy Scully, édition du Noroît, 1978.

7

Côte-des-Neiges

Le patrimoine de Montréal
Quartier Mont-Royal

Côte-des-Neiges

Côte-des-Neiges est un petit village blotti au flanc de la montagne, dont les origines remontent au temps du régime français. Humbles maraîchers, tanneurs, gens fortunés et villégiateurs s'y sont cotoyés tout au long du XIXe siècle. Cette communauté a su conserver la fierté de ses origines et de son histoire, comme on le verra dans les pages suivantes.

2. Le chemin de la Côte-des-Neiges.

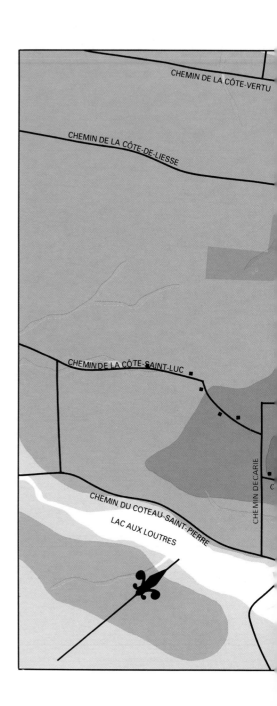

Photo de la page précédente:
1. Étang à canards, sur le chemin de la Côte-des-Neiges.

Relief et cours d'eau de Montréal au XVIIIe siècle

La Côte-des-Neiges

En 1675, les sulpiciens, seigneurs de l'île, établissent sur le flanc sud-ouest de la montagne, une mission destinée aux Amérindiens. Cet endroit, dit le fort de la montagne (1), est alors très éloigné de la ville, évitant ainsi à leurs ouailles la tentation de l'eau-de-vie dont ils sont friands. Le domaine des sulpiciens s'étend au nord jusqu'à l'actuelle rue du Boulevard.

Au-delà, il y a le sentier qu'empruntent les Amérindiens vers la rivière des Prairies; celui-ci longe un ruisseau aux eaux vives qui coule vers le nord.

Très tôt, les sulpiciens entrevoient le riche potentiel agricole des terrasses situées sur le flanc nord-ouest de la montagne. La présence du ruisseau offre le plus grand intérêt pour l'établissement de colons. Il s'agit du lieu dit de la Côte-des-Neiges, nom trompeur dont on attribue faussement l'origine à la forte pente qu'il faut grimper pour s'y rendre.

En fait, la côte rappelle la forme de développement adoptée au début de la colonie pour la mise en valeur des terres nouvelles. D'abord riveraines, les côtes seront ensuite tracées à l'intérieur de l'île, le long des montées ou chemins reliant la ville fortifiée aux villages du pourtour de l'île. C'est ainsi qu'en 1698, l'ingénieur du roi, Gédéon de Catalogne, procède au partage des terres de la Côte-des-Neiges. De forme étroite et profonde, les terres s'alignent perpendiculairement au ruisseau pour permettre au plus grand nombre d'y accéder. De part et d'autre du cours d'eau, on fixe les limites de la commune où les paysans font paître le bétail. Comme l'exigent leurs devoirs seigneuriaux, les sulpiciens y construisent un moulin à farine. Tout autour, le sous-sol recèle une bonne pierre à construction et les boisés renferment de nombreuses essences d'arbre.

3. Le village de Côte-des-Neiges vers 1850.

Des familles d'agriculteurs et de tanneurs, les Desmarchais, Prud'homme, Sarrazin, ne tardent pas à s'y installer. Le moulin banal où les fermiers font moudre leur grain demeure le centre d'animation du petit hameau jusqu'en 1814. Les sulpiciens font alors ériger une chapelle-école à l'emplacement actuel de l'église Notre-Dame-des-Neiges. Les carrières locales fournissent la pierre nécessaire à la construction de la bâtisse, qu'on doit agrandir dès 1837.

C'est à cette époque que le petit village, jusqu'alors isolé, est relié aux côtes avoisinantes. Par le chemin de la Côte-Sainte-Catherine, on peut atteindre le Coteau-Saint-Louis (2). Par ailleurs, le chemin Queen Mary (3) rejoint celui de la Côte-Saint-Luc et le chemin de la Savane, le village de Saint-Laurent. Ainsi, ces chemins de campagne ont fourni à nos rues actuelles leur tracé de base. Quant au ruisseau, son orientation nord-ouest explique que la division des terres de la Côte-des-Neiges soit l'opposé de celle du territoire montréalais.

(1) Voir fascicule n° 3. (Voir volume, chapitre 3.)
(2) Voir fascicule n° 5. (Voir volume, chapitre 5.)
(3) Alors appelé chemin de la Côte-Saint-Luc.

Extrait du terrier de Montréal avoisinant Côte-des-Neiges.

La magie de la montagne

Le village reste blotti dans la vallée autour du chemin de la Côte-des-Neiges. La vie rurale s'y déroule paisible. La montagne ajoute un cachet tout spécial à ce lieu et lui vaut une renommée grandissante.

De riches anglophones viennent y installer leur maison de campagne. On peut voir, chemins de la Côte-Sainte-Catherine et Queen Mary, de vastes domaines plantés d'arbres et couverts de beaux vergers. S'y établissent aussi quelques familles de cultivateurs dont les McKenna. Leur ancêtre arrive au pays en 1847, chassé d'Irlande par une terrible pénurie de pommes de terre et par la famine qui s'ensuit; il devint un prospère jardinier. Les entreprises Fleuristes McKenna, chemin de la Côte-des-Neiges, rappellent aujourd'hui l'emplacement de la terre ancestrale.

C'est dans cette belle campagne que s'implante, en 1852, le cimetière catholique. Trop à l'étroit dans le quartier Saint-Antoine, à l'emplacement actuel du square Dominion, on le relocalise sur l'immense terre de Pierre Beaubien, médecin de la prison de Montréal. Le premier monument y sera érigé sur la tombe de Ludger Duvernay, fondateur de la société Saint-Jean-Baptiste. Son aménagement soigné et ses remarquables édifices de pierre ajoutent à la beauté du site, créant un véritable parc urbain, vingt ans avant l'aménagement du parc du Mont-Royal.

Vers 1840, la fondation des clubs de raquetteurs — nouveau sport à la mode de l'époque — entraîne la construction de plusieurs hôtels.

L'hôtel Lumkin en 1905. Le célèbre «rendez-vous» des raquetteurs fut incendié en 1930.

L'hiver, de joyeuses équipées traversent la montagne à destination d'un lieu de rendez-vous familier, l'hôtel Lumkin. Séjournent aussi en ces lieux, des Montréalais à l'aise qu'inquiètent les fréquentes épidémies de choléra sévissant à la ville. Quant aux touristes de passage à Montréal, ils font volontiers le circuit autour de la montagne tant vanté par les guides touristiques de l'époque. Le carrefour des chemins de la Côte-des-Neiges et de Queen Mary, à mi-distance du parcours, est l'occasion d'une visite du «little French Village» ou d'un bon repas dans l'un des hôtels de la place.

C'est dans cet esprit d'hygiène que les frères de Sainte-Croix ouvrent une seconde maison d'enseignement à Côte-des-Neiges. Arrivés au pays en 1847, ils se sont installés dans le village de Saint-Laurent. Mais les parents des élèves trouvent ces lieux «bas et humides». Ils achètent donc, en 1869, l'hôtel Bellevue, situé chemin Queen Mary, et y fondent le collège Notre-Dame. Le bâtiment en bois est entouré de vergers. Jusqu'en 1881, celui-ci accueillera les garçons en phase préparatoire au collège Saint-Laurent.

L'affaire Guibord, qui se déroule à deux pas du collège, créera beaucoup d'effervescence parmi les pensionnaires. L'Église mène à l'époque une lutte contre les idées libérales et sa hargne se portera particulièrement sur l'Institut canadien (1), symbole de cet anticléricalisme. En 1869, Mgr Bourget ira jusqu'à refuser à un de ses membres, Joseph Guibord, l'inhumation dans le cimetière catholique. À deux reprises, des foules curieuses accompagnent la dépouille jusqu'aux grilles du cimetière qui demeurent closes. C'est avec la protection de l'armée qu'on réussit, six ans après sa mort, à y faire ensevelir le cercueil. Par crainte des vandales, on le coulera dans le béton.

Un autre phénomène crée beaucoup d'émoi. Le frère André, humble portier au collège Notre-Dame, acquiert une renommée grandissante à la suite de miraculeuses guérisons. Sa vénération à Saint-Joseph est sans limite. Il convainc ses supérieurs d'acheter la «petite montagne» située en face du collège. On y aménage un belvédère où trône la statue de Saint-Joseph. L'endroit devient vite, malgré l'éloignement, un lieu de pèlerinage très fréquenté.

---

(1) Organisme culturel voué à la diffusion de la littérature libérale et d'avant-garde.

Quartier carrefour!

Après 1900

Pour atteindre le village, on peut prendre le tramway de la «Montreal Park & Island», angle des avenues du Parc et du Mont-Royal, qui contourne la montagne. Ou celui de la «Montreal Street Railway» qui gravit la rue Guy et le chemin de la Côte-des-Neiges jusqu'à la barrière à péage. Située à la hauteur de la rue du Boulevard, celle-ci marque les limites de Montréal et le terminus du «p'tit char urbain». De là, pèlerins et résidents du quartier poursuivent leur route à pied, ces deux compagnies rivales ne pouvant arriver à s'entendre.

En 1900, Côte-des-Neiges est de caractère très rural. Les villageois s'approvisionnent en eau potable à des bassins publics. Les eaux usées coulent dans le ruisseau. Le service d'incendie dispose d'une pompe et d'un attelage mais d'aucun cheval, ni pompier. Cette situation, qui a favorisé, en 1889, la scission entre le «Haut» et le «Bas» Côte-des-Neiges, provoque leurs annexions à Montréal en 1907 et 1910 (1).

renard jusqu'à l'extrémité ouest de l'île. Notons une autre importante occupation hippique, la piste de course «Blue Bonnets», qu'on aménage, en 1906, aux confins nord-ouest du quartier, sur une immense terre de 170 acres.

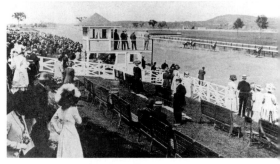

6. Piste de course «Blue Bonnets».

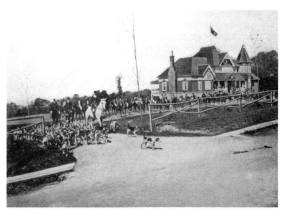

5. Le «Montreal Hunt Club».

La présence du «Montreal Hunt Club» illustre bien l'ambiance du début du siècle. Fondé en 1828, ce vénérable club de chasse à courre est établi, depuis 1896, chemin de la Côte-Sainte-Catherine, sur l'ancien domaine de Lorne McDougall. Les curieux peuvent encore admirer le magnifique pavillon de chasse, aujourd'hui à l'abandon, caché derrière une annexe de l'hôpital Sainte-Justine (2). C'est de là que partaient les chasseurs, vêtus de leur jaquette rouge, casquette de peluche et hautes bottes de cuir, venus traquer le

Les débuts de l'urbanisation coïncident avec le déroulement de la Première Guerre mondiale. Mais le caractère rural ne disparaîtra vraiment qu'en 1925. Le frère Ignace, jardinier du collège Notre-Dame, abandonne alors la culture de ses gigantesques citrouilles. La présence de plus en plus de clôtures gêne désormais les chasseurs dans leur course au gibier à travers l'île de Montréal. Le raccordement des lignes de tramway s'est enfin opéré. La nouvelle de la venue de l'Université de Montréal dans le quartier, provoque un boom de construction sans précédent. Grandes demeures confortables, puis maisons de rapport surgissent sur tout le territoire.

En 1929, le chantier de l'Université s'ouvre en pleine crise économique, attirant des milliers de chômeurs. Effervescence de courte durée! Les travaux sont arrêtés et les édifices restent inachevés. Malgré la grande dépression, d'autres projets sont menés à terme: plusieurs hôpitaux et maisons d'enseignement s'y construisent dans les années 30.

---

(1) 1907, annexion du «Haut» Côte-des-Neiges, partie au sud du chemin de la Côte-Sainte-Catherine; 1910, annexion du secteur nord.
(2) Chemin de la Côte-Sainte-Catherine.

La fin de la Seconde Guerre mondiale verra le parachèvement de l'Université et l'émergence d'un quartier profondément bouleversé. La Côte-des-Neiges accueille alors une population très cosmopolite. La fondation de la paroisse St. Kevin signale la présence des Irlandais; l'Hôpital général juif, la synagogue et le cimetière de la rue de la Savane, celle de la communauté juive. Des immigrants d'Europe de l'Est s'y installent nombreux après la guerre. Tout récemment, les Vietnamiens sont venus s'ajouter à cette communauté cosmopolite.

Le petit village francophone de jadis a fait place à une communauté diversifiée où se mêlent, aux manifestations joyeuses des étudiants, les pas feutrés des pèlerins venus admirer la plus grande basilique du Canada: l'oratoire Saint-Joseph.

7. Le village de Côte-des-Neiges vers 1918. Vue prise du collège Notre-Dame. Au premier plan, arrière de l'hôtel Lumkin.

8. À la mort du frère André, en janvier 1937, un million de personnes convergent vers l'oratoire.

Tableau synchronique des événements historiques 1700-1945

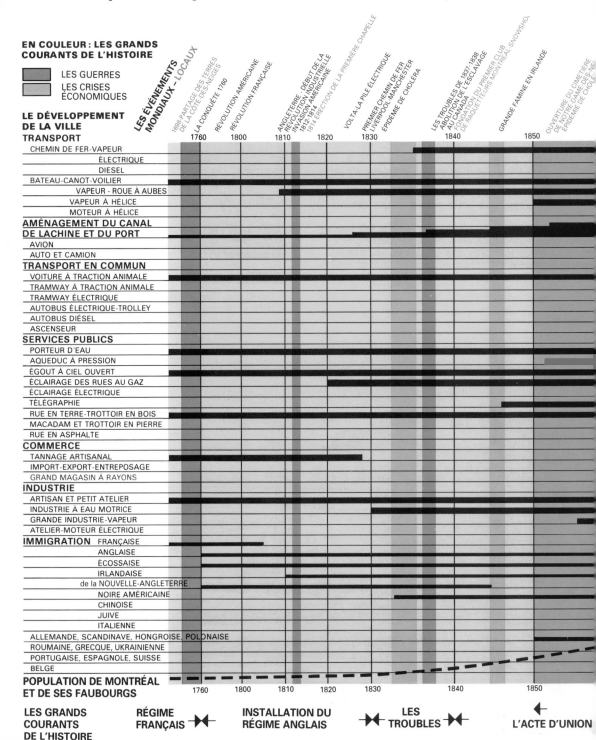

EN COULEUR : LES GRANDS COURANTS DE L'HISTOIRE

▓ LES GUERRES
▒ LES CRISES ÉCONOMIQUES

LE DÉVELOPPEMENT DE LA VILLE

LES ÉVÉNEMENTS MONDIAUX - LOCAUX

1698 PARTAGE DES TERRES DE LA CÔTE DES NEIGES
LA CONQUÊTE 1760
RÉVOLUTION AMÉRICAINE
RÉVOLUTION FRANÇAISE
ANGLETERRE - DÉBUT DE LA RÉVOLUTION INDUSTRIELLE
1812-1814 INVASION AMÉRICAINE
1814 ÉRECTION DE LA PREMIÈRE CHAPELLE
VOLTA-LA PILE ÉLECTRIQUE
PREMIER CHEMIN DE FER LIVERPOOL-MANCHESTER
ÉPIDÉMIE DE CHOLÉRA
LES TROUBLES DE 1837-1838
ABOLITION DE L'ESCLAVAGE AU CANADA
FONDATION DU PREMIER CLUB DE RAQUETTEURS MONTRÉAL-SNOWSHOE
GRANDE FAMINE EN IRLANDE
OUVERTURE DU CIMETIÈRE DE NOTRE-DAME-DES-NEIGES
ÉPIDÉMIE DE CHOLÉRA

1760 1800 1810 1820 1830 1840 1850

TRANSPORT
CHEMIN DE FER-VAPEUR
ÉLECTRIQUE
DIESEL
BATEAU-CANOT-VOILIER
VAPEUR - ROUE À AUBES
VAPEUR À HÉLICE
MOTEUR À HÉLICE
AMÉNAGEMENT DU CANAL DE LACHINE ET DU PORT
AVION
AUTO ET CAMION
TRANSPORT EN COMMUN
VOITURE À TRACTION ANIMALE
TRAMWAY À TRACTION ANIMALE
TRAMWAY ÉLECTRIQUE
AUTOBUS ÉLECTRIQUE-TROLLEY
AUTOBUS DIÉSEL
ASCENSEUR
SERVICES PUBLICS
PORTEUR D'EAU
AQUEDUC À PRESSION
ÉGOUT À CIEL OUVERT
ÉCLAIRAGE DES RUES AU GAZ
ÉCLAIRAGE ÉLECTRIQUE
TÉLÉGRAPHIE
RUE EN TERRE-TROTTOIR EN BOIS
MACADAM ET TROTTOIR EN PIERRE
RUE EN ASPHALTE
COMMERCE
TANNAGE ARTISANAL
IMPORT-EXPORT-ENTREPOSAGE
GRAND MAGASIN À RAYONS
INDUSTRIE
ARTISAN ET PETIT ATELIER
INDUSTRIE À EAU MOTRICE
GRANDE INDUSTRIE-VAPEUR
ATELIER-MOTEUR ÉLECTRIQUE
IMMIGRATION FRANÇAISE
ANGLAISE
ÉCOSSAISE
IRLANDAISE
de la NOUVELLE-ANGLETERRE
NOIRE AMÉRICAINE
CHINOISE
JUIVE
ITALIENNE
ALLEMANDE, SCANDINAVE, HONGROISE, POLONAISE
ROUMAINE, GRECQUE, UKRAINIENNE
PORTUGAISE, ESPAGNOLE, SUISSE
BELGE
POPULATION DE MONTRÉAL ET DE SES FAUBOURGS

1760 1800 1810 1820 1830 1840 1850

LES GRANDS COURANTS DE L'HISTOIRE

RÉGIME FRANÇAIS ►◄   INSTALLATION DU RÉGIME ANGLAIS   ►◄ LES TROUBLES ►◄   ◄ L'ACTE D'UNION

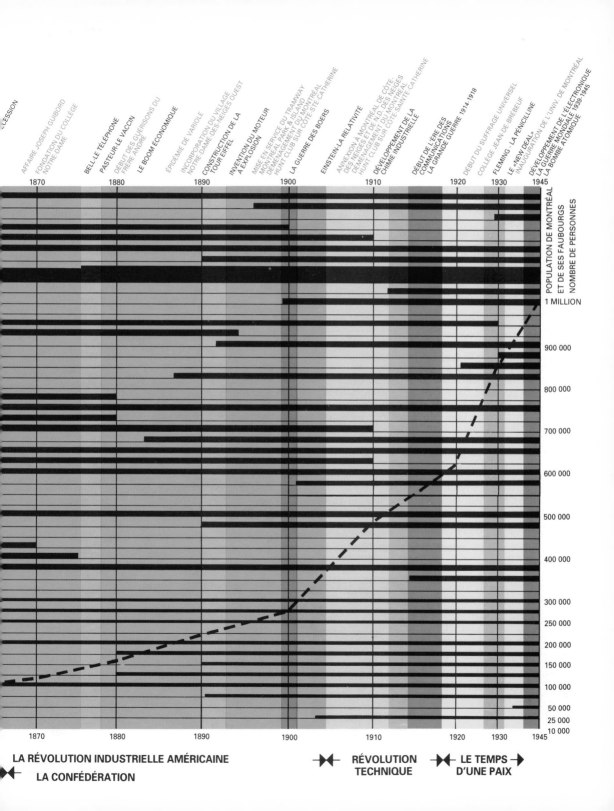

LA RÉVOLUTION INDUSTRIELLE AMÉRICAINE

RÉVOLUTION
TECHNIQUE

LE TEMPS
D'UNE PAIX

LA CONFÉDÉRATION

Architecture institutionnelle et publique d'hier et d'aujourd'hui

9. *Ancienne église presbytérienne, actuel centre communautaire vietnamien.*
3435, chemin de la Côte-Sainte-Catherine.

Ce n'est qu'en 1939 que les paroissiens de Notre-Dame-des-Neiges se départissent de leur historique chapelle de 1814 au profit de l'église actuelle. La paroisse Saint-Pascal-Baylon, fondée en 1910, possède un temple plus ancien, érigé en 1917, par l'architecte G.A. Monette. Peu fortunée à l'époque, la fabrique choisit le parti économique qu'est l'utilisation de la brique. Le presbytère, grande demeure bourgeoise, emprunte à l'église ses ouvertures cintrées, son arcade et son décor de brique. Le plus ancien temple du quartier est la jolie chapelle presbytérienne, chemin de la Côte-Sainte-Catherine. Une première chapelle construite en 1864, de l'initiative conjointe des presbytériens et anglicans des villages de Côte-des-Neiges et de Saint-Laurent, a été incendiée par la suite. L'édifice actuel date de 1879 et le porche, de 1913.

10. *École Notre-Dame-des-Neiges*
5301-45, chemin de la Côte-des-Neiges.

L'oeuvre de la communauté de Sainte-Croix

Dès 1848, les frères de Sainte-Croix assument l'enseignement paroissial et sont assistés, à partir de 1913, des soeurs de Sainte-Croix qui s'occupent de l'éducation des jeunes filles. L'école Notre-Dame-des-Neiges, construite en 1916 par l'architecte Monette, loge à chaque extrémité les résidences des religieux. La renommée de l'Ordre de Sainte-Croix est surtout associée au collège Notre-Dame et à l'oratoire Saint-Joseph.
À l'emplacement de l'ancien hôtel Bellevue, les frères bâtissent, en 1881, l'aile est du collège actuel; en 1888, l'aile centrale et la chapelle, et en 1928, l'aile ouest du bâtiment, le tout dans un grand souci d'unité visuelle. Seul un oeil averti remarque les légères différences dans l'alignement et la dimension des lucarnes ou dans le traitement de l'avant-corps du bâtiment.

11. *Ancien pensionnat Notre-Dame-de-Sainte-Croix*
5790, chemin de la Côte-des-Neiges.

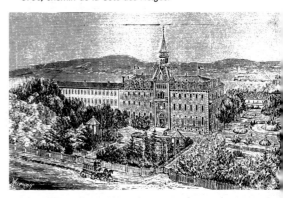

12. *Collège Notre-Dame*
3791, chemin Queen Mary.

Quant à l'oratoire, il a été érigé en plusieurs étapes selon les plans des architectes Dalpé Viau et Alphonse Venne. Grâce aux aumônes recueillies par le frère André, la construction de la crypte débute en 1916, celle de la basilique en 1924. À la fin de la Seconde Guerre mondiale, on verra surgir l'immense dôme, oeuvre des architectes dom Bellot et Lucien Parant. À l'ombre de ce complexe gigantesque, incluant aussi le presbytère et l'auberge des pèlerins, s'élève la modeste chapelle du frère André. Elle est dotée, de bien humble façon, de tous les attributs de l'architecture religieuse traditionnelle: contreforts, ouvertures cintrées, frontons, pignon et niche.

En 1929, les soeurs de Sainte-Croix construisent, chemin de la Côte-des-Neiges, le pensionnat Notre-Dame-de-Sainte-Croix, aujourd'hui résidence des religieuses. On y accueille les jeunes filles en phase préparatoire aux études au Grand pensionnat de Ville Saint-Laurent. L'édifice se démarque des ensembles conventuels montréalais par la fantaisie de sa corniche, la couleur jaune de sa brique et par son plan au sol – l'aile centrale étant projetée vers l'avant.

13. Chapelle du frère André.

14. Entrée du cimetière Notre-Dame-des-Neiges.

Le quartier universitaire

Depuis l'incendie de ses bâtiments, rue Saint-Denis, en 1919, l'Université de Montréal se cherche un nouvel emplacement de prestige. On choisit de l'implanter sur la montagne, ce qui provoquera l'ire des écologistes de l'époque. L'architecte Ernest Cormier en conçoit le plan en 1925. Les rigueurs du climat lui font rejeter le concept nord-américain de campus autour d'un espace vert. Il adopte le parti du bâtiment unique où s'imbriquent les ailes consacrées aux diverses facultés. L'ensemble ne fait aucun compromis aux styles du passé; le bâtiment peut être considéré comme l'un des premiers édifices canadiens de style moderne.

Autre grande maison d'enseignement, le collège Jean-de-Brébeuf est construit, en 1928, pendant les années d'or qui précèdent la crise. Dans la foulée de cette croissance, les jésuites, après avoir songé à fermer le collège Sainte-Marie, décident de fonder un collège autonome. Le pavillon Lallemant, conçu par les architectes Viau et Venne, se compose d'un corps principal et, à l'arrière, de trois ailes en retour d'équerre, auxquelles correspondent, en façade, trois avant-corps. Le toit est plat et le recouvrement de brique jaune, le tout d'allure fonctionnaliste, à l'exception des ajouts néo-classiques au niveau du rez-de-chaussée – pierre lisse et pierre rustiquée.

15. L'Université de Montréal.

16. Ancien institut Nazareth
actuel centre hospitalier Côte-des-Neiges
4865, chemin Queen Mary.

Le quartier des hôpitaux

Vers 1930, la disponibilité de terrain et l'air salubre de la montagne expliquent sans doute la venue à Côte-des-Neiges d'autant d'institutions. Ces dernières joueront un rôle important dans son développement physique et social. L'institut Nazareth, fondé en 1861, est la première école pour aveugles de langue française. L'édifice, construit en 1930 par l'architecte Alphonse Piché, aujourd'hui centre hospitalier Côte-des-Neiges, sert en 1942 de centre d'entraînement militaire et à la fin de la guerre, d'hôpital pour les vétérans. Quant à l'Hôpital général juif, il est dû à la générosité de la communauté juive de Montréal, notamment la famille Bronfman. Mentionnons enfin les hôpitaux St. Mary's, des Convalescents et Sainte-Justine, qui amèneront à leur suite, professionnels et personnel hospitalier, contribuant ainsi au remarquable développement résidentiel de ce quartier.

Carte des quartiers

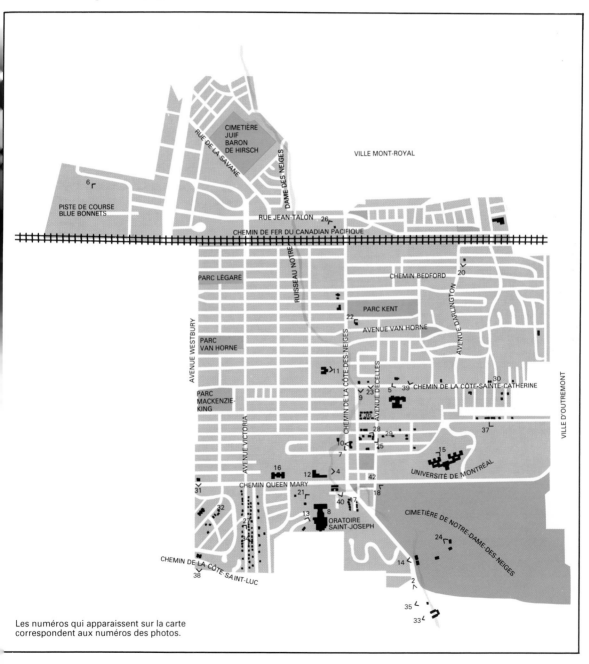

CIMETIÈRE
JUIF
BARON
DE HIRSCH

RUE DE LA SAVANE

VILLE MONT-ROYAL

6

PISTE DE COURSE
BLUE BONNETS

DAME DES NEIGES

RUE JEAN-TALON   26

CHEMIN DE FER DU CANADIAN PACIFIQUE

PARC LÉGARÉ

RUISSEAU NOTRE

CHEMIN BEDFORD   20

PARC KENT

22

AVENUE VAN HORNE

AVENUE WESTBURY

PARC
VAN HORNE

AVENUE DARLINGTON

11

CHEMIN DE LA CÔTE-DES-NEIGES

AVENUE DECELLES

30

PARC
MACKENZIE-
KING

39   CHEMIN DE LA CÔTE-SAINTE-CATHERINE

5

23
9

37

VILLE D'OUTREMONT

AVENUE VICTORIA

28
10   29
          25
7

15

UNIVERSITÉ DE MONTRÉAL

16

12   >4

42

31

21   18

40 17

32   CIMETIÈRE DE NOTRE-DAME-DES-NEIGES

CHEMIN QUEEN MARY

13   8

27   ORATOIRE
             SAINT-JOSEPH

24

14

CHEMIN DE LA CÔTE-SAINT-LUC

38   2

35

33

Les numéros qui apparaissent sur la carte
correspondent aux numéros des photos.

Tableau synchronique des éléments architecturaux

LA BRIQUE

AVANT 1875-POREUSE, TEXTURE SABLONNEUSE, ARÊTES ARRONDIES, AUJOURD'HUI PEINTURÉE

APRÈS 1875 : PLUS LISSE, ARÊTES TRANCHANTES, MOINS POREUSE

COMMUNE

À PARTIR DE 1900 POLYCHROME-LISSE-CHAMOIS

À PARTIR DE 1920 POLYCHROME STRIÉE-RUSTIQUE-BRUNE

1905-1940 APOGÉE 1905-1915 VERNISSÉE

1900-1940 APOGÉE 1905-1915 CARREAU ORNEMENTAL

1890-1935 APOGÉE 1905-1915 APPAREILLAGE DÉCORATIF

1920-1930 DÉCORATIONS EN PIERRE/ARTIFICIELLE ET BRIQUE

FORME DE LA TOITURE

FAUSSE MANSARDE

PIGNON

TOIT TERRASSE

PAVILLON

MANSARDE

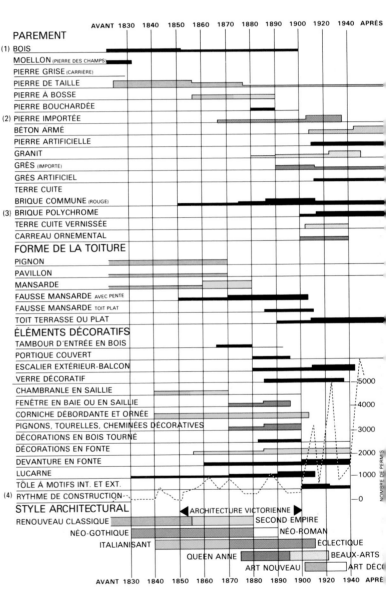

PAREMENT — FORME DE LA TOITURE — ÉLÉMENTS DÉCORATIFS — STYLE ARCHITECTURAL

Échelle : AVANT 1830 1840 1850 1860 1870 1880 1890 1900 1920 1940 APRÈS

PAREMENT
(1) BOIS
MOELLON (PIERRE DES CHAMPS)
PIERRE GRISE (CARRIÈRE)
PIERRE DE TAILLE
PIERRE À BOSSE
PIERRE BOUCHARDÉE
(2) PIERRE IMPORTÉE
BÉTON ARMÉ
PIERRE ARTIFICIELLE
GRANIT
GRÈS (IMPORTÉ)
GRÈS ARTIFICIEL
TERRE CUITE
BRIQUE COMMUNE (ROUGE)
(3) BRIQUE POLYCHROME
TERRE CUITE VERNISSÉE
CARREAU ORNEMENTAL

FORME DE LA TOITURE
PIGNON
PAVILLON
MANSARDE
FAUSSE MANSARDE AVEC PENTE
FAUSSE MANSARDE TOIT PLAT
TOIT TERRASSE OU PLAT

ÉLÉMENTS DÉCORATIFS
TAMBOUR D'ENTRÉE EN BOIS
PORTIQUE COUVERT
ESCALIER EXTÉRIEUR-BALCON
VERRE DÉCORATIF
CHAMBRANLE EN SAILLIE
FENÊTRE EN BAIE OU EN SAILLIE
CORNICHE DÉBORDANTE ET ORNÉE
PIGNONS, TOURELLES, CHEMINÉES DÉCORATIVES
DÉCORATIONS EN BOIS TOURNÉ
DÉCORATIONS EN FONTE
DEVANTURE EN FONTE
LUCARNE
TÔLE À MOTIFS INT. ET EXT.
(4) RYTHME DE CONSTRUCTION

NOMBRE DE PERMIS : 5000 / 4000 / 3000 / 2000 / 1000 / 0

STYLE ARCHITECTURAL
◄ ARCHITECTURE VICTORIENNE ►
RENOUVEAU CLASSIQUE
SECOND EMPIRE
NÉO-GOTHIQUE
NÉO-ROMAN
ITALIANISANT
ÉCLECTIQUE
QUEEN ANNE
BEAUX-ARTS
ART NOUVEAU
ART DÉCO

AVANT 1830 1840 1850 1860 1870 1880 1890 1900 1920 1940 APRÈS

(1) Bois: interdit dans le Vieux-Montréal après l'incendie de 1721, dans les faubourgs après celui de 1852, il demeure cependant en usage dans les villages jusqu'à leur annexion autour des années 1900.
(2) Pierre importée: pierre plus malléable que la pierre grise, se prêtant mieux aux motifs sculptés.
(3) Brique polychrome: de couleur variable et à texture rugueuse contrairement à la brique commune qui est rouge, lisse, et à texture sablonneuse.
(4) Certaines données de ce tableau proviennent des études de David B. Hanna, professeur au département de géographie, UQAM.

Architecture résidentielle

La maison de Montréal
Depuis le début de la colonie, la maison au
Québec s'est lentement transformée. À la ville
comme à la campagne, on a tenté de mieux
l'adapter à nos hivers rigoureux. Les fréquents
incendies dans la ville amèneront très tôt l'administration de Montréal à émettre des directives
détaillées sur les façons de la construire.
Ordonnance du 17 juin 1727...
*Ordonnons de... «bâtir aucune maison dans les vil-
les et gros bourgs, où il se trouvera de la pierre
commodément, autre qu'en pierres; défendons de
les bâtir en bois, de pièces sur pièces et de
colombage...»*
*«construire des «murs de refend» (1) qui excèdent
les toits et les coupent en différentes parties, ou
qui se séparent d'avec les maisons voisines, à
l'effet que le feu se communique moins de l'une à
l'autre...»*
*Défense de construire... «des toits brisés, dit à la
mansarde... qui font sur les toits une forêt de
bois...»*
Outre ces nombreux édits, le coût élevé des
terrains, la prédominance des locataires et la présence dans le sol de la pierre calcaire et d'une
argile propre à la brique ont favorisé la naissance
de la maison en rangée, typique à Montréal.
Cette maison type se rencontre, avec des
variantes, dans tous les quartiers de la ville,
mêlée à d'autres habitations moins nombreuses,
mais qui toutes ont connu leurs heures de popularité:
• la maison villageoise
• la maison urbaine traditionnelle
• la maison en rangée
• la villa
• la maison contiguë
• la maison semi-détachée
• la maison à logements multiples
• la maison de rapport.
Les maisons les plus représentatives du quartier seront reprises dans les pages suivantes pour
illustrer l'évolution du patrimoine résidentiel.

(1) Murs coupe-feu.

Dans le quartier Côte-des-Neiges, la maison d'un
ou deux logements, isolée ou jumelée, constitue le
type d'habitation le plus courant, représentant près
de la moitié des habitations construites avant 1930.
La forme du toit et l'ornementation suivent l'évolution des techniques de construction et les différentes phases de développement du quartier, jusqu'à
l'émergence des maisons de rapport vers 1925.

17. 4907-09, rue Piedmont
*Maison type de Côte-des-Neiges: deux niveaux, toit compo-
site ou plat, revêtement de brique et court escalier donnant
accès à de généreuses galeries.*

Les maisons de ferme
Côte-des-Neiges, reconnue pour la fertilité
de son sol, a été longtemps couverte de fermes
maraîchères et horticoles. Les familles souches,
les Roy, Desmarchais et autres, y habitèrent des
maisons rurales à proximité du chemin de la
Côte-des-Neiges, qui longeait le ruisseau
Raimbault. (1)
De celles-là, la maison sise à l'angle des rues
Decelles et Queen Mary, est la plus ancienne.
Construite en 1713 en bordure du chemin de la
Côte-des-Neiges, elle fut déplacée sur le site
actuel, en 1958, lors du réaménagement du carrefour Côte-des-Neiges et Queen Mary. Elle illustre
le type de maison construit au XVIIe siècle dans
les provinces du nord de la France et importé ici
par les premiers colons: «maison paysanne,
robuste, trapue, (...) puissamment ancrée dans le
sol comme un menhir solitaire, avec sa muraille
de pierre percée de petites ouvertures et ses timi-

(1) Du nom d'une autre famille souche, dont il traversait la terre.

18. 5085, rue Decelles, angle du chemin Queen Mary
*Cette maison est classée monument historique par le minis-
tère des Affaires culturelles.*

19. Maison Desmarchais
*Construite vers 1725, chemin de la Côte-des-Neiges,
aujourd'hui disparue.*

des lucarnes sur un toit simple à deux versants,
avec ses cheminées dominant un mur à pignon
souvent aveugle...» (1). Seul signe d'adaptation au
milieu, la toiture en fer blanc, dite tôle à la canadienne.

Chemin Bedford, on trouve une autre maison
de ferme, construite au début du XIXe siècle.
À plusieurs signes, on suit l'évolution vers une
habitation mieux adaptée au froid et à la neige: la
maison est dégagée du sol, la pente du toit s'est
adoucie et la toiture se prolonge au-delà de la
façade pour servir d'abri à la grande galerie.
La tôle à baguettes recouvre ici la toiture.

---

(1) Marsan, J.C., *Montréal en évolution*, Montréal, Fides,
1971, 423 p., p. 129.

20. Maison de ferme
2875, chemin Bedford.

21. *4300, chemin Queen Mary. La villa Terra Nova abrite aujourd'hui la manécanterie des petits chanteurs du Mont-Royal. La grande véranda est disparue. Maison coiffée d'un toit à pavillon. Plusieurs habitations, construites entre 1905 et 1930, emprunteront cette forme de toiture – à quatre versants et à sommet tronqué où s'insère une tourelle.*

La maison de villégiature

Site exceptionnel au flanc de la montagne, Côte-des-Neiges attire très tôt des gens fortunés. Vers 1700, le marquis de Vaudreuil, gouverneur de la Nouvelle-France, Pierre Raimbault, procureur du roi et Étienne Rocbert de la Morandière, garde des magasins de Sa Majesté, comptent parmi les grands propriétaires de ces lieux. Après la conquête, les riches anglophones s'y taillent à leur tour de vastes domaines, comme celui de «Snow Hill»: d'une superficie de 44 arpents, il est traversé par un ruisseau qui ne tarit jamais, planté de 500 pommiers, poiriers et cerisiers. La maison est pourvue d'une cave, de grandes pièces au rez-de-chaussée comme au premier étage et d'une mansarde logea-ble. À trois mètres de la demeure se trouve la cuisine avec les logis des domestiques. (1)

Deux anciennes villas, aujourd'hui situées sur le domaine de l'oratoire Saint-Joseph, ont conservé leur cadre champêtre. L'ancienne résidence de John Molson fils, appelée Terra Nova, constitue un des plus beaux exemples encore existants de villa montréalaise. Cette maison de campagne fut construite en 1848 par l'architecte George Browne. La vue s'étendait alors jusqu'aux lointaines Laurentides.

(1) *La Gazette de Montréal*, le 26 février 1798.

Les maisons victoriennes

Vers 1875, le toit en mansarde est à la mode. Connu en France, au XVIIᵉ siècle, grâce aux réalisations de François Mansard, architecte de Louis XIV, ce type de toiture coiffera les maisons des hauts personnages du début de la colonie. Interdit à Montréal en 1727, il sera réintroduit par les Loyalistes en 1776; un nouveau courant, d'origine américaine, le remet en vogue vers 1875. Il est alors plus léger, sa charpente se limitant à des pannes et chevrons alors que le modèle français proposait une lourde charpente à contreventement faîtier. Le toit à mansarde sera tout à fait au goût victorien et bien vite adopté par la bourgeoisie d'alors.

24. À droite, bâtiment administratif du cimetière Notre-Dame-des-Neiges. Le recouvrement du brisis est en feuillards de tôle.

22. 3600, rue Kent
La maison Roy, cachée derrière un édifice commercial. Le toit en mansarde est formé de deux pentes sur le même versant; la pente supérieure est appelée terrasson et la pente inférieure, brisis. Le recouvrement de la toiture est en bardeaux à motifs.

23. 3551, chemin de la Côte-Sainte-Catherine
La pente du terrasson est faible et difficilement perceptible; celle du brisis est légèrement galbée. Le recouvrement du brisis est en bardeaux d'asphalte.

25. 5350, rue Decelles
Maison bourgeoise construite vers 1900. Le toit en fausse mansarde comprend un pan fortement incliné vers la rue et une partie arrière en pente douce. Ce mode de construction fut, semble-t-il, très populaire dans l'ancien village de Côte-des-Neiges, site actuel du parc Jean-Brillant.

Les maisons à toit plat, de type ouvrier

Ce modèle, plus modeste que les précédents, s'adresse à la classe moyenne et ouvrière. Apparu vers 1910 à proximité de l'ancien village et des voies ferrées, il persiste jusqu'en 1930. La grande popularité du toit plat est due à son faible coût. Il est fait de planches sur lesquelles on étend plusieurs feuilles de papier bitumé que l'on enduit d'une forte couche de goudron liquide, par-dessus lequel on étend du gravier. La préfabrication et la standardisation des matériaux, amorcées vers 1885, expliquent la vogue de cette forme de toiture par la suite.

27. 4892, rue Victoria
Maison lambrissée de clins de bois et ornée d'une corniche en bois, rythmée de modillons. Construite vers 1900.

26. 7236-40, rue de Nancy
Maison à toit plat, recouverte de brique, construite au temps de la Première Guerre mondiale. Le toit plat se termine par une frise décorative réalisée au moyen d'appareillage de brique.

28. 3361-93, rue Lacombe
Un des rares exemples de maisons en rangée à Côte-des-Neiges. La maison montréalaise type – à trois niveaux, en brique, recouverte d'un toit plat et pourvue de longs escaliers extérieurs – est quasi absente de ce quartier.

216

29. 5283, rue Decelles
  Maison construite vers 1907 par la «Northmount Land». Le perron-galerie, courant sur une ou deux façades, avec colonnade de bois ou piliers massifs de brique et fronton-pignon, est un des éléments décoratifs typiques de ce quartier.

La maison de banlieue

Les promoteurs ont tôt fait de réaliser la valeur de ce nouveau quartier montréalais comme banlieue résidentielle. Vers 1910, plusieurs projets domiciliaires y voient le jour, destinés pour la plupart à une société aisée. La «Northmount Land» développe le secteur compris entre les rues Decelles et Louis-Colin, au sud du boulevard Édouard-Montpetit. Elle y construit une série de cottages, grandes maisons familiales, et des habitations jumelées. Les terrains n'ont que 7,62 mètres de largeur, et les maisons isolées sont donc construites sur deux lots ou un lot et demi.

30. 2519, chemin de la Côte-Sainte-Catherine
  Maisons construites à la limite d'Outremont.

Un autre développement prend forme à la limite d'Outremont, de part et d'autre du chemin de la Côte-Sainte-Catherine. Les lots qui atteignent ici 15,24 mètres de largeur, semblaient destinés à une société très aisée, désireuse de bâtir de grandes demeures luxueuses. Quelques habitations cossues y furent érigées mais surtout des maisons jumelées à faible marge latérale.

33. Maisons de «Rockledge Court», situées près de l'ancienne barrière à péage, angle Trafalgar et Côte-des-Neiges, en 1921.

31. Maisons jumelées situées dans l'ancien village de Snowdon et transformées en bâtiment résidentiel et commercial.

34. 4759, rue Victoria.
Maisons jumelées.

32. 4960-76, rue Ponsard
Maisons situées près du «Circle Road», à toit à pignon, inspirées par le mouvement «Arts and Crafts» venu d'Angleterre. Le toit se compose de pignons multiples et l'avant-toit excède de peu la façade.

Un troisième développement, celui du «Circle Road», prolonge la banlieue sélecte de Westmount. On y trace une grille de rues, refermée sur elle-même. Les îlots ont des formes irrégulières et les habitations luxueuses occupent des lots de grande superficie. Sur les rues Victoria, Grosvernor et Roslyn, on construit des habitations jumelées.

La maison de rapport

Vers 1925, le quartier est l'objet d'un véritable boom de la construction: maisons isolées ou jumelées et maisons de rapport couvrent le territoire. Apparue vers 1880, la maison de rapport est restée jusque-là confinée au centre-ville. On en comptera plus de quatre-vingt, sur les rues Édouard-Montpetit et Queen Mary, entre les années 1920 et 1930.

Le modèle le plus courant a les caractéristiques suivantes: trois niveaux, dégagement du sol de 1,24 à 1,55 mètre, toit plat et revêtement de brique. L'édifice est isolé ou construit en série de trois à six bâtiments.

37. 2201, rue Édouard-Montpetit
L'édifice comprend de six à douze logements. L'ornementation est réalisée au moyen de matériaux de couleur contrastante — linteaux, bandes verticales ou horizontales, médaillons. L'entrée se fait parfois imposante, soulignant le caractère prestigieux de l'édifice.

35. Construction du réservoir de Côte-des-Neiges en 1938. *En face, maison de rapport «Crescent Blueridge».*

38. 5145, chemin de la Côte-Saint-Luc
Quelques maisons de rapport regroupent de vingt à cinquante unités de logement. Le plan au sol est complexe; avancées et retraits des corps de bâtiment forment de petites cours assurant au logement un plus grand éclairage.

36. Les terrasses Decelles
Ensemble remarquable regroupé autour d'une cour intérieure.

9. *Écuries et chenils du «Montreal Hunt Club» en 1898, situés à l'emplacement actuel de l'hôpital Sainte-Justine.*

40. Maison de rapport, chemin Frère-André.
41. L'oratoire Saint-Joseph et l'Université de Montréal.
42. Maison de la Côte-des-Neiges.

«C'était jadis une coquetterie, parfois un snobisme, souvent une mode, c'est maintenant un quartier vivant et mûr parce qu'il a été habité.

Un quartier de la ville, c'est-à-dire une partie de ce Montréal merveilleux, une partie de cette ville, un visage de cette ville.

(...)Notre-Dame-de-Grâce, c'est mon quartier... Notre-Dame de Grâce, c'est l'air de l'été, les arbres qui se rejoignent au-dessus des rues pour dessiner de longs corridors, c'est la paix.[1]

«Pour m'extraire du flot de voitures qui encombrent l'autoroute Décarie, je prends la sortie de la rue Saint-Jacques. Une boucle et je débouche sur Côte-Saint-Antoine. Ce quartier de Montréal anciennement cossu, bien que charcuté par la grande trouée de l'autoroute, arbore un visage sans ride; le temps avait passé sur lui, sans grands heurts. Les maisons avaient gardé leur cachet: porches discrets, jardins et patios jalousement cachés par des haies de chèvrefeuilles couverts à cette époque de l'année de feuilles argentées.

(...) Sur la pelouse un couple d'écureuils gambadaient insouciants du vacarme des voitures et des autobus surchargés, là-bas, rue Sherbrooke. En rangées tapageuses, avec des bruissements d'ailes mêlés à des couacs aigus, une avalanche d'oies blanches dessina des éclairs d'argent dans le ciel de l'avenue Oxford.»[2]

1 Pilon, Jean-Guy, *Le présent est aussi le prélude de l'avenir*, Liberté, vol. 5, n° 4, juillet-août 1963.
2 Ollivier, Émile, *Passages*, éditions de l'Hexagone, 1991.

8 Notre-Dame-de-Grâce

Le patrimoine de Montréal
Quartier Notre-Dame-de-Grâce

Notre-Dame-de-Grâce

Au XIXᵉ siècle, la paroisse de Notre-Dame-de-Grâce couvre l'étendue du coteau Saint-Pierre, cet immense plateau où prennent place aujourd'hui le quartier Notre-Dame-de-Grâce et les municipalités de Hampstead, de Montréal-Ouest et d'une partie de celle de Côte-Saint-Luc. Ce territoire longtemps agricole, surnommé «le verger de Montréal», devint, au tournant du siècle, une des banlieues vertes de la ville. Le quartier Notre-Dame-de-Grâce a su conserver jusqu'à aujourd'hui une nature particulièrement belle: parterres, futaies et ombrages forment un cadre naturel autour des bâtiments neufs et anciens.

2. Croix de chemin, chemin de la Côte-Saint-Luc, en 1938.

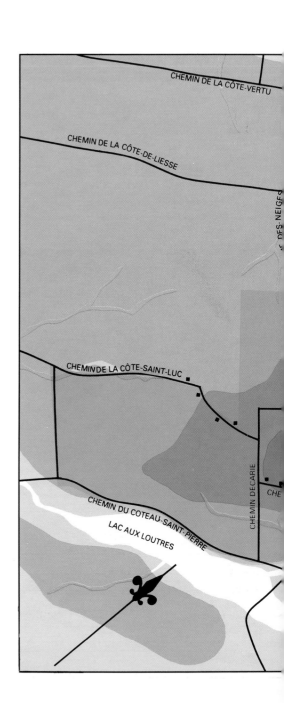

Photo de la page précédente:
1. Une des maisons Décarie
   chemin de la Côte-Saint-Antoine.

Relief et cours d'eau de Montréal au XVIIIe siècle

S-LAURENT

DE LA CÔTE-SAINT-LAURENT

VILLAGE DE
CÔTE-SAINT-MICHEL

CHEMIN DE LA CÔTE-SAINT-MICHEL

CHEMIN DE SAINTE-CATHERINE

CHEMIN DE SAINT-MICHEL

ÔTE-DES-NEIGES

CHEMIN DE LA CÔTE-SAINTE-CATHERINE

CHEMIN DES CARRIÈRES

CHEMIN DE LA CÔTE-DE-LA-VISITATION

TANNERIE
DES BELLAIR

CHEMIN DE LA CÔTE DES NEIGES

CHEMIN PAPINEAU

FORT
DE LA
MONTAGNE

LIMITES DE MONTRÉAL

CHEMIN SAINT-LAURENT

INT-ANTOINE

ND

100 CHAINES

PETITE CÔTE SAINT-ANTOINE

FORTIFICATIONS
DE VILLE-MARIE

RUISSEAU SAINT-MARTIN

FLEUVE SAINT-LAURENT

TRAVERSE

FORT DES
SULPICIENS

CHEMIN DE LACHINE

ÎLE
SAINTE-HÉLÈNE

8.1

Sur les hauteurs du coteau Saint-Pierre   Avant 1850

En 1650, la petite colonie de Montréal, confinée dans son enceinte de bois, n'a que huit ans d'existence. Mais dès lors, Maisonneuve songe à la mieux défendre contre les attaques amérindiennes et à nourrir la communauté naissante. Il cède donc des terres à des colons, en différents points de l'île, à Lachine, Rivière-des-Prairies, ou en des lieux moins éloignés, comme au Coteau-Saint-Pierre.

Immense plateau, le coteau Saint-Pierre est borné à l'ouest par les terres de Lachine et à l'est, par la Côte-des-Neiges; au nord, il s'étend jusqu'aux terres de Côte-Saint-Luc; au sud, il est bordé par le chemin de Lachine, dit chemin du Coteau-Saint-Pierre (1). Au pied du coteau, coule la rivière Saint-Pierre. C'est sur ce plateau, à proximité du chemin de Lachine, que s'installe Jean Décarie, un des premiers résidents du quartier, venu au pays en 1650, avec d'autres recrues de Jeanne Mance. Sur la terre qui lui fut concédée en 1666, il construit une solide maison de pierre qui sera habitée par ses descendants jusqu'au début du XXe siècle.

Pour accéder au Coteau-Saint-Pierre, on emprunte vers l'ouest, le chemin de la Côte-Saint-Antoine, ancien sentier amérindien qui longe le flanc de la «petite montagne» (2) jusqu'au point d'entrée des fourrures en provenance de la rivière Ottawa. C'est en bordure de cette piste que les sulpiciens établissent, en 1669, leur mission amérindienne, dite «Fort de la montagne». En 1687, ils concéderont les terres qui bordent ce chemin aux familles Hurtubise, Prud'homme, Leduc et à d'autres fermiers qu'attire la fertilité de ces lieux. Le plus souvent, les sulpiciens, seigneurs de l'île de Montréal depuis 1663, cèdent gracieusement les terres aux colons. Mais selon les clauses du système seigneurial, ces derniers doivent redevances à leur seigneur: ainsi, pour cent arpents de terre en culture, la redevance annuelle est de cinquante cents, un boisseau de blé ou deux chapons. La tenure seigneuriale perdurera jusqu'en 1859.

La conquête, puis l'indépendance américaine en 1774, amèneront au pays militaires, marchands et Loyalistes. Ceux-ci s'établissent au flanc de la montagne ou sur les hauteurs de la ville, choisissant les plus beaux sites. Un de ceux-là, William Powell, bâtit sa maison de campagne au Coteau-Saint-Pierre, à l'emplacement actuel du couvent Villa-Maria. En 1795, il vend ce magnifique domaine de cent vingt-cinq acres à James Monk, également de souche loyaliste. Le «Monklands» devient, en 1844, le lieu de résidence du gouverneur du Canada jusqu'à ce que Montréal perde, en 1849, son titre de capitale du pays. Cet événement se produisit lorsque lord Elgin, alors gouverneur, sanctionna la loi d'amnistie des personnes impliquées dans les troubles de 1837-1838. Il s'ensuivit de violentes émeutes et l'incendie du Parlement, alors situé au marché Sainte-Anne, actuelle place d'Youville.

Il n'y a que soixante-dix familles d'agriculteurs sur le coteau vers 1850. Celles-ci sont bien mal desservies par l'église paroissiale Notre-Dame, située dans le Vieux-Montréal. Les sulpiciens décident alors d'y établir une mission et entreprennent la construction de l'église Notre-Dame-de-Toute-Grâce, qui existe encore aujourd'hui.

3. Maison ancestrale, démolie au début du siècle pour faire place au «Round House» du Canadien Pacifique, situé à la cour Glen.

(1) Actuelle rue Saint-Jacques et «Upper Lachine Road».
(2) Aujourd'hui Westmount. Source: A. Gubbay et S. Hooff, La «Petite Montagne»: un portrait de Westmount, Westmount, Livres Trillium, © 1979, 131 p.

Petit village rural!

1850-1900

4. Le couvent Villa-Maria, en 1871.

La campagne est belle et l'endroit se prête à la villégiature. Un célèbre hôtelier du Vieux-Montréal, Sébastien Compain (1), transforme alors le domaine «Monklands» en un hôtel très sélect. On y voit plusieurs fois le jour, le cocher, venu de Montréal, déverser son cortège de «beau monde». Mais en 1854, la Congrégation de Notre-Dame, — qui vient de vendre à la compagnie du Grand Tronc (2) ses terres à la Pointe-Saint-Charles — achète le domaine «Monklands» et y érige le magnifique complexe institutionnel Villa-Maria. Les sulpiciens ont aussi, vers 1870, une maison de campagne à Notre-Dame-de-Grâce: cette demeure, appelée l'Arche de Noé, sise à l'emplacement actuel de l'école paroissiale, était un simple et vaste bâtiment en bois, sans commune mesure avec la résidence «Monklands».

Le village se concentre autour de l'église paroissiale, rues Décarie, Botrel et Addington. Mais vers 1860, une petite communauté isolée se forme au pied du coteau. c'est le village Turcot, carrefour du chemin de la Côte-Saint-Paul et de la voie ferrée Montréal-Lachine (2). Les gens du coteau y accèdent par le sentier longeant le ruisseau Glen, aujourd'hui avenue Glen, à Westmount. Les ouvriers du village Turcot travaillent dans les fermes des environs, à la briqueterie Décarie ou aux abattoirs de l'Ouest, situés dans Saint-Henri, à l'emplacement actuel du square George-Étienne-Cartier.

Le vaste territoire de Notre-Dame-de-Grâce, qui s'étend alors de l'avenue Atwater aux limites de Lachine, est bientôt morcelé. À tour de rôle, Westmount, dit le village de la Côte-Saint-Antoine (1876), ville Saint-Pierre (1893), Montréal-Ouest (1897) et Côte-Saint-Luc (1903), se séparent du village d'origine qui prend nom de Notre-Dame-de-Grâce Ouest.

Village d'agriculteurs, il offre une ambiance des plus rurales. Vers 1900, on y voit encore le spectacle des carrioles amenant les fermiers à la messe du dimanche et celui du grand poêle à bois dans l'église, avec les vieux bancs d'autrefois (3). Les vergers sont nombreux et les pommes du coteau Saint-Pierre sont exportées jusqu'en Angleterre. Les gamins de Saint-Henri y «viennent aux pommes». Sur la ferme Décarie, on cultive un melon, reconnu pour sa saveur et son gigantisme — il pèse jusqu'à 11 kilogrammes. Cette famille en a implanté la culture à Montréal et le «melon Décarie» était fort prisé dans les grands hôtels de Montréal et de New York. Notre-Dame-de-Grâce était alors le grand verger de Montréal.

---

(1) Propriétaire du «Dillon Coffee House».
(2) Voir fascicule n° 1. (Voir volume, chapitre 1.)
(3) O. Maurault, *Cent ans de vie paroissiale*, 1853-1953, p. 23.

Banlieue résidentielle verdoyante   Après 1900

Juché sur le coteau, le village de Notre-Dame-de-Grâce est toujours isolé. Le petit tramway de la «Montreal Park & Island» quitte Montréal, angle des avenues du Parc et du Mont-Royal, contourne la montagne et atteint la gare Snowdon. En 1908, le prolongement du circuit à travers la ferme Décarie permet enfin d'atteindre Montréal par un plus court chemin. Voici le savoureux récit d'une randonnée, au moment où le «p'tit char» va atteindre Notre-Dame-de-Grâce.

«...Ayant à demi contourné le coquet village de Côte-des-Neiges, notre wagon s'élançait comme un bolide dans la fameuse pente (chemin de la Reine-Marie) qui vient mourir à Snowdon. Alors, c'était l'ivresse, la griserie. (...) nous roulions sur un rail dégagé, posé sur des dormants. (...) Sur nos têtes, les branches des arbres magnifiques formaient une arche et heurtait la toiture du tramway. Puis c'était Snowdon, petite maison de raccordement surgie de la forêt. Nous lorgnions avec curiosité le tram en partance pour Saint-Laurent et Cartierville. Après cette halte, notre voiture se remettait en marche sans précipitation, cette fois, à cause des nombreux lacets de la route. En peu de temps, nous avions atteint le verdoyant village de Notre-Dame-de-Grâce. Par la pensée, nous saluions les Prud'homme, les Décarie, braves gens dont la vie s'écoule au milieu des fleurs de leurs splendides jardins. L'instant d'après, c'était de nouveau Montréal, le charme était rompu». (1)

En voiture, les communications ne sont guère plus faciles. La rue Décarie, principale artère du village, se termine au chemin Queen Mary. Pour atteindre Cartierville plus au nord, on doit faire un grand détour par le chemin de la Côte-des-Neiges. L'avenue Clanranald s'arrête à la piste de course «Blue Bonnets», ouverte en 1906. La jonction du chemin Queen Mary et du boulevard Décarie forme donc à l'époque un important carrefour autour duquel grandit le petit hameau de Snowdon.

Le chemin de fer influera de façon décisive sur le développement du village, le reliant rapidement au centre-ville via la gare de la rue Hadley. Il en fera une banlieue résidentielle prospère, particulièrement recherchée des hommes d'affaires et des Montréalais anglophones. Notre-Dame-de-Grâce fut annexée à Montréal en 1910.

5. «Snowdon Junction», au carrefour du boulevard Décarie et du chemin Queen Mary en 1912.

En 1914, le lotissement s'arrête, vers l'ouest, à la rue Madison. Alors qu'on dénombre, à l'aube de la Première Guerre mondiale, cinq mille habitants dans le quartier, on en comptera cinquante mille à l'approche de la Seconde Guerre. Saut démographique prodigieux qui s'accompagne d'un développement résidentiel équivalent. Les derniers vergers disparaîtront vers 1930 et sur les fermes Décarie, Benny, et Brodie s'élèveront des maisons jumelées et des édifices de rapport, faisant de ce quartier un des plus populeux de la ville.

Le boulevard Décarie ne sera prolongé jusqu'à la rue Jean-Talon qu'en 1932. Dans les années 60, la Ville de Montréal, remplira une de ses promesses d'annexion, celle de l'ouverture d'une rue de 30 mètres de largeur, de la gare Snowdon au village de Saint-Laurent. Cette dernière prend la forme de l'autoroute Décarie, large tranchée de béton creusée au coeur même de l'ancien village. Ailleurs, la nature conserve droit de cité et le quartier Notre-Dame-de-Grâce offre encore aujourd'hui un cadre de verdure exceptionnel.

(1) Extrait de *Echo-Journal*, le 4 déc. 1946, dans *Album souvenir de Notre-Dame-des-Neiges* 1901-1951.

les étapes du développement

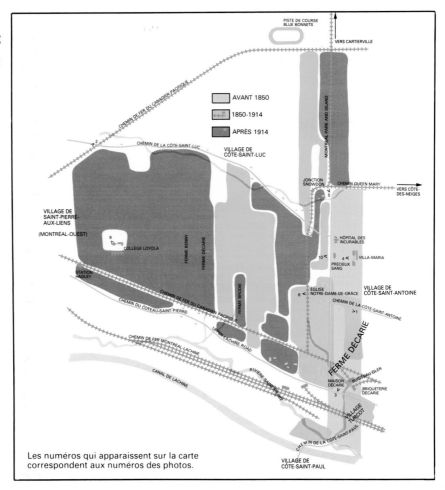

AVANT 1850

1850-1914

APRÈS 1914

PISTE DE COURSE
BLUE BONNETS

VERS CARTIERVILLE

CHEMIN DE FER DU CANADIEN PACIFIQUE

CHEMIN DE LA CÔTE-SAINT-LUC

VILLAGE DE
CÔTE-SAINT-LUC

MONTREAL PARK AND ISLAND

JONCTION
SNOWDON

CHEMIN QUEEN MARY

VERS CÔTE-
DES-NEIGES

VILLAGE DE
SAINT-PIERRE-
AUX-LIENS

(MONTRÉAL-OUEST)

COLLÈGE LOYOLA

FERME BENNY

FERME DÉCARIE

HÔPITAL DES
INCURABLES

VILLA-MARIA

PRÉCIEUX
SANG

STATION
HADLEY

CHEMIN DE FER DU CANADIEN PACIFIQUE

CHEMIN DU COTEAU-SAINT-PIERRE

FERME BRODIE

ÉGLISE
NOTRE-DAME-DE-GRÂCE

VILLAGE DE
CÔTE-SAINT-ANTOINE

CHEMIN DE LA CÔTE-SAINT-ANTOINE

CHEMIN DE FER MONTRÉAL LACHINE

UPPER LACHINE ROAD

FERME DÉCARIE

CANAL DE LACHINE

RIVIÈRE SAINT-PIERRE

RUISSEAU GLEN

MAISON
DÉCARIE

BRIQUETERIE
DÉCARIE

VILLAGE
TURCOT

CHEMIN DE LA CÔTE-SAINT-PAUL

Les numéros qui apparaissent sur la carte
correspondent aux numéros des photos.

VILLAGE DE
CÔTE-SAINT-PAUL

Tableau synchronique des événements historiques 1700-1945

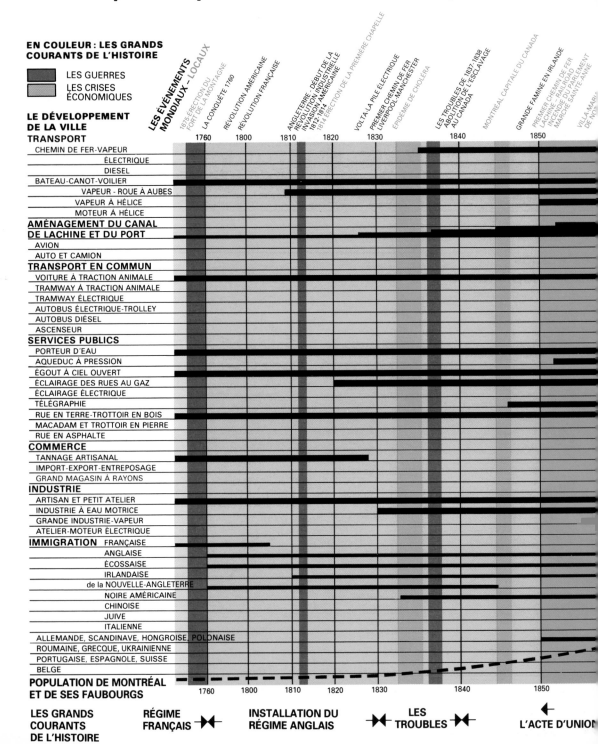

EN COULEUR : LES GRANDS COURANTS DE L'HISTOIRE

- LES GUERRES
- LES CRISES ÉCONOMIQUES

LE DÉVELOPPEMENT DE LA VILLE

LES ÉVÉNEMENTS MONDIAUX – LOCAUX

1675-ÉRECTION DU FORT DE LA MONTAGNE
LA CONQUÊTE 1760
RÉVOLUTION AMÉRICAINE
RÉVOLUTION FRANÇAISE
ANGLETERRE : DÉBUT DE LA RÉVOLUTION INDUSTRIELLE
INVASION AMÉRICAINE
1812-1814
1814 ÉRECTION DE LA PREMIÈRE CHAPELLE
VOLTA-LA PILE ÉLECTRIQUE
PREMIER CHEMIN DE FER LIVERPOOL-MANCHESTER
ÉPIDÉMIE DE CHOLÉRA
LES TROUBLES DE 1837-1838
ABOLITION DE L'ESCLAVAGE AU CANADA
MONTRÉAL CAPITALE DU CANADA
GRANDE FAMINE EN IRLANDE
PREMIER CHEMIN DE FER LACHINE
INCENDIE DU PARLEMENT
MARCHE SAINTE-ANNE
VILLA-MARIA

TRANSPORT   1760   1800   1810   1820   1830   1840   1850

CHEMIN DE FER-VAPEUR	
ÉLECTRIQUE	
DIESEL	
BATEAU-CANOT-VOILIER	
VAPEUR - ROUE À AUBES	
VAPEUR À HÉLICE	
MOTEUR À HÉLICE	

AMÉNAGEMENT DU CANAL DE LACHINE ET DU PORT

AVION	
AUTO ET CAMION	

TRANSPORT EN COMMUN

VOITURE À TRACTION ANIMALE	
TRAMWAY À TRACTION ANIMALE	
TRAMWAY ÉLECTRIQUE	
AUTOBUS ÉLECTRIQUE-TROLLEY	
AUTOBUS DIÉSEL	
ASCENSEUR	

SERVICES PUBLICS

PORTEUR D'EAU	
AQUEDUC À PRESSION	
ÉGOUT À CIEL OUVERT	
ÉCLAIRAGE DES RUES AU GAZ	
ÉCLAIRAGE ÉLECTRIQUE	
TÉLÉGRAPHIE	
RUE EN TERRE-TROTTOIR EN BOIS	
MACADAM ET TROTTOIR EN PIERRE	
RUE EN ASPHALTE	

COMMERCE

TANNAGE ARTISANAL	
IMPORT-EXPORT-ENTREPOSAGE	
GRAND MAGASIN À RAYONS	

INDUSTRIE

ARTISAN ET PETIT ATELIER	
INDUSTRIE À EAU MOTRICE	
GRANDE INDUSTRIE-VAPEUR	
ATELIER-MOTEUR ÉLECTRIQUE	

IMMIGRATION   FRANÇAISE

ANGLAISE	
ÉCOSSAISE	
IRLANDAISE	
de la NOUVELLE-ANGLETERRE	
NOIRE AMÉRICAINE	
CHINOISE	
JUIVE	
ITALIENNE	
ALLEMANDE, SCANDINAVE, HONGROISE, POLONAISE	
ROUMAINE, GRECQUE, UKRAINIENNE	
PORTUGAISE, ESPAGNOLE, SUISSE	
BELGE	

POPULATION DE MONTRÉAL ET DE SES FAUBOURGS   1760   1800   1810   1820   1830   1840   1850

LES GRANDS COURANTS DE L'HISTOIRE

RÉGIME FRANÇAIS ►◄   INSTALLATION DU RÉGIME ANGLAIS   ►◄ LES TROUBLES ►◄   ◄— L'ACTE D'UNION

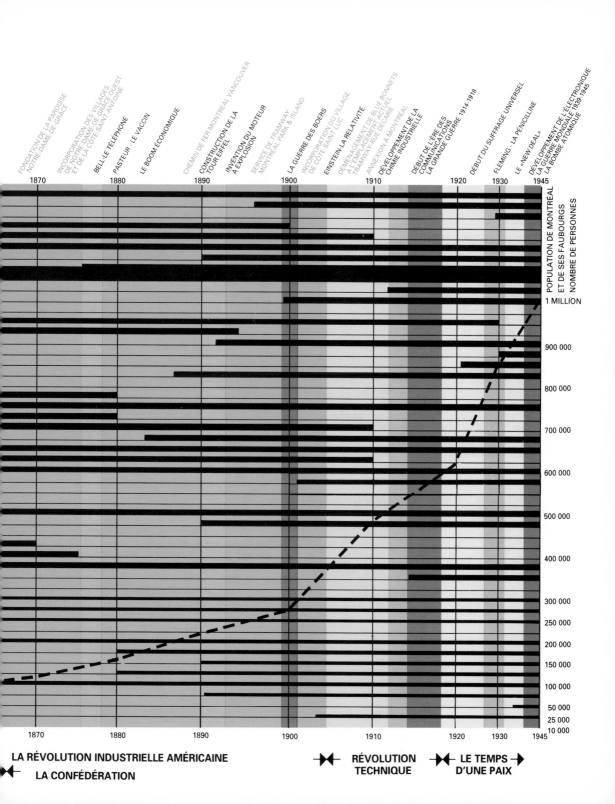

FONDATION DE LA PAROISSE
NOTRE-DAME-DE-GRÂCE

INCORPORATION DES VILLAGES
DE NOTRE-DAME-DE-GRÂCE OUEST
ET DE LA CÔTE-SAINT-ANTOINE

BELL-LE TÉLÉPHONE

PASTEUR – LE VACCIN

LE BOOM ÉCONOMIQUE

CHEMIN DE FER MONTRÉAL VANCOUVER

CONSTRUCTION DE LA
TOUR EIFFEL

INVENTION DU MOTEUR
À EXPLOSION

SERVICE DE TRAMWAY
MONTREAL PARK & ISLAND

LA GUERRE DES BOERS

INCORPORATION DU VILLAGE
DE CÔTE-SAINT-LUC

EINSTEIN-LA RELATIVITÉ

DÉMÉNAGEMENT DE BLUE BONNETS
À L'EMPLACEMENT ACTUEL
TRAMWAY RUE DECARIE

ANNEXION À MONTRÉAL

DÉVELOPPEMENT DE LA
CHIMIE INDUSTRIELLE

DÉBUT DE L'ÈRE DES
COMMUNICATIONS
LA GRANDE GUERRE 1914-1918

DÉBUT DU SUFFRAGE UNIVERSEL

FLEMING – LA PÉNICILLINE

LE «NEW DEAL»

DÉVELOPPEMENT DE L'ÉLECTRONIQUE
LA GUERRE MONDIALE 1939-1945
LA BOMBE ATOMIQUE

POPULATION DE MONTRÉAL
ET DE SES FAUBOURGS
NOMBRE DE PERSONNES

1870   1880   1890   1900   1910   1920   1930   1945

1 MILLION
900 000
800 000
700 000
600 000
500 000
400 000
300 000
250 000
200 000
150 000
100 000
50 000
25 000
10 000

1870   1880   1890   1900   1910   1920   1930   1945

LA RÉVOLUTION INDUSTRIELLE AMÉRICAINE

►◄ **LA CONFÉDÉRATION**

►◄ **RÉVOLUTION** ►◄ **LE TEMPS** ►
TECHNIQUE   **D'UNE PAIX**

Architecture publique et institutionnelle d'hier et d'aujourd'hui

Le Coteau-Saint-Pierre s'est développé autour de l'église Notre-Dame-de-Grâce. Mère de sept paroisses de l'ouest de l'île, cette église doit sa renommée à son âge vénérable et à la qualité de sa réalisation. Elle fut construite en 1851 par John Ostell, également architecte de l'église Notre-Dame. Son campanile, ajouté en 1923, est l'oeuvre d'un autre architecte réputé, J. Omer Marchand. Il loge une bibliothèque et une petite chapelle. Le magnifique presbytère d'Ostell abritera les dominicains à leur arrivée dans la paroisse en 1901. En 1923, cette communauté fera construire le monastère adjacent à l'église qui, par son échelle et son revêtement, s'intégrera parfaitement à l'ensemble. Il en est autrement du manoir Notre-Dame-de-Grâce qui, en 1956, viendra remplacer le presbytère.

L'implantation de la communauté anglophone dans le quartier vers 1920 se traduit par l'érection de plusieurs églises et écoles. Mentionnons celle de l'église catholique St. Augustine, suivie de la construction de sept temples protestants caractérisés par une architecture plus recherchée et imposante qu'ailleurs à Montréal. Les écoles du quartier, à l'image des édifices scolaires montréalais, sont en brique, à trois ou quatre niveaux, égayées en façade par une corniche saillante et un décor fait d'appareillage de brique.

7. École Saint-Antonin, située dans l'ancien village de Snowdon. 5010-20, avenue Coolbrooke.

Les grandes maisons d'enseignement

Précieux joyau du quartier, le couvent Villa-Maria s'insère dans un vaste domaine de soixante acres, comme il en existe peu à Montréal. L'édifice central est constitué de l'ancienne villa de James Monk, construite vers 1800; devenue résidence du gouverneur du Canada en 1844, cette villa subira diverses modifications sous la gouverne de l'architecte George Browne.

Pour répondre aux besoins de leurs pensionnaires, les soeurs de la Congrégation font construire l'aile ouest du bâtiment en 1855 et l'aile est en 1869; divers autres éléments s'ajouteront jusqu'à 1930, toujours avec un souci de composition symétrique. L'ensemble présente donc une grande unité visuelle.

La maison mère occupe, jusqu'en 1893, l'emplacement actuel des bâtiments de ferme; incendiée, elle fut reconstruite avenue Atwater (1). Le soubassement de l'ancienne chapelle sert aujourd'hui de fondation au charnier de la communauté. La résidence du Sacré-Coeur, la grange et la conserverie furent vraisemblablement reconstruites avec les matériaux des édifices brûlés. Vers 1935, on vendait encore aux résidents du quartier la production agricole excédentaire de la ferme.

6. L'église et le presbytère Notre-Dame-de-Grâce; à l'emplacement de ce dernier, on trouve aujourd'hui le manoir Notre-Dame-de-Grâce.

(1) Voir fascicule n° 2. (Voir volume, chapitre 2.)

8. Le couvent Villa-Maria au premier plan. À l'arrière, les bâtiments de ferme: la grange, la laiterie et le chantier.

9. Vue du collège Loyola; les édifices ont été construits en 1913.

À l'extrémité ouest de Notre-Dame-de-Grâce, on trouve le campus du collège Loyola d'une superficie de 50 acres. Depuis la fondation du collège Sainte-Marie, en 1848, les jésuites, dont plusieurs sont Américains, enseignent à l'élite anglophone. La demande augmentant, ils achètent, en 1900, une des nombreuses terres de la famille Décarie et y érigent un collège anglophone indépendant, aujourd'hui intégré à l'Université Concordia.

Le bâtiment principal recrée l'ambiance des collèges anglais d'Oxford et de Cambridge. De style Tudor, le collège présente une silhouette animée par le jeu polychrome de la brique et de la pierre. L'entrée et la tour massive aux ornements gothiques soulignent l'asymétrie de l'ensemble.

Les murs principaux se perdent en une enfilade de fenêtres séparées par des contreforts élaborés. La chapelle Saint-Ignace, construite en 1932, s'harmonise fort bien aux pavillons érigés en 1913.

Les oeuvres sociales

Au XIXe siècle, les communautés religieuses assument un rôle social prépondérant. Elles ont à leur crédit un nombre considérable d'oeuvres de toute sorte. Il en est ainsi de l'orphelinat de la Providence fondé en 1832 à la suite d'une terrible épidémie de choléra et géré par les soeurs Grises depuis 1889. L'édifice en brique, rue Décarie, construit pendant la Première Guerre mondiale, loge aujourd'hui la villa Notre-Dame-de-Grâce. Avant la construction de l'autoroute Décarie, ce dernier formait avec le monastère du Précieux-Sang, vénérable bâtiment construit en 1874 et adossé au domaine du couvent Villa-Maria, un noyau institutionnel d'envergure.

La communauté protestante misera davantage sur le rôle des laïcs et la générosité des mécènes. Il en est résulté l'institut MacKay, refuge pour enfants sourds et infirmes, fondé en 1860 et logé depuis 1963 dans un édifice moderne du boulevard Décarie; l'hôpital Catherine Booth, fondé en 1890 par l'Armée du Salut et l'hôpital Queen Elisabeth, réalisé grâce à des souscriptions privées. Les édifices actuels datent des années 20.

10. Le monastère du Précieux-Sang, 4361, boulevard Décarie.

Pour terminer, mentionnons un édifice public d'intérêt historique pour la communauté locale: la caserne de pompiers rue Botrel, construite par la Ville de Montréal pour faire suite à la promesse faite lors de l'annexion. Ce bâtiment, oeuvre de l'architecte Théo Daoust, est de conception moderne, mariant en façade pierre, brique et terra-cotta. Sa conversion en maison de la culture lui redonne une place d'honneur au coeur du quartier.

11. Poste de pompiers et de police rue Botrel, devenu maison de la culture Notre-Dame-de-Grâce.

Carte du quartier

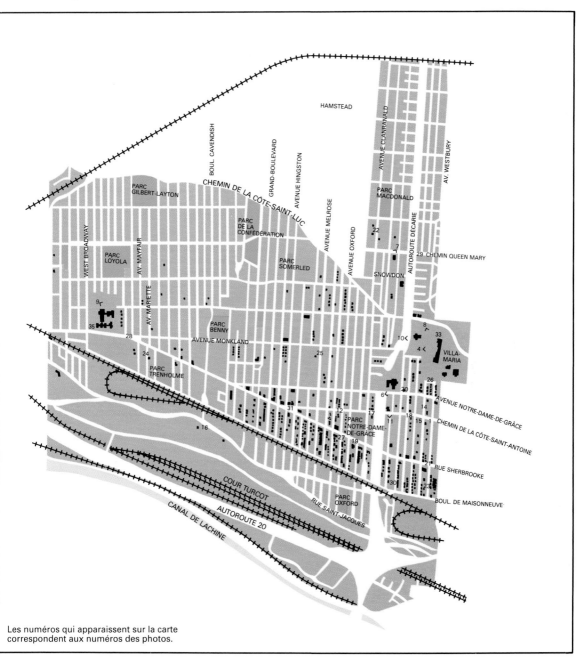

Les numéros qui apparaissent sur la carte
correspondent aux numéros des photos.

Tableau synchronique des éléments architecturaux

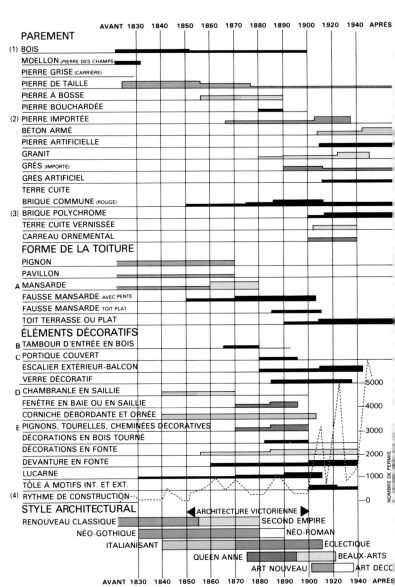

LA BRIQUE

AVANT 1875-POREUSE, TEXTURE SABLONNEUSE, ARÊTES ARRONDIES, AUJOURD'HUI PEINTURÉE

APRÈS 1875 : PLUS LISSE, ARÊTES TRANCHANTES, MOINS POREUSE

COMMUNE

À PARTIR DE 1900 POLYCHROME LISSE-CHAMOIS

À PARTIR DE 1920 POLYCHROME STRIÉE-RUSTIQUE-BRUNE

1905-1940 APOGÉE 1905-1915 VERNISSÉE

1900-1940 APOGÉE 1905-1915 CARREAU ORNEMENTAL

1890-1935 APOGÉE 1905-1915 APPAREILLAGE DÉCORATIF

1920-1930 DÉCORATIONS EN PIERRE ARTIFICIELLE ET BRIQUE

FORME DE LA TOITURE

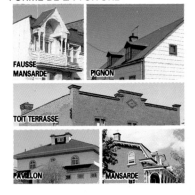

FAUSSE MANSARDE

PIGNON

TOIT TERRASSE

PAVILLON

MANSARDE

PAREMENT — AVANT 1830 1840 1850 1860 1870 1880 1890 1900 1920 1940 APRÈS

(1) BOIS
MOELLON (PIERRE DES CHAMPS)
PIERRE GRISE (CARRIÈRE)
PIERRE DE TAILLE
PIERRE À BOSSE
PIERRE BOUCHARDÉE
(2) PIERRE IMPORTÉE
BÉTON ARMÉ
PIERRE ARTIFICIELLE
GRANIT
GRÈS (IMPORTÉ)
GRÈS ARTIFICIEL
TERRE CUITE
BRIQUE COMMUNE (ROUGE)
(3) BRIQUE POLYCHROME
TERRE CUITE VERNISSÉE
CARREAU ORNEMENTAL

FORME DE LA TOITURE

PIGNON
PAVILLON
A MANSARDE
FAUSSE MANSARDE AVEC PENTE
FAUSSE MANSARDE TOIT PLAT
TOIT TERRASSE OU PLAT

ÉLÉMENTS DÉCORATIFS

B TAMBOUR D'ENTRÉE EN BOIS
C PORTIQUE COUVERT
ESCALIER EXTÉRIEUR-BALCON
VERRE DÉCORATIF
D CHAMBRANLE EN SAILLIE
FENÊTRE EN BAIE OU EN SAILLIE
CORNICHE DÉBORDANTE ET ORNÉE
E PIGNONS, TOURELLES, CHEMINÉES DÉCORATIVES
DÉCORATIONS EN BOIS TOURNÉ
DÉCORATIONS EN FONTE
DEVANTURE EN FONTE
LUCARNE
TÔLE À MOTIFS INT. ET EXT.
(4) RYTHME DE CONSTRUCTION

NOMBRE DE PERMIS : 5000 — 4000 — 3000 — 2000 — 1000 — 0

STYLE ARCHITECTURAL

◄ARCHITECTURE VICTORIENNE►
RENOUVEAU CLASSIQUE
SECOND EMPIRE
NÉO-GOTHIQUE
NÉO-ROMAN
ITALIANISANT
ÉCLECTIQUE
QUEEN ANNE
BEAUX-ARTS
ART NOUVEAU
ART DÉCO

AVANT 1830 1840 1850 1860 1870 1880 1890 1900 1920 1940 APRÈS

(1) Bois: interdit dans le Vieux-Montréal après l'incendie de 1721, dans les faubourgs après celui de 1852, il demeure cependant en usage dans les villages jusqu'à leur annexion autour des années 1900.
(2) Pierre importée: pierre plus malléable que la pierre grise, se prêtant mieux aux motifs sculptés.
(3) Brique polychrome: de couleur variable et à texture rugueuse contrairement à la brique commune qui est rouge, lisse, et à texture sablonneuse.
(4) Certaines données de ce tableau proviennent des études de David B. Hanna, professeur au département de géographie, UQAM.

Architecture résidentielle

La maison de Montréal

Depuis le début de la colonie, la maison au Québec s'est lentement transformée. À la ville comme à la campagne, on a tenté de mieux l'adapter à nos hivers rigoureux. Les fréquents incendies dans la ville amèneront très tôt l'administration de Montréal à émettre des directives détaillées sur les façons de la construire.
Ordonnance du 17 juin 1727...

Ordonnons de... «bâtir aucune maison dans les villes et gros bourgs, où il se trouvera de la pierre commodément, autre qu'en pierres; défendons de les bâtir en bois, de pièces sur pièces et de colombage...»

construire des «murs de refend» (1) qui excèdent les toits et les coupent en différentes parties, ou qui les séparent d'avec les maisons voisines, à l'effet que le feu se communique moins de l'une à l'autre...»

Défense de construire... «des toits brisés, dit à la mansarde... qui font sur les toits une forêt de bois...»

Outre ces nombreux édits, le coût élevé des terrains, la prédominance des locataires et la présence dans le sol de la pierre calcaire et d'une argile propre à la brique, ont favorisé la naissance de la maison en rangée, typique à Montréal.

Cette maison type se rencontre, avec des variantes, dans tous les quartiers de la ville, mêlée à d'autres habitations moins nombreuses, mais qui toutes ont connu leurs heures de popularité:
- la maison villageoise
- la maison urbaine traditionnelle
- la maison en rangée
- la villa
- la maison contiguë
- la maison semi-détachée
- la maison à logements multiples
- la maison de rapport.

Les maisons les plus représentatives du quartier sont reprises dans les pages suivantes pour illustrer l'évolution du patrimoine résidentiel.

---

1) Murs coupe-feu.

Quartier «fashionable» de l'ouest montréalais, de développement plutôt récent, Notre-Dame-de-Grâce se distingue par un nombre élevé de maisons isolées et semi-détachées. L'architecture domestique y est peu variée, et le bâti offre une grande homogénéité visuelle. Les maisons de rapport, apparues vers 1905, forment la seconde composante du patrimoine immobilier d'avant 1930. La maison type de Montréal – soit la maison en rangée, à trois niveaux, recouverte de brique, avec toit plat et grand escalier extérieur — est quasi inexistante dans ce quartier.

12. 5717-19, chemin de la Côte-Saint-Antoine
Maison de type de Notre-Dame-de-Grâce.

La maison rurale

Quelques exemples de maisons rurales ont survécu et témoignent encore aujourd'hui du long passé agricole de ce territoire. La maison Hurtubise, (voir photo 13) aujourd'hui sise à Westmount, fut l'une des premières habitations du village de Notre-Dame-de-Grâce et mérite à ce titre une mention. Construite en 1688 par Pierre Hurtubise, elle sera habitée par ses descendants jusqu'en 1965. Elle provient d'un mode de construction artisanal. Au début de la colonie, les pionniers se constituaient en association d'aide réciproque pour construire leur demeure.
Les familles Leduc et Décarie, maçons de formation, aideront à bâtir cette maison. Typique de l'architecture rurale, un larmier largement débordant recouvre la galerie et le sous-sol est surélevé pour se garder de la neige, de la pluie et du froid. On note aussi, à l'ouest de la magnifique demeure, une grange datant du XIXe siècle.

13. *Maison Hurtubise, chemin de la Côte-Saint-Antoine.*

Construite dix ans plus tard, la maison sise angle Vendôme et chemin de la Côte-Saint-Antoine (photos 1, 15) sera élevée sur la terre de Michel Décarie, fils de Jean, l'ancêtre de cette famille. Contrairement à la maison Hurtubise, les murs porteurs de 85 centimètres d'épaisseur sont en brique; la maison est ancrée au sol et le toit excède de peu le mur de façade. Quand le village de Côte-Saint-Antoine (aujourd'hui Westmount) se sépare de Notre-Dame-de-Grâce en 1876, on installe à la limite des deux villages et au voisinage de cette maison, une barrière à péage, comme il en existait au XIXᵉ siècle sur tous les chemins conduisant à l'extérieur de Montréal. Le droit de passage perçu des voyageurs sert à l'entretien de la voie. On raconte que le percepteur de cette barrière à péage habita cette maison.

14. *3761, avenue de Vendôme.*

15. 5138, chemin de la Côte-Saint-Antoine
Maison Décarie, aussi illustrée en page couverture.

En face de la maison Décarie, dissimulée derrière un bâtiment plus récent construit en bordure du chemin de la Côte-Saint-Antoine, une maison datant du milieu du XIXᵉ siècle, illustre les manières de faire propres à deux époques. (photo n° 14). Le toit en mansarde et l'ornementation élaborée sont d'inspiration Second Empire alors que le volume compact et carré du bâtiment rappelle un mode de construction plus traditionnel. Son orientation non parallèle à la rue manifeste aussi une préoccupation bien rurale: se protéger le plus possible des vents.

16. 6540, rue Saint-Jacques
Une des maisons anciennes, construite pendant la première moitié au XIXᵉ siècle, chemin de Lachine, aujourd'hui rue Saint-Jacques.

Sur la rue Saint-Jacques, ancien chemin de campagne qu'empruntaient les diligences en direction de Lachine, on trouve encore quelques exemples de maisons rurales. Le caractère commercial de cette artère a entraîné des transformations majeures de leur architecture d'origine, les rendant parfois méconnaissables.

La maison de banlieue

L'annexion de Notre-Dame-de-Grâce à Montréal, en 1910, marque le passage d'un milieu rural à une banlieue verdoyante. La nouvelle population anglophone bien nantie vient habiter les jolis cottages et les grandes demeures familiales, construits à l'est de l'avenue Madison et au nord de la rue Sherbrooke. L'ornementation très diverse de ces habitations s'adapte au goût de leur propriétaire. Elles ont comme caractéristiques communes un revêtement en brique, une élévation sur deux ou trois niveaux, un volume imposant et un décor très élaboré.

17. 5456, chemin de la Côte-Saint-Antoine
Immense demeure familiale construite au début du siècle. La façade est ornée d'une tour demi-hors-d'oeuvre et les galeries courent sur les deux faces du bâtiment. On emploie un matériau contrastant – ici la pierre – pour mettre en relief les encadrements des ouvertures.

18. **5225, chemin de la Côte-Saint-Antoine**
Prestigieuse maison bourgeoise, construite vers 1910. Le toit à pavillon, l'imposante tourelle, l'escalier et la galerie-perron en pierre de taille soulignent l'aisance du propriétaire d'origine.

20. **Angle nord-ouest du chemin de la Côte-Saint-Antoine et de l'avenue Northcliffe.**
Ancienne résidence Dionne-Décarie, construite en pierre, ce qui est rare dans le quartier. L'usage de ce matériau disparaît aux alentours de la Première Guerre mondiale. De plus, la population anglophone accorde, semble-t-il, sa préférence à la brique.

19. **5610, rue Sherbrooke Ouest**
Ancienne résidence du député Charles Marcil, aujourd'hui salon funéraire. À gauche, une chapelle a remplacé la grande galerie de bois, typique de ce quartier.

21. 3423, avenue Grey
   C'est dans cette résidence,alors habitée par le jeune couple Taschereau-Rodier que le prince de Galles vint prendre le thé, en 1921, curieux de connaître l'intérieur d'un foyer canadien. (1)

La maison semi-détachée

L'amélioration du transport en commun vers 1910 et la popularité croissante de l'automobile incitent à s'établir dans ce nouveau quartier. Désireux de répondre à la forte demande, des promoteurs immobiliers construisent, de 1910 à 1930, des maisons bifamiliales, le plus souvent jumelées. Elles sont produites en série et constituent la forme d'habitation la plus répandue au sud de la rue Sherbrooke et au nord de l'avenue Monkland. C'est en quelque sorte, la maison type de Notre-Dame-de-Grâce.

Ce modèle, généralement en carrés de madriers recouverts de briques, comprend deux niveaux et se termine par un toit plat. Les lots, de 15,24 mètres de largeur, atteignent jusqu'à 38 mètres de profondeur. Dans ce cas, la ruelle est absente et les cours privées sont mitoyennes. Pourvues à l'avant comme à l'arrière de beaux parterres, elles créent ce décor de verdure si caractéristique du quartier.

23. 2069-71, avenue Grey
   Maison jumelée d'allure bourgeoise remarquable par la forme bombée de sa façade, le décor de sa corniche fait de bois ouvragé et d'un appareillage de briques et les imposantes colonnes qui ornent la galerie-perron.

24. 2461-59, avenue Mariette
   Deux habitations présentent une grande unité visuelle grâce au regroupement des portes vers l'intérieur et à la disposition d'avant-corps en saillie, aux extrémités.

22. 5186-90, avenue Clanranald
   Maison jumelée, située dans l'ancien secteur Snowdon. D'architecture sans prétention, elle doit sa prestance au magnifique cadre naturel qui l'entoure.

(1) Dans *Manoir Express*, 20 fév. 1970.

25. *4180-86, avenue Melrose*
Généreuse galerie de bois qui égaye l'austérité de la brique sombre.

26. *4103, avenue Marlowe*
Maison intéressante pour son insertion de pignons dans la corniche qui agrémente le toit terrasse. Dans certains cas, on pratiquait dans la toiture l'addition d'un pan incliné en façade, imitant la fausse mansarde.

27. *2303-05, avenue Oxford*
Les maisons bifamiliales jumelées sont parfois contiguës, formant de longues rangées.

La maison de rapport

*ensemble de logements dans un bâtiment de
plus de quatre étages avec un ou plusieurs accès
en façade et services en commun aux locataires.*
Vers 1905, on voit apparaître dans le quartier
un modèle d'habitation fort différent qui s'inspire
de la vie des grands hôtels. Ce mode d'habitation
prestigieux et original est alors très prisé par la
bourgeoisie anglophone.

Des maisons de rapport s'implantent sur les
rues «fashionables», telles Sherbrooke, Décarie,
Côte-Saint-Luc et Queen Mary. L'annuaire Lovell
de 1930 en fournit la liste, noms au consonnance
aristocratique «Ambassador Court», «Château
Turret», «New Royal».

28. *6937, rue Sherbrooke Ouest*
   *Ce modèle comprend plusieurs corps de bâtiment formant au sol un plan en forme de «U». Édifice de prestige, il s'orne en façade de
   chaînage et de motifs moulés en pierre artificielle et d'un bel appareillage de brique.*

29. *Carrefour Décarie-Queen Mary, ancien «Snowdon-Junction».*

30. *2061, boulevard Décarie*
«L'Ambassador Court» illustre le type le plus ancien de forme rectangulaire, sans cour intérieure, avec revêtement de brique et toit terrasse. Les édifices s'alignent sur un même tronçon de rue, formant un ensemble régulier et imposant. L'ornementation se limite à l'entrée principale, à la petite saillie de la corniche et à l'encadrement des ouvertures en pierre artificielle.

31. *340, avenue Hingston*
Exemple d'édifice de rapport où l'on substitue la pierre à la brique, au niveau du rez-de-chaussée, pour créer un décor plus prestigieux.

2. Le boulevard Décarie, en 1908.
   Sur la rue principale, encore en terre, se situe un des rares hôtels de Notre-Dame-de-Grâce, le «Jockey Club».

33. *Le couvent Villa-Maria.*
34. *Vue de la falaise.*
35. *Le collège Loyola.*
36. *Avenue Wilson, avec ses beaux ombrages.*

«Au jour de l'An, c'était le grand jour. Chaque année, nous allions chez Léo, frère de papa. A cette époque, la grand-mère paternelle habitait chez lui. On aimait cette maison de la rue Saint-Denis, près de la rue Faillon. Il y avait des tapis, luxe que nous ne connaissions pas et que nous n'avions vu qu'à l'église, dans l'allée centrale, les jours de grands mariages. Il y avait du «tapis de Turquie», et pas seulement dans le salon, dans le couloir aussi. Les vitres des portes et des fenêtres étaient garnies de pièces de verre coloré enchâssé dans le plomb, comme à l'église encore. C'était chic. C'était beau quand, l'après-midi du jour de l'an, le soleil colorait, par réflexion les murs et les planchers des motifs floraux de ces vitraux miniatures.»[1]

«À la fin des années cinquante, mes parents émigrèrent dans le nord de la ville en remontant la rue de Lorimier jusqu'à la rue Jean-Talon, dans un quartier apparemment sans histoire où il était possible, même tard le soir, de se promener sans craindre la moindre agression. On y rencontrait de grands arbres, on y respirait de puissants arômes d'espresso, et on y découvrait une affabilité un peu désarmante quand on n'y était pas préparé. Des fromages gros comme des gourdes pendaient derrière les vitrines parmi les saucissons fortement assaisonnés, et je rêvais du jour où je me gaverais de pâtes et de ce vin rouge que le voisin extrayait d'énormes grappes de raisins provenant du marché Jean-Talon.»[2]

1 Jasmin, Claude, *La petite patrie*, les éditions La Presse ltée, Montréal, 1982.
2 Major, André, *Une île grande comme le monde, Montréal des écrivains*, éditions de l'Hexagone, édition préparée par l'Union des écrivains québécois sous la direction de Louise Dupré, Bruno Roy et France Théoret, Montréal, 1988.

9

La cité du Nord

Le patrimoine de Montréal
Quartiers Saint-Édouard,
Villeray, Montcalm et
Saint-Jean

La cité du Nord

Le début du siècle marque l'expansion de la ville de Montréal vers le nord. L'accélération de son développement coïncide avec l'arrivée du tramway électrique. Les distances sont désormais réduites et les travailleurs peuvent résider loin de leur lieu de travail. Ainsi prend forme, au nord de la voie du Canadien Pacifique, une banlieue résidentielle constituée de nombreuses paroisses, dont les limites atteignent, successivement, la rue Jean-Talon, la rue Villeray, le boulevard Crémazie et enfin, vers les années 50, la rivière des Prairies.

2. Le tramway Millen file à travers champs sans presque s'arrêter... 1913.

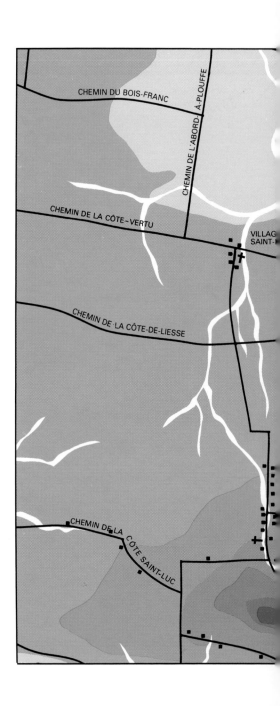

CHEMIN DU BOIS-FRANC

CHEMIN DE L'ABORD-À-PLOUFFE

CHEMIN DE LA CÔTE-VERTU

VILLAG
SAINT-

CHEMIN DE LA CÔTE-DE-LIESSE

CHEMIN DE LA CÔTE SAINT-LUC

Photo de la page précédente:
1. Rue Saint-Hubert, angle Beaubien, vers 1930.

Relief et cours d'eau de Montréal au XVIIIe siècle

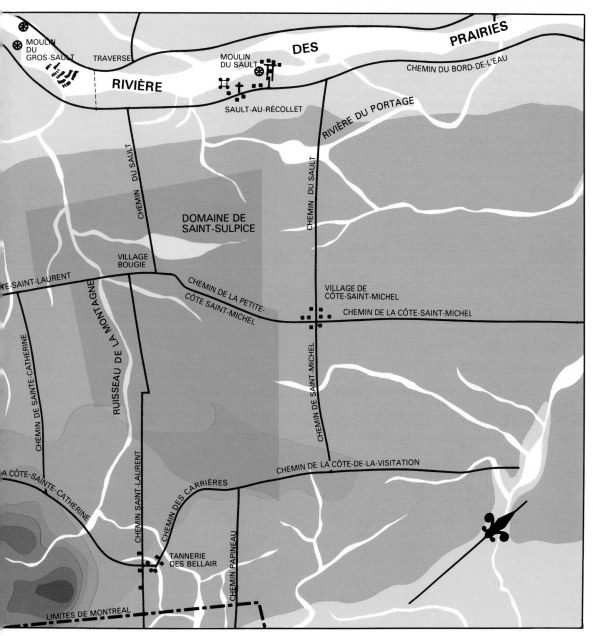

MOULIN
DU
GROS-SAULT

TRAVERSE

DES

PRAIRIES

MOULIN
DU SAULT

CHEMIN DU BORD-DE-L'EAU

RIVIÈRE

SAULT-AU-RÉCOLLET

RIVIÈRE DU PORTAGE

CHEMIN DU SAULT

CHEMIN DU SAULT

DOMAINE DE
SAINT-SULPICE

VILLAGE
BOUGIE

TE-SAINT-LAURENT

CHEMIN DE LA PETITE-
CÔTE SAINT-MICHEL

VILLAGE DE
CÔTE-SAINT-MICHEL

CHEMIN DE LA CÔTE-SAINT-MICHEL

CHEMIN DE LA MONTAGNE

RUISSEAU DE LA MONTAGNE

CHEMIN DE SAINTE-CATHERINE

CHEMIN DE SAINT-MICHEL

A CÔTE-SAINTE-CATHERINE

CHEMIN DE LA CÔTE-DE-LA-VISITATION

CHEMIN SAINT-LAURENT

CHEMIN DES CARRIÈRES

TANNERIE
DES BELLAIR

CHEMIN PAPINEAU

LIMITES DE MONTRÉAL

9.1

Le peuplement des côtes de l'intérieur

Au début du XVIIIe siècle, les sulpiciens, propriétaires de l'île de Montréal, procèdent à la distribution des terres en vue de leur peuplement. Ils se réservent un immense domaine boisé, appelé domaine de Saint-Sulpice, qui englobe jusqu'en 1721 leur mission amérindienne du Sault-au-Récollet (1). Ils optent pour la côte, comme système de lotissement de l'île, formule équivalente au rang dans la campagne québécoise. Il s'agit d'une forme de peuplement rural où les maisons s'échelonnent sur le chemin public qui aboute chacune des propriétés. Les côtes sont reliées entre elles par des montées, chemins qui assurent les communications entre Ville-Marie et les villages du nord de l'île; ces montées permettent aussi aux habitants des côtes de communiquer entre eux.

Le boulevard Métropolitain emprunte aujourd'hui le tracé de l'ancien chemin public qui traversait la côte Saint-Laurent, la Petite côte Saint-Michel et la côte Saint-Michel. Il en est de même de la rue des Carrières et du boulevard Rosemont, ancien chemin public de la côte de la Visitation. Quant au chemin du Sault, actuelles rues Casgrain et Lajeunesse, il était à l'époque le prolongement vers le nord du boulevard Saint-Laurent, une des plus anciennes montées reliant la ville fortifiée au village du Sault-au-Récollet.

La côte de la Visitation

Les côtes riveraines du fleuve et de la rivière des Prairies sont les premières à se peupler. Suivront les côtes de l'intérieur. La présence de gisements calcaires, connus des Montréalais depuis 1780, amorce le développement de la Côte-de-la-Visitation; les premiers ouvriers des carrières s'installent au Coteau-Saint-Louis (2). En 1879, on compte une dizaine d'habitations au nord des voies ferrées, disséminées sur le chemin qui mène aux carrières Labelle et Martineau. On y extrait de la belle pierre de construction, de couleur grise, qui donnera à Montréal une teinte toute particulière. Les terres avoisinant l'actuelle rue Saint-Hubert ont dès cette époque été loties.

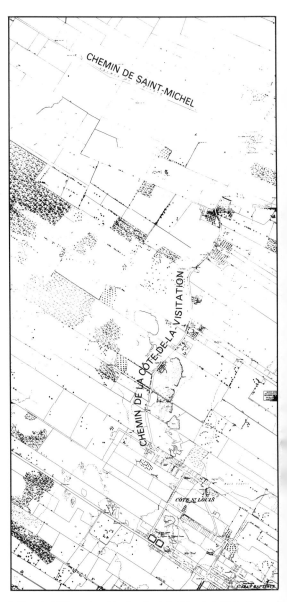

3. Plan de 1868 montrant le chemin de la Côte-de-la-Visitation, depuis le village de Coteau-Saint-Louis jusqu'au chemin de Saint-Michel.

(1) Voir fascicule n° 10. (Voir volume, chapitre 10.)
(2) Voir fascicule n° 6. (Voir volume, chapitre 6.)

Avant 1895

La côte Saint-Laurent
et la Petite côte Saint-Michel

Au début du XIXe siècle, l'endroit est habité par des fermiers aux noms bien français, les Jarry, Lalonde, Frigon. Vers 1870, on lotit les fermes de ces derniers, sises près du chemin du Sault alors très fréquenté. Au carrefour de ce chemin et de celui de la côte Saint-Laurent, on trouve quelques maisons, un maréchal-ferrant et un hôtel connu, l'hôtel Bougie. Les voyageurs les plus bigarrés, raquetteurs, propriétaires de beaux attelages en cours de promenade, boulangers en voyage d'affaires vers les moulins du Sault, fermiers de Saint-Vincent-de-Paul, riches clients de l'hôtel Péloquin, s'arrêtent ici, à mi-chemin entre la ville et le Sault-au-Récollet. Un autre noyau de peuplement se forme le long du chemin du Sault, à la hauteur de l'actuelle rue de Castelnau. La barrière à péage, installée à cet endroit, contrôle le trafic à la sortie de la ville: tous les voyageurs y sont requis d'acquitter un droit de péage avant de prendre la route vers la campagne.

En 1892, la «Montreal Park and Island», fondée pour assurer un service de transport public aux villages de la banlieue, met en service le fameux tramway Millen dont le tracé longe le chemin du Sault. Le tramway électrique qui atteint en un rien de temps le village Bougie, puis celui de «Back River» et enfin, le Sault-au-Récollet, amorce l'expansion de la ville vers le nord.

4. L'hôtel Bougie-Vervais, (à droite), en 1896, célèbre à plus d'un titre: le village portera le nom de son propriétaire d'origine; vers 1907, l'hôtel servira de station d'alimentation électrique au tramway Millen et de chapelle-école, de 1911 à 1921.

La banlieue du Nord

5. Cour de pierres à bordure de trottoir. En arrière-plan, l'écurie et l'incinérateur municipaux.

Pouvant désormais compter sur un transport public, les travailleurs quittent les vieux quartiers plus au sud et viennent, nombreux, habiter en bordure de la ville. Le territoire compris entre la voie du Canadien Pacifique et le boulevard Crémazie, forme bientôt une vaste banlieue résidentielle, composée de nombreuses paroisses. Voici, en bref, l'histoire des paroisses mères de ce territoire.

La paroisse Saint-Édouard

Vers 1895, deux grandes sociétés immobilières, nommées Boulevard Saint-Denis et Parc Amherst achètent les terres des familles Hugues et Comte et les revendent en lots à de jeunes ménages. Le terrain est bon marché et l'air sent bon la campagne. Une centaine de familles fonde, la même année, la paroisse Saint-Édouard. Ouvriers de métier, ils construisent eux-mêmes leur demeure, mettant à contribution leur expérience de plombier, de maçon ou de menuisier; l'entraide scelle ainsi les bases de la communauté naissante.

Les emplois, encore peu nombreux, se concentrent en bordure de la voie ferrée. Vers 1900, la «Montreal Street Railway», ancêtre de la STCUM,

y installe ses garages et entrepôts. Quelques années plus tard, la Ville de Montréal acquiert ses premiers véhicules à moteur et construit la première bâtisse de son immense cour de voirie actuelle; elle y localisera aussi ses écuries et le premier incinérateur municipal.

Notre-Dame-della-Difesa

Arrivés nombreux au pays, vers 1880, pour travailler aux chemins de fer, les Italiens forment d'abord la «piccola Italia» à proximité du port. L'histoire de la communauté italienne dans les quartiers Saint-Jean et Villeray débute vers 1900. Ils s'installent alors dans le Mile End de part et d'autre de la voie du Canadien Pacifique. En 1910, leur nombre justifie la création d'une paroisse autonome, Notre-Dame-della-Difesa. Un des leurs, Charles-Honoré Catelli, ouvre en 1911, angle Bellechasse et Drolet, la fabrique de pâtes alimentaires qui porte son nom et dont la marque de commerce est bien connue des Montréalais. Ces nouveaux venus, économes et bons travailleurs, investissent leurs épargnes dans des commerces, fruiteries, cordonneries, restaurants, embryon de cette petite Italie qui gravite aujourd'hui autour du marché Jean-Talon.

1895-1930

La paroisse Notre-Dame-du-Très-Saint-Rosaire

Au début du siècle, le «Nord de la ville» s'arrête à la rue Villeray. Au-delà, ce sont des champs que traverse le tramway Millen sans presque faire d'arrêts. Le village Villeray se limite à quelques rues situées de part et d'autre de la rue Saint-Hubert. L'eau courante n'existe pas encore; le porteur d'eau y exerce un métier florissant, vendant son eau à la criée. La paroisse Notre-Dame-du-Très-Saint-Rosaire y est fondée en 1905. Jusqu'en 1917, le culte se célèbre dans une modeste chapelle en brique, située à l'emplacement de l'église actuelle.

La carrière Villeray, aujourd'hui parc Villeray, est alors en activité. On trouve une autre carrière plus à l'ouest, sur la propriété de Stanley Bagg. Ce dernier, marchand de son métier, laisse à son fils, vers 1840, d'immenses terrains qui en feront le plus grand propriétaire de l'île de Montréal après les sulpiciens. En 1925, la succession Bagg loue à la Ville de Montréal le terrain avoisinant la carrière pour qu'elle y aménage le parc Jarry, aujourd'hui parc Jean-Paul II. La même année, un autobus, parmi les premiers de la ville, circule rue Saint-Hubert, devenue la grande rue commerciale du «Nord».

La paroisse Saint-Alphonse d'Youville

En 1907, lors de son annexion à Montréal, le village Bougie ne compte que quelques bâtiments en pierre ou en bois au carrefour des chemins publics. Y vivent de vieilles familles d'agriculteurs, celles des hôteliers Vervais et Latour et la famille de Jos. Deschâtelets, quincaillier et maître de

6. *Intérieur des ateliers d'Youville, en 1913, angle Crémazie et Saint-Laurent.*

poste (1). La paroisse est fondée en 1910. Jusqu'en 1921, l'hôtel Bougie, devenu par la suite hôtel Vervais, sert de chapelle et d'école paroissiales. L'installation dans le quartier, en 1911, des ateliers d'Youville, amorce le processus d'urbanisation. La «Montreal Park & Island» prévoit y embaucher trois cents ouvriers pour la construction et réparation de ses tramways. En l'espace d'un an, le nombre de familles a presque doublé.

En 1930, les habitations couvrent le territoire jusqu'au boulevard Crémazie. Cet immense bassin de population, doté d'une artère commerciale comparable à la rue Sainte-Catherine, bien desservi en équipements religieux et scolaires, constitue une ville dans la ville, qu'on surnomme la «cité du Nord».

---

(1) C'est à ce dernier que l'on attribue le changement de nom de l'endroit de «Bougie» en celui «d'Youville», nom donné en l'honneur de la fondatrice des soeurs Grises.

7. *Vue du quartier Saint-Jean prise de la gare Jean-Talon, en 1931.*

Les quartiers du centre-nord

Après 1930

Lors de la crise économique des années 30, les gouvernements réalisent certains travaux de relance: mentionnons le chalet du parc Jarry, la gare Jean-Talon et le marché du Nord, aujourd'hui marché Jean-Talon. Ce marché, un des plus fréquentés de la ville, agit dans le quartier comme point de convergence des communautés italienne et francophone. Au début du siècle, cet emplacement fut le terrain de jeu attitré du club de crosse Shamrock, fondé en 1868 par la communauté irlandaise; ce club, un des plus populaires au Canada, pouvait attirer, lors des tournois, plus de dix mille spectateurs. Quant à la gare Jean-Talon, elle supplante, en 1931, celle du Mile End, étant mieux située pour desservir Outremont, Ville Mont-Royal et le nord de la ville. Ce grand bâtiment en pierre, bien visible dans l'axe de l'avenue du Parc, perpétue la tradition des gares Windsor et Viger, témoins imposants de la puissance des compagnies ferroviaires.

9. La carrière Martineau en 1938...
Immense cratère de vingt mètres de profondeur rempli d'une eau stagnante.

Les carrières Labelle, Martineau et Villeray cessent leurs activités à cette époque. L'idée est alors lancée de convertir ces trous béants en jardins géologiques; on décidera plutôt de les combler en faisant de vastes dépotoirs municipaux. Ce n'est que beaucoup plus tard, que les parcs Villeray et Père-Marquette y seront aménagés.

Après la Seconde Guerre mondiale, le développement se poursuit au-delà du boulevard Crémazie. La Ville achète le domaine de Saint-Sulpice, dernier grand boisé du territoire. La voie ferrée du Canadien National est mise en place, suscitant la crainte, parmi les résidents, de voir leur quartier, un des plus beaux de la ville, subir les affres d'un développement industriel.

Dans les années 60 on construit le boulevard Métropolitain et le métro. Ces grands axes de communication empruntent sensiblement le même tracé que jadis: soit le chemin des côtes médianes de l'île et le chemin du Sault. Le métro, successeur du tramway Millen, relie cette fois en quinze minutes le nord de l'île au centre de la ville.

8. La gare Jean-Talon en 1931.
À son tour desaffectée, la gare Jean-Talon deviendra sous peu maison de la culture du quartier Parc-Extension.

Les étapes du développement

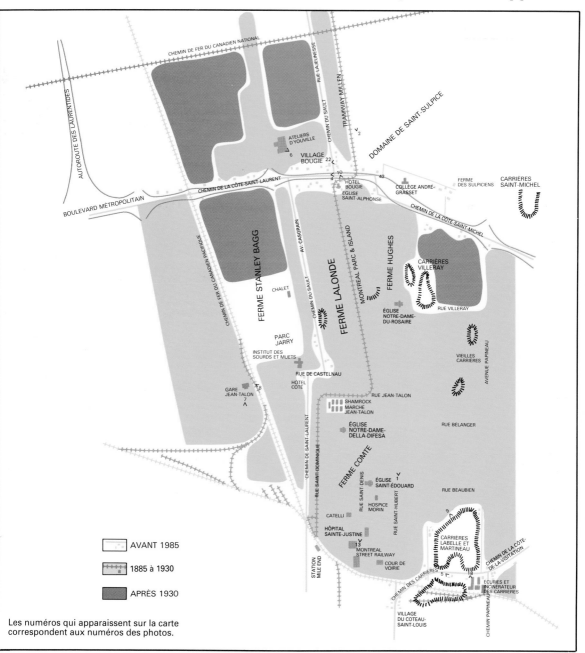

CHEMIN DE FER DU CANADIEN NATIONAL

RUE LA JEUNESSE

CHEMIN DU SAULT

TRAMWAY MILLEN

AUTOROUTE DES LAURENTIDES

DOMAINE DE SAINT-SULPICE

ATELIERS D'YOUVILLE

6 VILLAGE BOUGIE 22

2

FERME DES SULPICIENS

CARRIÈRES SAINT-MICHEL

4 10

42

HOTEL BOUGIE

ÉGLISE SAINT-ALPHONSE

COLLÈGE ANDRÉ-GRASSET

CHEMIN DE LA CÔTE-SAINT-LAURENT

BOULEVARD MÉTROPOLITAIN

CHEMIN DE LA CÔTE-SAINT-MICHEL

CHEMIN DE FER DU CANADIEN PACIFIQUE

AV. CASGRAIN

CHEMIN DU SAULT

MONTRÉAL PARC & ISLAND

FERME HUGHES

CARRIÈRES VILLERAY

FERME STANLEY BAGG

FERME LALONDE

ÉGLISE NOTRE-DAME-DU-ROSAIRE

RUE VILLERAY

CHALET

PARC JARRY

VIEILLES CARRIÈRES

AVENUE PAPINEAU

INSTITUT DES SOURDS ET MUETS

RUE DE CASTELNAU

HOTEL COTE

GARE JEAN-TALON

8

7

RUE JEAN-TALON

SHAMROCK MARCHÉ JEAN-TALON

RUE BELANGER

ÉGLISE NOTRE-DAME-DELLA-DIFESA

CHEMIN DE SAINT-LAURENT

RUE SAINT-DOMINIQUE

FERME COMTE

ÉGLISE SAINT-ÉDOUARD

RUE SAINT-DENIS

RUE SAINT-HUBERT

RUE BEAUBIEN

CATELLI

HOSPICE MORIN

9

CARRIÈRES LABELLE ET MARTINEAU

HÔPITAL SAINTE-JUSTINE

MONTREAL STREET RAILWAY

CHEMIN DE LA CÔTE-DE-LA-VISITATION

STATION MILE END

COUR DE VOIRIE

5

18

ÉCURIES ET INCINÉRATEUR DES CARRIÈRES

CHEMIN DES CARRIÈRES

CHEMIN PAPINEAU

VILLAGE DU COTEAU-SAINT-LOUIS

AVANT 1985

1885 à 1930

APRÈS 1930

Les numéros qui apparaissent sur la carte correspondent aux numéros des photos.

Tableau synchronique des événements historiques 1700-1945

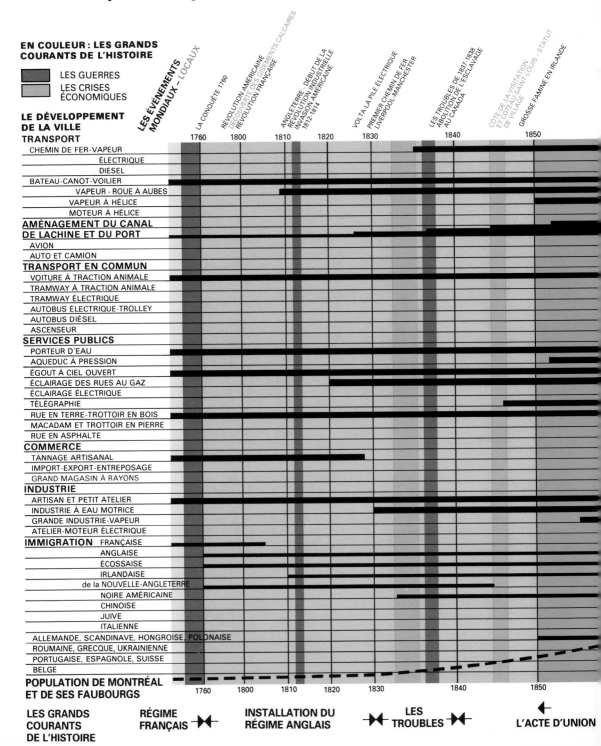

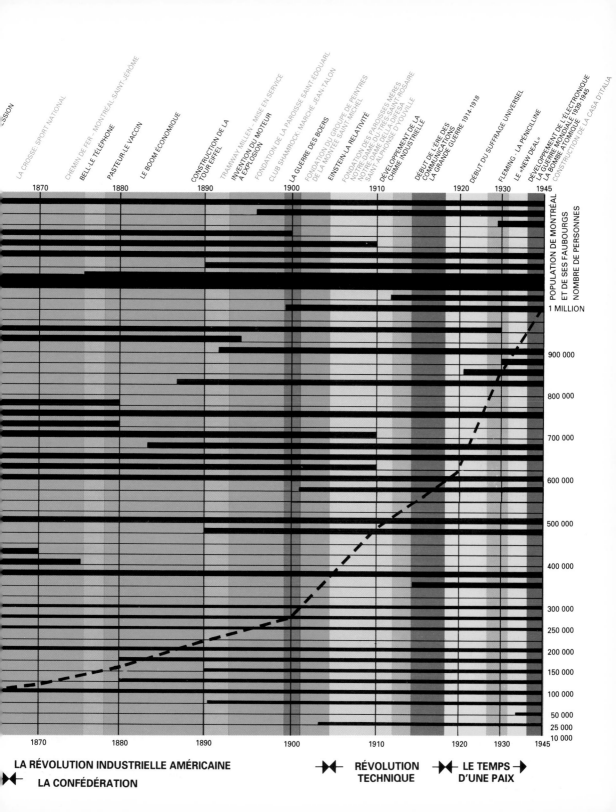

LA RÉVOLUTION INDUSTRIELLE AMÉRICAINE

LA CONFÉDÉRATION

RÉVOLUTION
TECHNIQUE

LE TEMPS
D'UNE PAIX

Architecture institutionnelle et publique d'hier et d'aujourd'hui

On dénombre dix-huit paroisses catholiques dans ce territoire densément peuplé. Les églises forment des masses imposantes qui dominent le quartier et en sont les principaux points de repère. Dans plusieurs cas, une modeste chapelle en brique a précédé la construction de l'église actuelle, souvent complétée par étapes. C'est le cas de l'église Saint-Édouard, la plus ancienne de toutes. En 1901, on construit le soubassement avec de la pierre calcaire tirée de la carrière Martineau. Ce n'est qu'en 1917 que les tours-clochers et le portique sont mis en place. Cet édifice est remarquable par ses proportions élancées, l'ordonnance de sa façade, la présence de contreforts, de pinacles, et la forme ogivale de ses ouvertures.

La construction de l'église Saint-Alphonse-d'Youville débute en 1929, à la fin de la période qui nous intéresse. Les pères rédemptoristes achètent en 1907 la terre des Jarry; ils y érigent, sept ans plus tard, leur monastère qui tient lieu également de presbytère. Le culte fut d'abord célébré dans l'ancien hôtel Vervais, puis dans une chapelle en brique qui sera vendue par la suite à la paroisse Christ-Roi comme église paroissiale. L'église actuelle s'inspire du style gothique rayonnant, ainsi nommé en raison de l'ornementation en forme de rosaces.

Parmi les autres églises construites avant 1930, mentionnons l'église italienne Notre-Dame-della-Difesa, inspirée de l'architecture des premiers monastères; elle s'écarte de la tradition religieuse en utilisant la brique comme matériau de revêtement. L'ornementation se résume à des jeux de polychromie et à l'insertion de rosaces dans les façades. L'intérieur offre un décor raffiné, oeuvre de l'artiste Guido Nincheri.

Les institutions

Les petites franciscaines de Marie ouvrent, en 1922, dans le quartier Saint-Édouard, une maison d'accueil pour vieillards. En 1930, la communauté entreprend la construction de la résidence Morin, rue de Saint-Vallier. Le décor de l'édifice s'inspire de l'architecture coloniale espagnole; ce courant venu du Mexique et de la Californie a également inspiré l'architecte de la crèche d'Youville, construite en 1912, chemin de la Côte-de-Liesse.

10. L'église Saint-Alphonse d'Youville en 1939. Le clocher, ébranlé par les dynamitages quotidiens de la carrière Miron, a été depuis lors reconstruit.

11. L'église Notre-Dame-della-Difesa 6810, avenue Henri-Julien.

Carte des quartiers

Les numéros qui apparaissent sur la carte
correspondent aux numéros des photos.

12. *Résidence Morin.*
   6365, rue de Saint-Vallier

13. *L'hôpital Sainte-Justine, rue Saint-Denis*
   En 1907, alors que près d'un enfant sur deux meurt au Québec avant l'âge de un an, des dames unissent leurs efforts pour fonder cet hôpital pour enfants.
   De 1909 à 1957, l'hôpital Sainte-Justine sera logé dans ce bâtiment du quartier Saint-Édouard.

À la même époque, trois maisons d'enseignement privé s'installent dans le quartier Villeray. L'institut Nazareth, école pour aveugles fondée en 1861, loge dans un bâtiment en brique, au décor sobre, construit dans les années 20. L'Institut des sourds-muets offre une architecture plus spectaculaire. Cet imposant édifice, orné de son portique monumental, a été construit avec la pierre calcaire provenant de la carrière voisine; il bénéficie d'une localisation privilégiée en retrait du boulevard Saint-Laurent. L'oeuvre d'éducation des sourds-muets, fondée en 1848, revient aux clercs de Saint-Viateur; ceux-ci quittent le Mile End en 1916 pour s'installer dans ce nouveau bâtiment. En 1930, on construit dans le domaine de Saint-Sulpice l'externat classique de Saint-Sulpice, aujourd'hui collège André-Grasset. Au début du siècle, le domaine était couvert d'un beau boisé et l'hiver, des marécages formaient des lacs de glace. À l'emplacement du collège, il y avait une grande ferme et une petite ferme, là où se trouve aujourd'hui la croix de chemin, une des dernières à Montréal (1). La chronique populaire raconte qu'un chemin partait de cette croix, traversait en diagonale le domaine et débouchait au Sault. Ce chemin aurait été en usage avant la prise en charge du chemin du Sault par la Commission des chemins à barrière, en 1840.

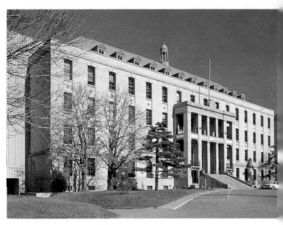

14. *Collège André-Grasset*
   1001, boulevard Crémazie Est
   «Du chemin de Liesse, dont c'était la fin, une belle rangée d'ormes conduisait en droite ligne vers la maison de la grande ferme. À gauche, s'étendaient les marécages et les bois de chênes; à droite, les terres cultivées.» (2) Les peintres de la Montée Saint-Michel venaient ici peindre les paysages de la campagne montréalaise.

(1) Tiré du *Cahier des dix*, n° 6.
   Les peintres de la Montée Saint-Michel, pages 49-67, 1941.
(2) *Ibidem.*

Parmi les nombreuses écoles publiques construites sur le territoire, mentionnons deux écoles représentatives du courant Beaux-Arts: Madeleine-de-Verchères rue Cartier et Saint-Ambroise rue Beaubien, oeuvres du célèbre architecte J.-Omer Marchand.

17. Bains Saint-Denis
7075, rue Saint-Hubert.

15. École de l'Assomption
1235, rue de Bellechasse
Bâtiment scolaire qui se démarque de l'école montréalaise type, par sa forme en «L».

Les édifices publics

On construit les premiers bâtiments publics vers 1910: rue Beaubien, la caserne de pompiers n° 18 et rue Saint-Hubert, les bains Saint-Denis. Faut-il le rappeler, peu de logements étaient équipés à l'époque d'eau chaude et de baignoire. Ces édifices sans prétention présentent des similitudes: ils sont recouverts de brique et la ligne du toit se termine par une corniche débordante, surmontée d'un parapet. Le poste de pompiers et de police Shamrock est de dimension plus imposante. Son décor s'inspire du courant art déco à la mode des années 30. Pour terminer, mentionnons l'ancienne écurie municipale, aujourd'hui intégrée au complexe de voirie de la rue des Carrières; le passant n'aperçoit plus qu'en partie les tours d'angle, les toits de cuivre, les lucarnes et les tourelles de ventilation de ce magnifique bâtiment public.

16. Poste de pompiers et de police Shamrock
7041, rue Saint-Dominique.
Autre réalisation du programme anti-chômage des années 30.

18.. Ancienne écurie municipale, aujourd'hui ateliers municipaux
1610, rue des Carrières.

Tableau synchronique des éléments architecturaux

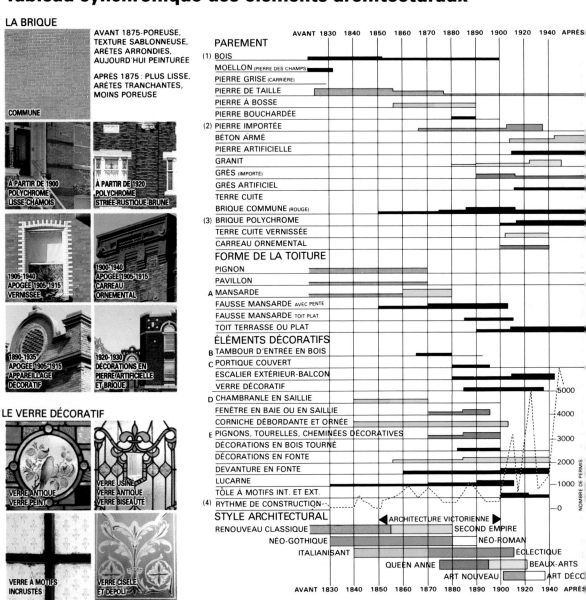

LA BRIQUE

AVANT 1875-POREUSE, TEXTURE SABLONNEUSE, ARÊTES ARRONDIES, AUJOURD'HUI PEINTURÉE

APRÈS 1875 : PLUS LISSE, ARÊTES TRANCHANTES, MOINS POREUSE

COMMUNE

À PARTIR DE 1900 POLYCHROME LISSE-CHAMOIS

À PARTIR DE 1920 POLYCHROME STRIÉE-RUSTIQUE-BRUNE

1905-1940 APOGÉE 1905-1915 VERNISSÉE

1900-1940 APOGÉE 1905-1915 CARREAU ORNEMENTAL

1890-1935 APOGÉE 1905-1915 APPAREILLAGE DÉCORATIF

1920-1930 DÉCORATIONS EN PIERRE/ARTIFICIELLE ET BRIQUE

LE VERRE DÉCORATIF

VERRE ANTIQUE VERRE PEINT

VERRE USINÉ VERRE ANTIQUE VERRE BISEAUTÉ

VERRE À MOTIFS INCRUSTÉS

VERRE CISELÉ ET DÉPOLI

(1) Bois: interdit dans le Vieux-Montréal après l'incendie de 1721, dans les faubourgs après celui de 1852, il demeure cependant en usage dans les villages jusqu'à leur annexion autour des années 1900.
(2) Pierre importée: pierre plus malléable que la pierre grise, se prêtant mieux aux motifs sculptés.
(3) Brique polychrome: de couleur variable et à texture rugueuse contrairement à la brique commune qui est rouge, lisse, et à texture sablonneuse.
(4) Certaines données de ce tableau proviennent des études de David B. Hanna, professeur au département de géographie, UQAM.

Architecture résidentielle

La maison de Montréal
Depuis le début de la colonie, la maison au Québec s'est lentement transformée. À la ville comme à la campagne, on a tenté de mieux l'adapter à nos hivers rigoureux. Les fréquents incendies dans la ville amèneront très tôt l'administration de Montréal à émettre des directives détaillées sur les façons de la construire.
Ordonnance du 17 juin 1727...
Ordonnons de... «bâtir aucune maison dans les villes et gros bourgs, où il se trouvera de la pierre commodément, autre qu'en pierres; défendons de les bâtir en bois, de pièces sur pièces et de colombage...»
«construire des «murs de refend» (1) qui excèdent les toits et les coupent en différentes parties, ou qui les séparent d'avec les maisons voisines, à l'effet que le feu se communique moins de l'une à l'autre...
Défense de construire... *«des toits brisés, dit à la mansarde... qui font sur les toits une forêt de bois...»*
Outre ces nombreux édits, le coût élevé des terrains, à mesure que la ville s'agrandit, la prédominance des locataires et la présence dans le sol de la pierre calcaire et d'une argile propre à la brique, ont favorisé la naissance de la maison en rangée, typique à Montréal.
Cette maison type se rencontre, avec des variantes, dans tous les quartiers de la ville, mêlée à d'autres habitations moins nombreuses, mais qui toutes ont connu leurs heures de popularité:
• la maison villageoise
• la maison urbaine traditionnelle
• la maison en rangée
• la villa
• la maison contiguë
• la maison semi-détachée
• la maison à logements multiples
• la maison de rapport.
Les maisons les plus représentatives du quartier seront reprises dans les pages suivantes pour illustrer l'évolution du patrimoine résidentiel.

19. 7615-33, rue de Lanaudière
Maison à charpente en bois, recouverte de brique; le toit est plat et le décor concentré sur la corniche à fronton, ornée d'aigrettes et d'un appareillage de briques de damier.

La maison villageoise
maison en bois ou en moellon, le plus souvent à toit à pignon, avec galerie ou accès direct au niveau du sol; elle est isolée ou adossée à d'autres habitations.

Dans les quartiers Saint-Édouard et Saint-Jean, il s'agit davantage de maisons de la frange urbaine que de vraies maisons villageoises comme à Saint-Henri, Pointe-Saint-Charles ou au plateau Mont-Royal. La voie du Canadien Pacifique, mise en place en 1876, semble avoir longtemps représentée une frontière. Le quartier Saint-Édouard, jadis partie intégrante du village du Coteau-Saint-Louis (2), se développe à partir de 1895, deux ans après l'annexion de ce village à Montréal. Quant au quartier Saint-Jean, ancien territoire de Saint-Louis-du-Mile End annexé à Montréal en 1909, il amorce son développement vers 1900, grâce à l'initiative de familles francophones et italiennes. Ces dernières construisent des maisons, à l'aide de matériaux recyclés, facilement reconnaissables à la présence d'un potager et d'une petite basse-cour. Alors que le tramway tout proche étend son ruban de voies et de fils aériens, ce n'est déjà plus la campagne et ce n'est pas encore la ville dense, équipée et pourvoyeuse de services.

(1) Murs coupe-feu.
(2) Voir fascicule n° 6. (Voir volume, chapitre 6.)

20. 6776, rue Boyer
Maison sise à la ligne arrière du lot, ce qui laisse place à l'avant à une grande pelouse comme à la campagne.

La possibilité d'acheter un terrain à bon marché incite à s'établir en bordure de la ville. Les nouveaux venus peuvent s'offrir une demeure à la mesure de leurs talents et de leurs moyens. Les maisons ainsi construites sont petites, avec soubassement à peine esquissé et murs latéraux aveugles. Très souvent isolées à l'origine, les maisons s'insèrent aujourd'hui dans des enfilades à un, deux et trois niveaux; elles sont le plus souvent situées près du trottoir mais parfois, assises sur la ligne arrière du lot.

21. 7560, rue Saint-Gérard
Une des plus anciennes du village Villeray. Cette demeure a conservé son décor d'origine, dont le toit à pignon recouvert de tôle, assemblée en diagonale, dite à la canadienne.

La rue Saint-Gérard recrée sur quelques lots — de 7410 à 7436 — l'ambiance de l'ancien village Villeray, avec ses petites maisons d'un seul niveau, aujourd'hui recouvertes de brique ou de lambris d'aluminium. La rue Lajeunesse au sud du boulevard Crémazie fut longtemps en terre battue, bordée de vieilles maisons en bois. À la hauteur du village Bougie, les maisons villageoises ont disparu avec la construction du boulevard Métropolitain.

22. 8771, rue Lajeunesse, en 1929
Maison de l'ancien village Bougie, aujourd'hui démolie. Parement de planches à la verticale bouvetées ou à couvre-joint, et toit mansard à deux eaux.

La maison en rangée
elle est incluse dans un ensemble de bâtiments résidentiels alignés le long d'une rue, construits (en même temps) selon un plan d'ensemble et dont les façades sont semblables; elle est séparée des autres habitations par un mur coupe-feu mitoyen.

Au tournant du siècle, l'architecture perd ses airs ronflants qui caractérisaient la période précédente. Les maisons prennent des formes rectangulaires, le toit s'aplatit et le décor se limite à l'appareillage de la brique et à une finition plus élaborée de la corniche. Comme on le verra plus loin, verrières et vitraux ajoutent leur brillance aux façades.
Les habitations de ces quartiers se caractérisent par leur homogénéité et la bonne qualité de leur construction. Les maisons en rangée comptent de

trois à dix unités, parfois plus, occupant des côtés entiers d'îlots. À l'arrière, les ruelles sont omniprésentes. Jadis, la vie d'arrière-cour était fébrile. Vendeurs de glace, marchands de fruits et de légumes, «guénillous», lançaient leurs cris gutturaux à la ronde, annonçant leur présence. Les voitures tirées par des chevaux laissaient derrière elles l'odeur fumante du crottin. Les hangars jalonnés de passerelles sont aujourd'hui en voie de disparition, remplacés par des jardins et des pelouses. La communauté italienne y va de ses coutumes, faisant grimper des vignes sur les pergolas.

23. «Véritable architecture sans architecture, remarquable (...) pour ses fonctions exprimées spatialement, sans détour ni camouflage, pour son potentiel cybernétique qui fait ressembler galeries, passerelles et escaliers extérieurs au convoyeurs aériens des fameux entrepôts à grains, près du port». (1)

La maison contiguë

est incluse dans une suite de bâtiments résidentiels, construits à l'unité, selon un plan individuel et dont l'ornementation des façades varie; elle est séparée de ses voisines par des murs coupe-feu.

Ce type de bâtiment est très répandu dans les quartiers Saint-Édouard et Villeray. Ce qui frappe le passant, c'est la succession désordonnée de maisons à un, deux ou trois niveaux. Les différences, parfois plus subtiles, tiennent à la juxtaposition d'un grand et d'un petit module, à l'inversion des escaliers et des ouvertures et aux corniches légèrement dépareillées. Le désir de répondre à une demande variée — quant à la taille des logements et aux goûts des propriétaires — semble avoir guidé les constructeurs dans cette façon de faire.

24. 5970-86, rue Saint-Hubert
Série de trois bâtiments typiques des années 1900.
À noter, les frontons postiches en forme de médaillon qu'on fait de plus en plus disparaître lors de rénovations hâtives.

25. 7519-33, avenue de Gaspé
Décor des années 20... piliers de brique et colonnes de bois reliant galeries et balcons. Typique paysage de Villeray...

(1) Marsan, J.C., *Montréal en évolution*, Montréal, Fides, 1971, 423 p., p. 282.

26. 7059-77, avenue Christophe-Colomb
Unité et diversité...
Bâtiments monumentaux, semblables au premier abord mais différents par le nombre de logements, le type de brique et la forme de la corniche. Comme l'indique l'inscription du fronton, celui de droite date de 1914 et celui de gauche, de 1921.

Symphonie de briques...

Dès 1675, des artisans-briquetiers de Montréal fabriquent de la brique mais le principal matériau de construction restera longtemps le bois. Vers 1800, on importe des briques d'Angleterre, d'Écosse surtout; empilées au fond des navires, elles leur donnent le lest nécessaire durant la traversée; on l'échange au pays contre le bois de nos forêts. À partir de 1875, émerge une industrie locale de la brique de construction, qui devient fortement mécanisée au tournant du siècle. Après la Première Guerre mondiale, alors que les carrières de pierre s'épuisent et ferment, la brique

27. 6252, rue Drolet
Brique rouge...
Corniche en bois ouvragé.

devient pour un temps le seul matériau de recouvrement.

C'est pourquoi la brique est omniprésente dans les quartiers dont nous traitons ici. Selon l'époque et l'endroit, sa teinte varie: rouge à l'origine, elle prend des teintes d'orange, de cuivre, d'ocre vers 1914 et de brun dans les années 20. Il faut ajouter les briques émaillées de tons blancs, beiges ou rosés. On alterne les briques dans de savants appareillages et on les dispose en éventail ou en relief autour des ouvertures et des corniches.

28. 117, avenue Beaumont
Brique ocre légèrement rosée et à gauche, brique brune en usage en 1929. À noter, le treillis de vignes si populaire dans la petite Italie.

29. 6340-42, rue Saint-Hubert
Rare maison de la rue Saint-Hubert non convertie en commerce. À noter, le motif en forme de castor et l'escalier en loggia.

Autre caractéristique du décor des années 20, l'intersection de pierres artificielles autour des portes, fenêtres et corniches. Des appliques murales de même nature, reproduisant le castor, la feuille d'érable et des formes géométriques variées, s'intègrent en harmonie dans le fronton postiche et aux angles de l'édifice.

La maison semi-détachée

est incluse dans une suite de bâtiments résidentiels; elle est souvent jumelée, ou située à l'encoignure de rues; elle a des ouvertures sur trois côtés.

Les grandes résidences familiales, maisons isolées entourées de jardins, sont rares dans ces quartiers; il y en a quelques exemples rue Saint-Denis et avenue Christophe-Colomb. Ce sont de bourgeoises résidences, de type semi-détaché, accolées d'un côté sur la maison voisine et dégagées de l'autre. Cette façon de faire, grâce aux fenêtres latérales, assure l'ensoleillement des logis. Dans les maisons en rangée, faute de telles fenêtres, on utilisera abondamment le puits de lumière et la pièce double pour obtenir un mince éclairage à contre-jour.

31. 8874, rue Lajeunesse
Grande résidence familiale dont la galerie se prolonge côté cour.

30. 7953, avenue Casgrain
Décor des années 20: vitraux dans les impostes, verre ouvragé à l'entrée du rez-de-chaussée, travail soigné de la brique, galeries aux imposants piliers de bois.

32. 6901, rue Saint-Denis
Rare maison à façade de pierre et fenêtres finement ouvragées.

Ce type de bâtiment, d'architecture soignée, offre un décor raffiné dont la verrière est un des éléments majeurs.

Un peu d'histoire... Le verre soufflé constitue une technique très ancienne, pratiquée par l'artisan-verrier depuis des temps immémoriaux. Le verre artisanal, d'épaisseur variable, rempli de bulles de soufflure, a donné de magnifiques vitraux d'église. L'introduction de la verrière dans l'architecture domestique est plus récente. Cette mode semble venue des États-Unis où des maisons réputées, comme celle de Tiffany, fondée en 1879, en ont propagé l'idée auprès de la classe nantie.

Au début du siècle, la production du verre usiné marque la généralisation du vitrail et du verre ouvragé dans l'architecture résidentielle. Vers 1920, des firmes comme «Canadian Pittsburg» en offrent une variété de modèles dans leurs catalogues. De petites vitreries locales, comme celle de Guido Nincheri, contribueront aussi à édifier le patrimoine verrier montréalais.

Les quartiers Villeray, Rosemont, Notre-Dame-de-Grâce, en expansion dans les années 20, offrent de multiples exemples de vitraux assemblés au plomb ou au zinc. Ils ornent les impostes des fenêtres et des portes. Les vantaux des portes du rez-de-chaussée où, à l'origine, habitait le propriétaire, sont souvent pourvus de surfaces vitrées finement ciselées ou biseautées, parfois traitées au jet de sable, donnant ainsi un verre dépoli garni de jolis motifs.

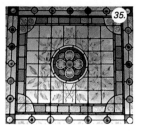

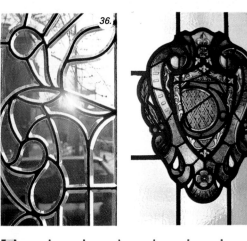

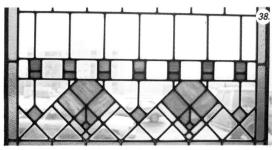

33. Superposition de verre clair et de verre rouge. Dans ce procédé de fabrication, on utilise la cire pour protéger la transparence du rouge et l'acide, pour faire disparaître et dépolir le verre clair.

34. Composition de verres usinés, mêlant verres transparents et opalescents, à vague ou «morocco». La couleur «rubis» obtenue à partir de la poudre d'or était réservée à la clientèle fortunée.

35. Motifs peints par l'artiste sur du verre usiné. Les puits de lumière, souvent ornés de verrières, sont très appropriés pour mettre en valeur le travail raffiné de l'artisan.

36. Verre biseauté dont la grande caractéristique est de décomposer le spectre lumineux, créant ainsi des effets spectaculaires.

37. Sur un fond de verre «morocco», type de verre texturé, composition exceptionnelle de verres antiques, peints ou moulés.

38. Vitrail à formes géométriques, typique de la période art déco. À noter, les précieuses pièces de verre antique se découpant sur un fond de verre usiné.

Réalisé en collaboration avec M. Robert Gingras, antiquaire de «Les portes et vitraux anciens du grand Montréal» et avec M. Sylvain Bouliane du studio «Interior Antiques».

39. 1925. La cité du Nord, en pleine effervescence, voit surgir quantité de bâtiments semblables à ceux-ci: façades recouvertes de briques; peu à peu, le bloc de ciment structural et creux est utilisé dans la construction du mur coupe-feu. Décor alliant jeux de brique, motifs en pierre artificielle, vitraux et verrières. Grandes galeries, colonnes en bois et balustrades en fonte.

40. La Casa d'Italia, angle Jean-Talon et Lajeunesse.
41. Avenue de Gaspé.
42. Le marché Jean-Talon.
43. La croix de chemin, angle Métropolitain et Saint-Hubert.

«La rivière (...) coulait calmement, perfide, imperturbable, comme l'est toute nature, avec ce bleu trompeur que j'avais déjà aperçu tout à l'heure en arrivant sur le boulevard Gouin, cette épaisse eau brune que bleutait puissamment en surface la splendeur de ce ciel tout déchiré au-dessus, oui cela apparaissait dans la ligne de sa marche juste avant qu'il n'atteigne la petite pergola blanche, le bouquet de vinaigriers qui se balançaient languides dans le vent chaud, les chèvrefeuilles et les reptations aériennes des gloires-du-matin roses, ombrage mouvant, ça faisait comme de petites vagues vert foncé sur l'herbe et gris sombre sur les pierres du patio.»[1]

---

1 La Rocque, Gilbert, *Les Masques*, Québec-Amérique, 1980.

10

Le chemin du Bord-de-l'Eau

Le patrimoine de Montréal
Quartiers Ahuntsic et
Saraguay

Le chemin du Bord-de-l'Eau

Le boulevard Gouin, de ses anciens noms chemin Public et chemin du Bord-de-l'Eau, offre plusieurs exemples remarquables des différentes époques de développement de la ville. Mentionnons le Sault-au-Récollet, un des deux premiers noyaux de peuplement, au XVIIe siècle, en bordure de la rivière des Prairies; les villages d'Ahuntsic, de Bordeaux et de Cartierville, implantés, au XIXe siècle, au carrefour de la rivière et des grandes voies de communication; enfin, Saraguay, dont la beauté du lieu incitera au XXe siècle, les villégiateurs à y venir goûter le charme de l'été.

2. Portrait de bourgeois réunis à leur maison de campagne en bordure de la rivière des Prairies, vers 1885. En arrière-plan, le moulin du Crochet?

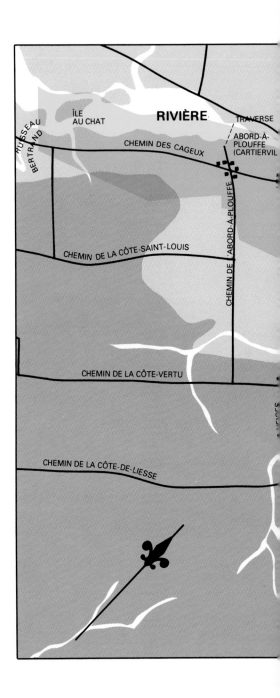

Photo de la page précédente:
1. Le Sault-au-Récollet, peut-être le chemin du Bord-de-l'Eau...

Relief et cours d'eau de Montréal au XVIIIe siècle

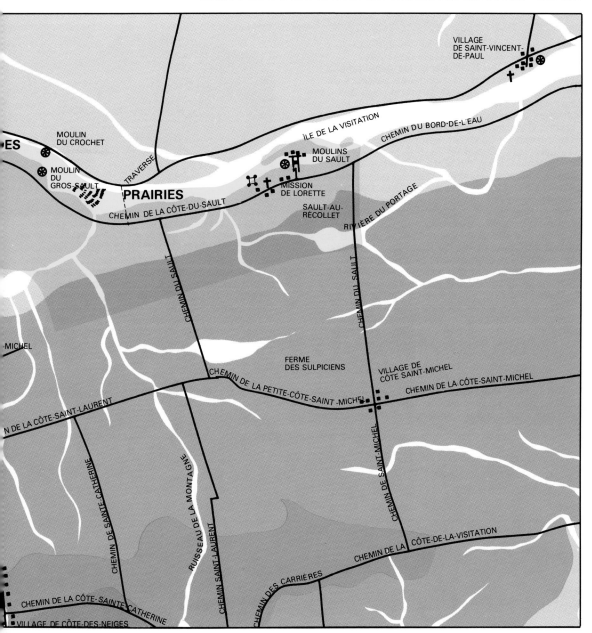

VILLAGE
DE SAINT-VINCENT-
DE-PAUL

MOULIN
DU CROCHET

ÎLE DE LA VISITATION

CHEMIN DU BORD-DE-L'EAU

ES

MOULINS
DU SAULT

MOULIN
DU
GROS-SAULT

TRAVERSE

PRAIRIES

MISSION
DE LORETTE

CHEMIN DE LA CÔTE-DU-SAULT

SAULT-AU-
RÉCOLLET

RIVIÈRE DU PORTAGE

CHEMIN DU SAULT

CHEMIN DU SAULT

MICHEL

FERME
DES SULPICIENS

VILLAGE DE
CÔTE SAINT-MICHEL

CHEMIN DE LA PETITE-CÔTE-SAINT-MICHEL

CHEMIN DE LA CÔTE-SAINT-MICHEL

N DE LA CÔTE-SAINT-LAURENT

CHEMIN DE SAINT-MICHEL

CHEMIN DE SAINTE-CATHERINE

CHEMIN DE LA MONTAGNE

RUISSEAU DE LA MONTAGNE

CHEMIN SAINT-LAURENT

CHEMIN DE LA CÔTE-DE-LA-VISITATION

CHEMIN DE LA

CHEMIN DE LA CÔTE-SAINTE-CATHERINE

CHEMIN DES CARRIÈRES

VILLAGE DE CÔTE-DES-NEIGES

Le Sault-au-Récollet

La forêt recouvre l'île de Montréal et Ville-Marie n'est pas encore fondée. Les seuls chemins d'accès vers l'intérieur sont les voies d'eau. La rivière des Prairies est l'une des routes qu'empruntent, au XVIIe siècle, les Amérindiens et leurs compagnons missionnaires au cours de leurs voyages vers l'Ouest, le grand pays des fourrures. À la hauteur des rapides, les canots s'arrêtent et les voyageurs portagent vers l'amont. C'est en un point de ce parcours que le père Joseph Le Caron, en compagnie de Samuel de Champlain, célèbre en 1615 la première messe en Nouvelle-France. Un autre récollet, le père Nicolas Viel et le jeune Ahuntsic se noient dix ans plus tard dans les rapides avoisinants. Depuis lors, le lieu se nomme le «Sault-au-Récollet».

Par la suite, les relations entre la jeune colonie et la tribu iroquoise s'enveniment. Les sulpiciens, seigneurs de l'île, conçoivent alors le projet d'établir, en différents points de leur seigneurie, des places fortifiées pour assurer la défense des colons et protéger le commerce des fourrures. C'est au Sault-au-Récollet que le sulpicien Vachon de Belmont choisit de bâtir, en 1696, le fort Lorette. Le site, à l'embouchure de la rivière du Portage et d'une piste amérindienne, se prête bien à l'établissement d'une mission pour instruire Hurons et autres tribus des choses de la foi; on y relocalise donc celle du fort de la Montagne (1), alors trop rapprochée de la ville. En 1721, la mission du Sault sera à son tour transférée à Oka. Le fort Lorette regroupait, à l'intérieur d'une palissade en pieux, la chapelle, le magasin de munitions, les maisons des fermiers, des missionnaires et des soeurs de la Congrégation de Notre-Dame.

3. *Magasin de munitions du fort Lorette, construit en 1700. Lors de sa démolition en 1928, on mit à jour des souterrains, sorties secrètes en cas d'attaque par les Iroquois.*

C'est alors seulement que l'on concède à des colons les terres environnant le fort Lorette. De par leurs devoirs seigneuriaux, les prêtres de Saint-Sulpice sont tenus de bâtir un moulin pour moudre le grain des colons. L'endroit, baigné par les eaux vives des rapides, est si propice à ce faire qu'en 1728, on compte un moulin à scie et deux moulins à farine sur la digue reliant la berge à l'île de la Visitation.

La paroisse de la Visitation du Sault-au-Récollet, qui s'étend bien au-delà du village, est fondée en

---

(1) Voir fascicule n° 3. (Voir volume, chapitre 3.)

4. *Le Sault-au-Récollet vers 1890. Un siècle plus tôt, le paysage devait sensiblement être le même...*

Avant 1800

1736. La chapelle du fort Lorette servira au culte jusqu'à l'érection de l'église actuelle en 1751. L'activité se concentre autour de l'église et des moulins. Les maisons s'échelonnent sur le chemin du Bord-de-l'Eau, aujourd'hui boulevard Gouin. On y voit des champs de blé et d'avoine, des prairies et des pâturages. Le sol aux alentours est jonché de grosses roches dont se servent les fermiers comme murets autour de leurs champs. Le hêtre y est très abondant; les habitants en ramassent les faînes qui, séchées, se mangent comme des noix. C'est dans ce décor paisible que se déroule la vie du Sault-au-Récollet.

En 1798, les sulpiciens construisent 4,8 kilomètres plus à l'ouest le moulin du Gros-Sault, situé sur une pointe de terre, à la tête des rapides. Ils creusent un canal d'amenée d'eau, formant une île, aujourd'hui appelée île Perry. En face, sur l'île Jésus, il y a le moulin du Crochet, construit par les jésuites.

5. La pêche à l'alose à la pointe du Gros-Sault en 1866. Ce poisson de mer remonte au printemps pour se reproduire en eau douce. On en fit le commerce jusqu'en 1928, année de construction de la centrale Rivière-des-Prairies qui arrêta, pour un temps, la remontée du poisson vers le lac des Deux Montagnes.

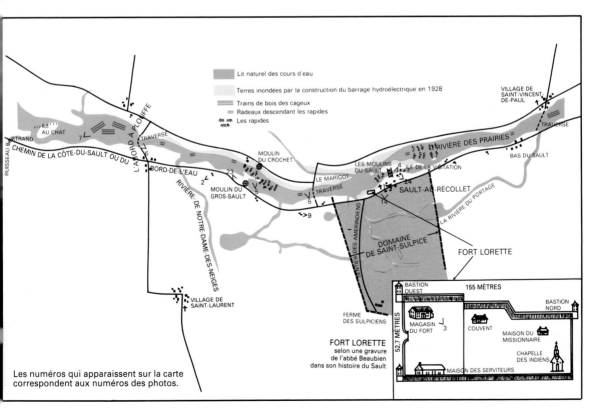

Lit naturel des cours d'eau
Terres inondées par la construction du barrage hydroélectrique en 1928
Trains de bois des cageux
Radeaux descendant les rapides
Les rapides

Les numéros qui apparaissent sur la carte correspondent aux numéros des photos.

VILLAGE DE SAINT-VINCENT-DE-PAUL
RUISSEAU BERTRAND
ÎLE AU CHAT
CHEMIN DE LA CÔTE-DU-SAULT OU DU
À L'ABORD À PLOUFFE
TRAVERSE
BORD-DE-L'EAU
RIVIÈRE DE NOTRE-DAME-DES-NEIGES
MOULIN DU GROS-SAULT
MOULIN DU CROCHET
LE MARIGOT
TRAVERSE
LES MOULINS DU SAULT
ÎLE DE LA VISITATION
RIVIÈRE DES PRAIRIES
BAS DU SAULT
TRAVERSE
SAULT-AU-RÉCOLLET
LA RIVIÈRE DU PORTAGE
SENTIER DES AMÉRINDIENS
DOMAINE DE SAINT-SULPICE
FORT LORETTE
VILLAGE DE SAINT-LAURENT
FERME DES SULPICIENS

FORT LORETTE
selon une gravure de l'abbé Beaubien dans son histoire du Sault

BASTION OUEST
155 MÈTRES
BASTION NORD
52,7 MÈTRES
MAGASIN DU FORT
COUVENT
MAISON DU MISSIONNAIRE
MAISON DES SERVITEURS
CHAPELLE DES INDIENS

10.3

Les villages du bord de l'eau

L'Abord-à-Plouffe

Cet endroit, aujourd'hui Cartierville(1), est connu à l'époque comme le point de traversée de la rivière en amont des rapides. En 1801, François Plouffe y opère un service de traversier vers l'île Jésus; Pascal Persillier dit Lachapelle, meunier au moulin du Gros-Sault et entrepreneur, y construit en 1834, un pont couvert en bois, mettant ainsi fin à ce commerce. C'est ici qu'aboutit la route en provenance de Côte-des-Neiges via le village de Saint-Laurent. L'omnibus à chevaux reliant Montréal à Saint-Eustache, emprunte le pont de l'Abord-à-Plouffe, premier pont Lachapelle. La renommée du lieu nous vient aussi des «cageux», ces bûcherons intrépides qui s'arrêtaient en face, avant de franchir le rapide.

On utilise les voies d'eau à l'époque pour descendre les billots jusqu'au port de Québec. On assemble les «trains de bois» dans la région des Grands Lacs ou de la rivière des Outaouais. Ces immenses ponts de bois, larges de soixante pieds (18,3 m) et longs de trois cents pieds (91,5 m), sont formés de plusieurs radeaux reliés les uns aux autres. Les «cageux» les prennent en charge et les amènent jusqu'à la rivière des Prairies. Rendus à l'Abord-à-Plouffe, ils arrêtent leur descente afin de se préparer à sauter le dangereux rapide du Sault-au-Récollet.

Ce rapide commence à la hauteur de ce qui est aujourd'hui Bordeaux; alors très violent, on le surnomme le Gros-Sault. Il s'apaise par la suite, puis redevient tumultueux à l'approche du village du

6. Le pont de l'Abord-a-Plouffe en 1859. À l'entrée, la maison du percepteur de la barrière à péage. Une structure d'acier remplacera le pont en bois, en 1899.

7. Les «trains de bois». En 1908, on vit descendre le dernier, à l'occasion du 300e anniversaire de Québec.

Sault pour disparaître au-delà de l'île de la Visitation. Avant de s'y engager, les «cageux» libèrent les radeaux formant le «train de bois»; ils sautent le rapide, montés sur un des radeaux qu'ils dirigent à l'aide de grosses rames. Le rapide franchi, ils remontent à la source prendre charge des autres radeaux. Certains jours, dit-on, les «trains de bois» sont si nombreux à l'Abord-à-Plouffe, qu'ils forment un pont d'une rive à l'autre. Vers 1880, le chemin de fer mettra fin à l'époque glorieuse des «cageux».

---

(1) Au début du XIXe siècle, le nom de «L'Abord-à-Plouffe» semble désigner indistinctement les deux points que relie le traversier. En 1915, ce nom sera donné officiellement au village qui fait face à Cartierville sur l'île Jésus.

1800-1890

Le village de «Back River»

Le cultivateur Pierre Viau construit, en 1859, un pont en bois, à l'emplacement actuel du pont Viau. Sans son prolongement, un très ancien chemin mène vers la ville, le chemin du Sault, aujourd'hui rue Lajeunesse. Depuis 1840, ce chemin est entretenu par le syndic des chemins à barrière qui, pour s'assurer des revenus nécessaires, y a placé des barrières à péage, comme l'y autorise la loi.

Au carrefour de cette route et du chemin du Bord-de-l'Eau, quelques familles s'installent, marquant les débuts du village de «Back River» du nom que les Anglais donnent à la rivière des Prairies. Il y a aussi à ce carrefour l'hôtel Péloquin, de grande renommée. Cet hôtel est fréquenté par les membres du très sélect «Montreal Hunt Club»(1). L'hiver, les Montréalais y terminent de longues promenades en traîneaux ou de joyeuses randonnées en raquettes. On y séjourne aussi pour pêcher, chasser le renard ou admirer les magnifiques couchers de soleil. De la grande galerie de l'hôtel, on voit le spectacle des «cageux» descendant le rapide.

9. L'hôtel Péloquin. En face, on aperçoit l'angle de la galerie de l'hôtel Marcotte, (voir photo 22).

Le village du Gros-Sault

Le Gros-Sault est connu depuis longtemps puisque les boulangers de la ville, dès le début des années 1800, viennent au moulin s'approvisionner en farine. Mais c'est le chemin de fer qui semble avoir donné naissance au village. En 1876, on inaugure la ligne Montréal-Saint-Jérome, premier tronçon du futur Canadien Pacifique. La voie ferrée franchit la rivière à la hauteur de l'île Perry, à proximité du moulin. Des familles s'installent près de la petite gare, située au sud du chemin du Bord-de-l'Eau. L'hôtel voisin accueille les vacanciers, venus admirer la beauté sauvage des rapides. Les hommes d'affaires montréalais y ont leur résidence d'été; pour s'y rendre ils prennent le train à la gare Viger, à deux pas de leur place d'affaires.

Les touristes viennent aussi pour visiter le vieux village du Sault. Malheureusement, depuis 1846, il n'y a plus qu'un moulin sur la digue, les autres ont été incendiés. De l'ancien fort Lorette, il ne reste plus que le magasin de munitions.

8. Le premier pont Viau, remplacé par une structure d'acier en 1886 et de béton en 1930.

(1) Voir fascicule n° 7. (Voir volume, chapitre 7.)

La ville rejoint la campagne   1890-1918

Pour les petites gens de Montréal, le nord de l'île reste difficile d'accès jusqu'à l'arrivée du tramway électrique en 1892. La «Montreal Park & Island», fondée quelques années plus tôt pour assurer un service de transport public aux villages de banlieue, met en service le tramway Millen(1). Celui-ci longe le chemin du Sault, traverse champs et pâturages avant d'arriver à «Back River» et de poursuivre sa route vers le village du Sault. Un petit tramway dessert aussi Cartierville(2); il part de la station Snowdon, traverse le village de Saint-Laurent et continue vers le nord. Le dimanche, les «p'tits chars» bondés transportent vers la campagne des Montréalais avides de grand air et de belle nature.

Ce nouveau mode de transport, prometteur de développement et d'expansion, suscite des désirs d'autonomie dans les communautés locales. Les villages, jusque-là rattachés aux municipalités de paroisses du Sault-au-Récollet et de Saint-Laurent, s'en détachent: «Back River» devient en 1897 le village d'Ahuntsic; l'année suivante, c'est au tour de Bordeaux de s'incorporer, misant sur une large publicité pour attirer l'industrie, mais en vain. En 1910, Montréal annexe ces villages, étendant ainsi son emprise du sud au nord de l'île. La même année, le chemin du Bord-de-l'Eau, devient le boulevard Gouin en l'honneur du premier ministre de la Province.

Depuis 1906, Cartierville est érigée en municipalité. La nouvelle paroisse de Notre-Dame-des-Anges dessert la population de l'endroit. À l'extrémité ouest de la municipalité, se trouve le secteur

11. La rivière des Prairies, à la hauteur de l'île de la Visitation. Au premier plan, l'usine Milmont alors en opération sur la digue des moulins. En arrière-plan, la centrale Rivière-des-Prairies.

cossu de Saraguay, nom signifiant en langue amérindienne «chemin des cageux». Quelques riches anglophones y ont acquis dix ans plus tôt des terres agricoles. Ils se sont taillé de vastes domaines en bordure de la rivière. Plusieurs membres influents du «Montreal Hunt Club» y possèdent des résidences d'été. L'un d'eux, Hugh Paton, qui habite un manoir sur l'île Paton, aujourd'hui île Du Tremblay, cède les terrains nécessaires pour les clubs de golf et de polo. Y réside aussi la famille Ogilvie dont l'ancêtre a fait construire, en 1837, sur les bords du canal de Lachine, le plus gros moulin à farine du Canada(3). A la suite de divergences avec les élus de Cartierville, les propriétaires de Saraguay demandent, en 1914, un statut de village indépendant. Deux ans plus tard, Cartierville et le Sault-au-Récollet sont à leur tour annexés à Montréal.

(1) Voir fascicule n° 9. (Voir volume, chapitre 9.)
(2) Voir fascicule n° 8. (Voir volume, chapitre 8.)
(3) Voir fascicule n° 7. (Voir volume, chapitre 7.)

10. La gare de tramway de Cartierville.

Une rivière à redécouvrir

Après 1918

Le parc Belmont, digne héritier des parcs Sohmer et Dominion, ouvre ses portes en 1923. On y vient de partout — en auto, en train, en tramway —, pour s'offrir un moment d'émotions fortes dans la grande roue et dans les montagnes russes. Mais dès cette époque, la campagne environnante perd de son charme. Ni le moulin du Crochet, ni celui du Gros-Sault ne dressent leur silhouette dans le paysage. Le magasin de munitions, dernier vestige du fort Lorette, est démoli en 1928. La rivière est dès lors polluée et le rapide du Sault-au-Récollet disparaît la même année à la suite de la hausse du niveau des eaux provoquée par la construction du barrage hydroélectrique de la «Montreal Island Power». aujourd'hui centrale Rivière-des-Prairies. À la fin de la Seconde Guerre mondiale, le cadre rural s'estompe. On trace des rues jusqu'aux confins de l'ancienne paroisse du Sault. En 1959, on perce le boulevard Henri-Bourassa. Cinq ans plus tard, Saraguay, dernière enclave rurale rattachée à sa forêt environnante, est annexée à Montréal.

Le boisé de Saraguay, classé arrondissement naturel en 1981, offre un aperçu de cet environnement de qualité qu'on trouvait jadis en bordure de la rivière des Prairies; flore, nombreuses variétés d'arbres et d'oiseaux. La mise en valeur des sites anciens, l'île de la Visitation, la digue des

12. Le parc Belmont en 1935. Fermé en 1983, il a fait place à un groupe d'habitations.

moulins, l'île Perry, dans le cadre de l'aménagement de parcs urbains, assure une perspective intéressante de conservation. L'ouverture de pistes cyclables et de fenêtres sur la rivière, assortie aux programmes de dépollution des cours d'eau métropolitains, redonnent aux citoyens le goût de l'eau. Quant à l'ancien chemin du Bord-de-l'Eau, il offre une promenade des plus enrichissantes à la découverte du patrimoine des quartiers Ahuntsic et Saraguay.

13. Futur boulevard Henri-Bourassa, en 1931.

Tableau synchronique des événements historiques 1700-1945

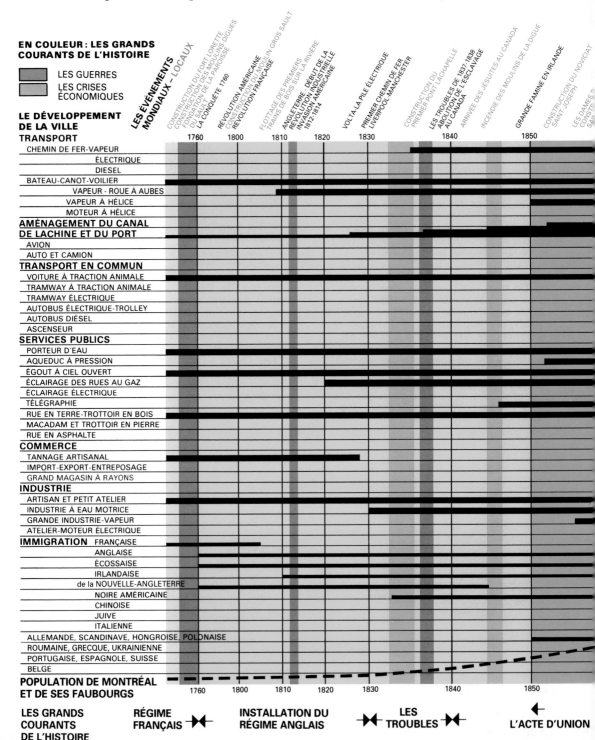

EN COULEUR : LES GRANDS COURANTS DE L'HISTOIRE

- LES GUERRES
- LES CRISES ÉCONOMIQUES

LE DÉVELOPPEMENT DE LA VILLE

LES ÉVÉNEMENTS MONDIAUX – LOCAUX

CONSTRUCTION DU FORT LORETTE
CONSTRUCTION DES MOULINS DIGUES
FONDATION DE LA PAROISSE
DU SAULT
LA CONQUÊTE 1760
RÉVOLUTION AMÉRICAINE
CONSTRUCTION DU MOULIN GROS SAULT
RÉVOLUTION FRANÇAISE
FLOTTAGE DES PREMIERS
TRAINS DE BOIS SUR LA RIVIÈRE
ANGLETERRE - DÉBUT DE LA
RÉVOLUTION INDUSTRIELLE
INVASION AMÉRICAINE
1812-1814
VOLTA-LA PILE ÉLECTRIQUE
PREMIER CHEMIN DE FER
LIVERPOOL-MANCHESTER
CONSTRUCTION DU
PREMIER PONT LACHAPELLE
LES TROUBLES DE 1837-1838
ABOLITION DE L'ESCLAVAGE
AU CANADA
ARRIVÉE DES JÉSUITES AU CANADA
INCENDIE DES MOULINS DE LA DIGUE
GRANDE FAMINE EN IRLANDE
CONSTRUCTION DU NOVICIAT
SAINT-JOSEPH
LES DAMES ?
CONST ?
SAI ?

TRANSPORT

1760   1800   1810   1820   1830   1840   1850

- CHEMIN DE FER-VAPEUR
- ÉLECTRIQUE
- DIESEL
- BATEAU-CANOT-VOILIER
- VAPEUR - ROUE À AUBES
- VAPEUR À HÉLICE
- MOTEUR À HÉLICE

AMÉNAGEMENT DU CANAL DE LACHINE ET DU PORT

- AVION
- AUTO ET CAMION

TRANSPORT EN COMMUN

- VOITURE À TRACTION ANIMALE
- TRAMWAY À TRACTION ANIMALE
- TRAMWAY ÉLECTRIQUE
- AUTOBUS ÉLECTRIQUE-TROLLEY
- AUTOBUS DIÉSEL
- ASCENSEUR

SERVICES PUBLICS

- PORTEUR D'EAU
- AQUEDUC À PRESSION
- ÉGOUT À CIEL OUVERT
- ÉCLAIRAGE DES RUES AU GAZ
- ÉCLAIRAGE ÉLECTRIQUE
- TÉLÉGRAPHIE
- RUE EN TERRE-TROTTOIR EN BOIS
- MACADAM ET TROTTOIR EN PIERRE
- RUE EN ASPHALTE

COMMERCE

- TANNAGE ARTISANAL
- IMPORT-EXPORT-ENTREPOSAGE
- GRAND MAGASIN À RAYONS

INDUSTRIE

- ARTISAN ET PETIT ATELIER
- INDUSTRIE À EAU MOTRICE
- GRANDE INDUSTRIE-VAPEUR
- ATELIER-MOTEUR ÉLECTRIQUE

IMMIGRATION

- FRANÇAISE
- ANGLAISE
- ÉCOSSAISE
- IRLANDAISE
- de la NOUVELLE-ANGLETERRE
- NOIRE AMÉRICAINE
- CHINOISE
- JUIVE
- ITALIENNE
- ALLEMANDE, SCANDINAVE, HONGROISE, POLONAISE
- ROUMAINE, GRECQUE, UKRAINIENNE
- PORTUGAISE, ESPAGNOLE, SUISSE
- BELGE

POPULATION DE MONTRÉAL ET DE SES FAUBOURGS

1760   1800   1810   1820   1830   1840   1850

LES GRANDS COURANTS DE L'HISTOIRE

RÉGIME FRANÇAIS ◄►◄   INSTALLATION DU RÉGIME ANGLAIS ◄►◄ LES TROUBLES ◄►◄   ◄ L'ACTE D'UNION

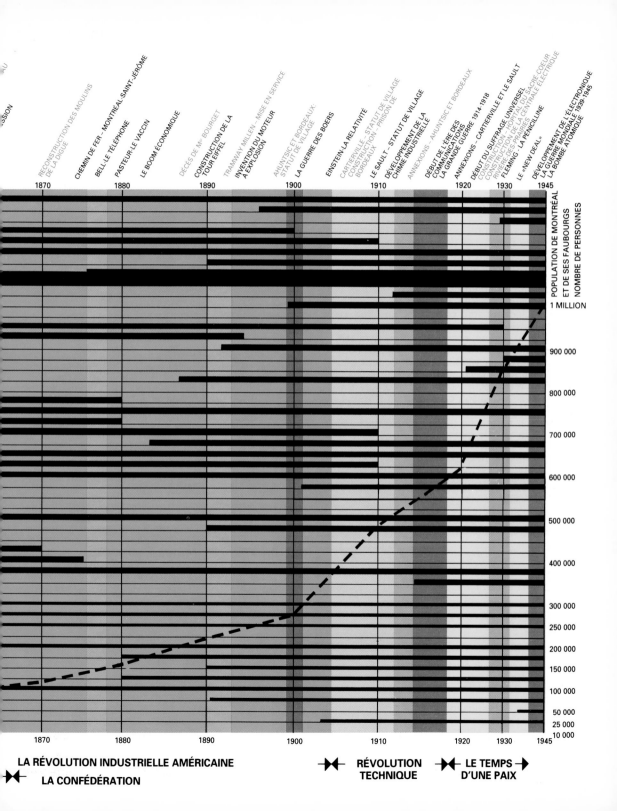

LA RÉVOLUTION INDUSTRIELLE AMÉRICAINE

◄► **LA CONFÉDÉRATION**

◄► **RÉVOLUTION TECHNIQUE** ◄► **LE TEMPS D'UNE PAIX** →

Architecture publique et institutionnelle d'hier et d'aujourd'hui

L'église de la Visitation du Sault-au-Récollet, l'une des pièces d'architecture les plus précieuses du patrimoine montréalais, est la plus ancienne de l'île de Montréal et sûrement une des plus belles. En 1749, le maître maçon Charles Guilbault dirige les paroissiens réunis pour la corvée de construction. Plusieurs maîtres artisans contribuent par la suite à orner l'intérieur du temple. Mentionnons les sculpteurs Philippe Liébert, Louis Quévillon et David-Fleury David, ces deux derniers nés au Sault-au-Récollet. Un siècle plus tard, la petite église en pierre des champs est devenue trop étroite. On confie à John Ostell, architecte du diocèse, la tâche d'agrandir le bâtiment; celui-ci ajoute la façade actuelle, flanquée de ses deux tours. Les clochers sont construits, en 1863, par François Dutrisac, charpentier du village.

Barthélémy Pigeon, menuisier de la paroisse, bâtit en 1788 un premier presbytère. L'édifice actuel, construit en 1883, est un imposant bâtiment en pierre de taille, surmonté d'un toit pavillon et orné d'un décor victorien; le contraste est frappant avec la maison du sacristain située à l'ouest de l'église. Cette dernière, avec son toit à deux eaux et sa grande galerie couverte, s'inspire de la tradition rurale québécoise.

15. Ancien noviciat Saint-Joseph, aujourd'hui collège Mont-Saint-Louis, classé monument historique en 1979
1700, boulevard Henri-Bourassa Est.

14. Église de la Visitation du Sault-au-Récollet, le presbytère et la maison du sacristain
1847, boulevard Gouin Est.

Le noviciat Saint-Joseph jouissait d'un magnifique point de vue sur ce noyau paroissial, lors de sa construction en 1853. Le noviciat faisait alors partie d'un vaste domaine allant du boulevard Gouin à l'emplacement actuel des voies du Canadien National, rue Sauvé. En 1895, les jésui-

tes cèdent l'espace nécessaire à la circulation du tramway, rompant ainsi cette intégrité visuelle. Le corps central du bâtiment, coiffé d'un toit à pignon et surmonté d'un clocheton, date de 1853; l'aile est, terminée par un toit en mansarde, de 1872. Ces deux édifices ont été restaurés par leur actuel occupant, la corporation du collège Mont-Saint-Louis. Notons que l'ancien sentier amérindien vers le fort Lorette longeait le bâtiment du côté est.

D'autres bâtiments intéressants, aujourd'hui disparus, s'élevaient à proximité du noyau paroissial. Mentionnons la maison Saint-Janvier où vint mourir, en 1885, monseigneur Bourget, l'infatigable évêque de Montréal qui, de son vivant, fonda plus de soixante-dix paroisses dans la ville. À l'emplacement actuel du complexe Berthiaume-Du-Tremblay, s'élevait le noviciat des frères de Saint-Gabriel, appelé maison Saint-Louis.

Les dames du Sacré-Coeur, une des nombreuses communautés venues au pays grâce à monseigneur Bourget, s'installent au Sault en 1856. Leur couvent, aujourd'hui collège Sophie-Barat, était renommé pour la qualité de son enseignement; il attirait des élèves tant canadiennes qu'américaines. La chronique populaire raconte qu'à chaque printemps, soeur Bienvenue offrait des rafraîchissements aux «cageux» descendant la rivière; elle leur remettait une médaille du Sacré-Coeur qu'ils s'empressaient de porter, espérant ainsi échapper à la noyade si fréquente dans ce rapide. L'externat Sainte-Sophie, voué en 1858 à l'éducation des jeunes filles de la paroisse, reste

16. Ancien externat Sainte-Sophie. 1105, boulevard Gouin Est.

le seul bâtiment de cette époque: en 1929, un incendie détruit le couvent qu'on reconstruit aussitôt.

Le boulevard Gouin offre deux autres complexes institutionnels d'envergure. La prison de Bordeaux, oeuvre de J.-O. Marchand et R.A. Brassard, s'inscrit dans le courant Beaux-Arts, populaire au début du siècle. Son architecture rappelle celle des grands bâtiments industriels européens. L'édifice, construit en 1907 et 1912, présente un plan centré d'où rayonnent six ailes. Le corps central est surmonté d'un dôme et les ailes, d'un toit brisé à surcroît. L'hôpital du Sacré-Coeur de Cartierville présente également un plan centré. En 1924, on charge les architectes Dalpé Viau et Alphonse Venne de construire un hôpital pour tuberculeux et incurables. Le site offre l'air pur et le soleil indispensables à ces malades. La tuberculose, aussi appelée peste blanche, a fait longtemps des victimes que les familles cachaient un peu comme des malades honteux. Cet hôpital contribuera à changer les mentalités. En face, le parc Raimbault marque

17. Prison de Bordeaux
800, boulevard Gouin Ouest.

l'endroit où le ruisseau de Côte-des-Neiges, aujourd'hui canalisé, se jette dans la rivière des Prairies.

De 1910 à 1920, on construit plusieurs écoles selon le modèle montréalais reproduit à de multiples exemplaires dans la ville. Il en reste cinq dans le quartier Ahuntsic dont deux constituent des exemples intéressants de recyclage à des fins de commerce et d'habitation: les écoles Saint-Nicolas rue Laverdure et Sainte-Madeleine, rue Prieur.

Enfin, mentionnons deux édifices publics, témoins des réalisations du premier quart du XXe siècle: la caserne de pompiers n° 38, joliment décorée, et la caserne n° 35, angle Gouin et Lajeunesse, bien connue des usagers du pont Viau.

18. *Hôpital du Sacré-Coeur*
5100, boulevard Gouin Ouest.

Carte des quartiers

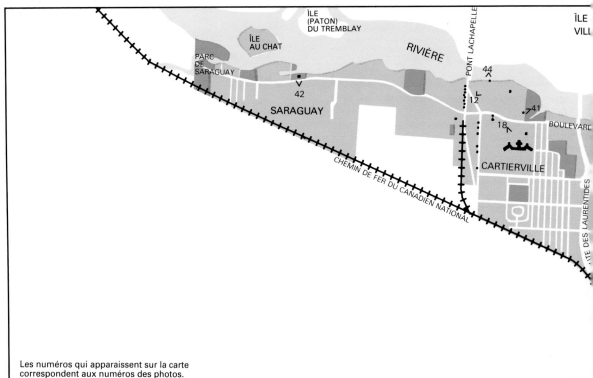

Les numéros qui apparaissent sur la carte correspondent aux numéros des photos.

19. Poste de police et de pompiers construit en 1929 à l'emplacement de l'hôtel Marcotte
10827, rue Lajeunesse.

20. Poste de police et de pompiers n° 38, aujourd'hui bureaux de la Ville de Montréal
12137, avenue de Bois-de-Boulogne.

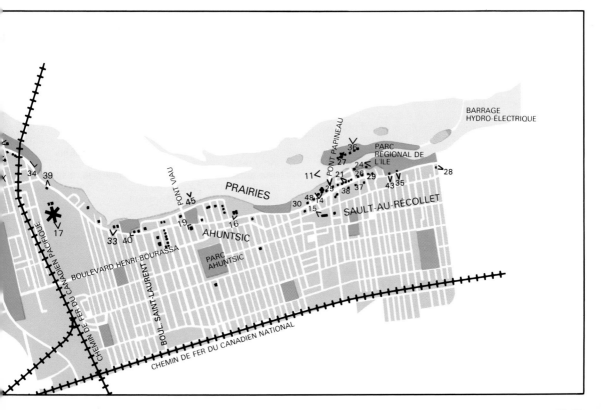

Architecture commerciale et industrielle d'hier et d'aujourd'hui

21. *Ancien magasin général du Sault*
2010-12, boulevard Gouin Est
Établissement typique du village québécois d'antan, le magasin général offrait un peu de tout à la clientèle.

22. *L'hôtel Marcotte a vécu ses heures de gloire... on le voit ici transformé en succursale de la Banque Provinciale et en poste de police et de pompiers.*

L'architecture commerciale de ces quartiers présente peu d'intérêt. Les bâtiments commerciaux antérieurs à 1930 ont disparu ou subi d'importantes transformations. Les hôtels Péloquin et Marcotte, qui formaient un ensemble impressionnant au carrefour du chemin du Sault et du chemin du Bord-de-l'Eau, ne sont plus que souvenirs du passé. Il en est de même des hôtels de Bordeaux et de Cartierville. Une exception, l'ancien magasin général du Sault, aujourd'hui résidence, qui a fait l'objet d'une heureuse restauration.

Il reste peu de vestiges également de ce qui fut l'un des premiers complexes industriels au pays: les moulins de l'île de la Visitation. De 1767 à 1840, les sulpiciens ont construit neuf moulins sur l'île de Montréal dont cinq moulins à eau et quatre à vent. Le blé joue un rôle important dans la colonie: en plus de fournir le pain, il sert de monnaie d'échanges aux habitants. En 1734, une ordonnance[1] oblige les meuniers à utiliser un crible cylindrique pour contrôler la finesse des moutures; on visait ainsi le marché d'exportation vers les autres îles françaises — l'île Royale et les Antilles —, ce qui n'eut pas de suite pour les marchands de Montréal, défavorisés par rapport à ceux de Québec qui disposent d'un port océanique.

Au cours des XVIIIe et XIXe siècles, cinq moulins se succéderont sur la digue de l'île de la Visitation. Le seul qui reste, d'abord converti en maison de meunier, puis en bureaux de la com-

pagnie «Back River Power», est le moulin à farine construit en 1801 aujourd'hui connu sous le nom de maison Oberlander (voir photo 49); ce moulin cesse ses activités en 1810, faute d'un débit d'eau suffisant. Ce qu'était le moulin du Gros-Sault, démoli en 1892, nous renseigne davantage sur l'architecture meunière. Il s'agit d'une construction massive de forme rectangulaire, surmontée d'un toit à pignon, percé de petites lucarnes et flanqué d'une cheminée double. Les murs en moellons pouvaient atteindre jusqu'à 1,52 mètre d'épaisseur. La construction de ce moulin, incluant le creusage du canal, coûta 20 000 $, une somme fabuleuse pour l'époque. Il fut le dernier moulin érigé par les prêtres de Saint-Sulpice sur l'île de Montréal.

---

(1) «Le rôle du blé à Montréal sous le régime seigneurial» dans *Revue d'histoire de l'Amérique française*, vol. 36, n° 2, 1982.

23. *Le moulin du Gros-Sault en 1859.*

Tableau synchronique des éléments architecturaux

LE PAREMENT EXTÉRIEUR

CRÉPI JUSQU'EN 1865

MOELLON OU PIERRE DES CHAMPS

PLANCHE UNIE OU À COUVRE-JOINT JUSQU'EN 1865

PLANCHE À CLINS 1830-1935

BOIS À MOTIFS ENGRAVÉS 1865-1935

BARDEAU D'AMIANTE 1935-1950

LE REVÊTEMENT DE LA COUVERTURE

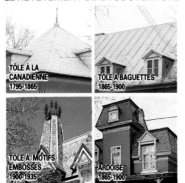

TÔLE À LA CANADIENNE 1795-1865

TÔLE À BAGUETTES 1865-1900

TÔLE À MOTIFS EMBOSSÉS 1900-1935

ARDOISE 1865-1900

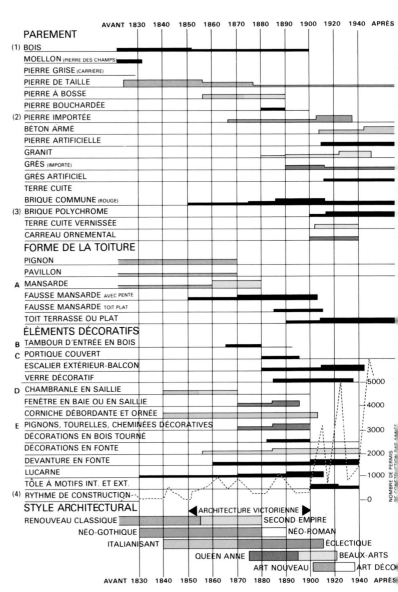

PAREMENT
- (1) BOIS
- MOELLON (PIERRE DES CHAMPS)
- PIERRE GRISE (CARRIÈRE)
- PIERRE DE TAILLE
- PIERRE À BOSSE
- PIERRE BOUCHARDÉE
- (2) PIERRE IMPORTÉE
- BÉTON ARMÉ
- PIERRE ARTIFICIELLE
- GRANIT
- GRÈS (IMPORTÉ)
- GRÈS ARTIFICIEL
- TERRE CUITE
- BRIQUE COMMUNE (ROUGE)
- (3) BRIQUE POLYCHROME
- TERRE CUITE VERNISSÉE
- CARREAU ORNEMENTAL

FORME DE LA TOITURE
- PIGNON
- PAVILLON
- A MANSARDE
- FAUSSE MANSARDE AVEC PENTE
- FAUSSE MANSARDE TOIT PLAT
- TOIT TERRASSE OU PLAT

ÉLÉMENTS DÉCORATIFS
- B TAMBOUR D'ENTRÉE EN BOIS
- C PORTIQUE COUVERT
- ESCALIER EXTÉRIEUR-BALCON
- VERRE DÉCORATIF
- D CHAMBRANLE EN SAILLIE
- FENÊTRE EN BAIE OU EN SAILLIE
- CORNICHE DÉBORDANTE ET ORNÉE
- E PIGNONS, TOURELLES, CHEMINÉES DÉCORATIVES
- DÉCORATIONS EN BOIS TOURNÉ
- DÉCORATIONS EN FONTE
- DEVANTURE EN FONTE
- LUCARNE
- TÔLE À MOTIFS INT. ET EXT.
- (4) RYTHME DE CONSTRUCTION

STYLE ARCHITECTURAL
◄ ARCHITECTURE VICTORIENNE ►
- RENOUVEAU CLASSIQUE
- SECOND EMPIRE
- NÉO-GOTHIQUE
- NÉO-ROMAN
- ITALIANISANT
- ÉCLECTIQUE
- QUEEN ANNE
- BEAUX-ARTS
- ART NOUVEAU
- ART DÉCO

AVANT 1830 1840 1850 1860 1870 1880 1890 1900 1920 1940 APRÈS

NOMBRE DE PERMIS DE CONSTRUCTION PAR ANNÉE: 0, 1000, 2000, 3000, 4000, 5000

(1) Bois: interdit dans le Vieux-Montréal après l'incendie de 1721, dans les faubourgs après celui de 1852, il demeure cependant en usage dans les villages jusqu'à leur annexion autour des années 1900.
(2) Pierre importée: pierre plus malléable que la pierre grise, se prêtant mieux aux motifs sculptés.
(3) Brique polychrome: de couleur variable et à texture rugueuse contrairement à la brique commune qui est rouge, lisse, et à texture sablonneuse.
(4) Certaines données de ce tableau proviennent des études de David B. Hanna, professeur au département de géographie, UQAM.

Architecture résidentielle

La maison de Montréal

Depuis le début de la colonie, la maison au Québec s'est lentement transformée. À la ville comme à la campagne, on a tenté de mieux l'adapter à nos hivers rigoureux. Les fréquents incendies dans la ville amèneront très tôt l'administration de Montréal à émettre des directives détaillées sur les façons de la construire.

Ordonnance du 17 juin 1727...
Ordonnons de... «bâtir aucune maison dans les villes et gros bourgs, où il se trouvera de la pierre commodément, autre qu'en pierres; défendons de les bâtir en bois, de pièces sur pièces et de colombage...»
«...construire des «murs de refend» (1) *qui excèdent les toits et les coupent en différentes parties, ou qui les séparent d'avec les maisons voisines, à l'effet que le feu se communique moins de l'une à l'autre...»*
Défense de construire... *«des toits brisés, dit à la mansarde... qui font sur les toits une forêt de bois...»*

Outre ces nombreux édits, le coût élevé des terrains, à mesure que la ville s'agrandit, la prédominance des locataires et la présence dans le sol de la pierre calcaire et d'une argile propre à la brique ont favorisé la naissance de la maison en rangée, typique à Montréal.

Cette maison type se rencontre, avec des variantes, dans tous les quartiers de la ville, mêlée à d'autres habitations moins nombreuses, mais qui toutes ont connu leurs heures de popularité:
• la maison villageoise
• la maison urbaine traditionnelle
• la maison en rangée
• la villa
• la maison contiguë
• la maison semi-détachée
• la maison à logements multiples
• la maison de rapport.

Les maisons les plus représentatives du quartier seront reprises dans les pages suivantes pour illustrer l'évolution du patrimoine résidentiel.

Les quartiers Ahuntsic et Saraguay s'écartent de ce profil montréalais. Le territoire avoisinant le boulevard Gouin — le seul développé avant 1930, période qui nous intéresse — présente un caractère rural et ce, jusque vers 1950, alors que s'amorce le développement intensif du nord de Montréal. En raison de ce long passé agricole, les maisons isolées prédominent; par ailleurs, la maison en rangée typique à Montréal y est absente.

Le boulevard Gouin offre un éventail, unique à Montréal, de maison isolées anciennes. Cette particularité du paysage mérite une attention spéciale: nous nous attarderons donc exclusivement, dans les pages qui suivent, à ce type d'habitation. Pour des exemples d'habitations contiguës ou semi-détachées, construites avant 1930, les personnes intéressées peuvent consulter les chapitres 8 et 9.

La maison villageoise
maison en bois ou en moellon, le plus souvent à toit à pignon, avec galerie ou accès direct au niveau du sol; elle est isolée ou adossée à d'autres habitations.

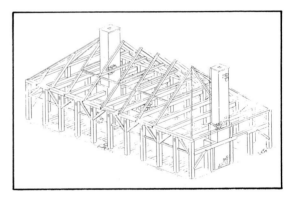

24. La maison du Pressoir
    10861, rue du Pressoir
    Exemple très rare au Québec de maison à colombage pierroté (2). Ce mode de construction, venu de Normandie et de Bretagne, est constitué de grosses pièces de bois verticales apparentes, espacées, entre lesquelles on effectue un remplissage à base de terre, de glaise et d'herbage, de mortier et de pierre ou de brique. Dans le cas de la maison du Pressoir, l'appareil de remplissage est régulier et fait de grosses roches. Sa lourde charpente, caractérisée par des colombages très espacés et soutenue par des équerres, laisse supposer qu'à une certaine époque, la maison remplissait une fonction autre que résidentielle. Mais il ne subsiste aujourd'hui aucune trace du pressoir. Ce bâtiment, témoin de l'évolution des façons de construire au Québec, a été classé monument historique en 1978. Dessin isométrique tiré du relevé architectural des étudiants de la faculté d'aménagement de l'Université de Montréal.

---

(1) Murs coupe-feu.
(2) Aussi appelée «à charpente maçonnée».

Les premiers colons délaisseront vite certaines techniques de construction européennes qui leur étaient familières, telles que le colombage pierroté ou le recouvrement des toitures en tuile ou en chaume. Quelques pratiques des vieux pays persisteront cependant jusqu'au début du XIXe siècle, qualifiant un certain type d'architecture québécoise. Il s'agit de maison d'allure paysanne, ancrées dans le sol, présentant un toit à pente raide et une façade sans galerie. Plusieurs de ces maisons d'esprit français devaient se trouver à proximité du fort Lorette. Quelques-unes sont parvenues jusqu'à nous.

25. Maison Sutton
1947, boulevard Gouin Est
Maison d'esprit français, construite au début du XIXe siècle, par Louis Boudreau dit Graveline et résidence d'été, vers 1930, de la famille Sutton. Il s'agit d'une construction en moellons utilisant la pierre des champs.

26. Maison de Jean-Baptiste Laporte, meunier du moulin du Sault
2134, boulevard Gouin Est
Autre personnage connu qui y vécut: Hormidas Laporte, homme d'affaires de la fin du XIXe siècle, fondateur de la Banque Provinciale et maire de Montréal. Cette maison illustre par sa taille un autre trait de la maison d'esprit français: petites pièces, portes et fenêtres plus étroites qu'aujourd'hui afin de conserver la chaleur. Autre usage de l'époque, l'utilisation du crépi comme fini extérieur pour protéger la maçonnerie.

27. *Maison de l'île de la Visitation*
  Maison d'esprit québécois à parement de bois. Au début de la colonie, le bois abonde dans la forêt. En 1727, les sulpiciens construisent un moulin à scie hydraulique qui devait fournir planches et madriers nécessaires à la construction. Au cours des ans, on assemblera les planches de diverses façons pour recouvrir les bâtiments: illustration de la technique, dite à clin ou déclin, assemblage de planches horizontales et chevauchantes.

Le géographe suédois Peter Kalm, visitant le Sault-au-Récollet en 1749, note à plusieurs reprises la présence de grosses roches dans les bois et les champs. Les colons, en plus d'en avoir fait des murets autour de leurs champs, semblent avoir abondamment utilisé ce matériau pour construire leurs maisons; on s'en servit aussi pour la construction de l'église paroissiale et de certains grands édifices, comme en témoignent les maisons Saint-Joseph et Sainte-Sophie. Le visiteur suédois note aussi la présence le long du chemin, de deux fours à chaux «en pierre durcie au feu, à l'exception de l'intérieur qui est en granit».[1]

C'est là que le chaufournier fabrique la chaux qui, mêlée au sable et à l'eau, donne le mortier indispensable à la maçonnerie.

À partir du XIXe siècle, l'aspect des maisons change considérablement: maintenant dégagées du sol, elles adoptent des toits à pentes plus douces et de grandes galeries courent sur la façade principale. Il s'agit de la version dite québécoise, mieux adaptée aux rigueurs de l'hiver.

28. *Maison François Dagenais*
  2900, boulevard Gouin Est
  Maison d'esprit québécois pourvue d'un bas-côté ou cuisine d'été, prolongée par un appentis. Des travaux de modernisation ont sensiblement modifié la silhouette d'origine de cette maison.

(1) SHM, Mémoires. *Voyage de Kalm en Amérique*, analyse et traduction par L.W. Marchand, Montréal, Berthiaume, 1749, 1880.

29. Maison Brousseau
2273, boulevard Gouin Est
Maison en pierre grossièrement équarrie, murs coupe-feu et
toiture en tôle à la canadienne.

Au milieu du XIXe siècle, l'architecture québécoise fait montre de raffinement. Les maisons construites en pierre de taille ou grossièrement équarrie, adoptent une distribution symétrique des fenêtres de part et d'autre de l'entrée, et arborent des murs coupe-feu. Ces derniers, rendus obligatoires dans la vieille ville en raison de la contiguïté des bâtiments, sont, dans le cas des maisons isolées, des attributs d'ornementation: on adopte alors la silhouette familière des maisons de Montréal et de ses faubourgs.

30. Maison Pigeon-Dumouchel
1737, boulevard Gouin Est
Maison d'esprit québécois en pierre de taille, pourvue de
murs coupe-feu. Cette maison a été construite vers 1830 sur
la terre ancestrale des David, famille d'artisans, ébénistes et
sculpteurs. David-Fleury David est l'un des artisans qui a
oeuvré à l'ornementation de l'église du Sault, notamment à la
sculpture de la voûte, du jubé et des retables. Les Dumou-
chel, artistes graveurs, perpétuent la tradition en devenant
propriétaires, en 1963, de cette vénérable demeure.

Au début du XIXe siècle, le bardeau de bois, très inflammable, est peu à peu remplacé par le métal comme matériau de recouvrement de toiture. Le ferblantier utilise deux techniques principales d'assemblage: celle de la tôle à la canadienne où la pose se fait en diagonale de manière à éviter au maximum l'infiltration de l'eau; celle de la tôle à baguettes, adoptée pour les toits à pente douce.

33. 305, boulevard Gouin Ouest
Maison victorienne à toit mansard sur les quatre faces du bâtiment, dit toit mansard à quatre eaux. L'exemple précédent illustre la version à deux eaux.

Mentionnons aussi les maisons villageoises d'esprit victorien qui viendront égayer le paysage au cours de la seconde moitié du XIXe siècle. Chaque village possède ses petites maisons à toit mansard, caractérisées par un décor de dentelles. Ce type d'architecture nous vient des États-Unis où il jouit, depuis longtemps, d'une grande popularité.

31. Maison du révérend Dupuis, dans le village d'Ahuntsic.
Cette coquette résidence aujourd'hui disparue illustre bien l'esprit de la maison de style victorien...

32. 4205, boulevard Gouin Ouest
Le toit en mansarde, typique de la période victorienne, est formé de deux pentes sur le même versant: la pente supérieure, appelée terrasson et la pente inférieure, le brisis, où s'insèrent les lucarnes. Dans cette version rurale, le brisis, légèrement galbé, se prolonge pour former le toit de la galerie.

34. 1421, boulevard Gouin Ouest
Maison à fausse mansarde. Ce type de toiture marque une phase dans l'évolution vers le toit plat: il a le décor de la mansarde, le large brisis percé de lucarnes, sans en avoir la structure puisque le toit est plat ou légèrement incliné vers l'arrière.

Dans le premier quart du XXᵉ siècle, les villages, maintenant annexés à Montréal, s'urbanisent. On y voit se construire des maisons de ville, comme on en trouve dans les nouveaux quartiers montréalais, Rosemont, Côte-des-Neiges ou Notre-Dame-de-Grâce.

35. 2647, boulevard Gouin Est
Résidence familiale typique des années 20, caractérisée par le revêtement de brique brune, le toit plat se terminant par une corniche à fronton postiche.

Terminons sur des «villageoises» bien typiques; l'une, située sur l'île de la Visitation, a des airs campagnards; l'autre, petite multifamiliale de quatre logements, s'apparente aux maisons villageoises déjà rencontrées dans les villages en périphérie de la vieille ville. Notons un trait commun: le toit en appentis caractérisé par une légère pente vers l'arrière.

36. 2169, île de la Visitation.

37. 2118-24, boulevard Gouin Est.

La villa:

maison isolée avec jardin, grande résidence familiale, emprunt à plusieurs styles architecturaux.

Après la Conquête, des influences britanniques apparaissent dans l'architecture québécoise. La villa monumentale et le cottage anglo-normand le démontrent. La première se caractérise par un carré de pierre très imposant, des murs épais, un toit à pavillon; son allure est dénudée, ses lignes sobres et parfaitement symétriques. La seconde présente un toit à pavillon à la façon normande mais la pente plus douce reflète une manière britannique; elle s'inspire d'un courant d'architecture campagnarde, répandu en Angleterre au début du XIXe siècle.

Au tournant du siècle, on verra surgir en bordure du boulevard Gouin, de grandes résidences d'été. Toutes différentes, elles rivalisent de richesse tant par leur gigantisme que par leur décor exubérant. Chaque été ramenait les estivants, propriétaires de ces grands châteaux.

39. Maison Minville
1726, boulevard Gouin Est
Construite vers 1840, cette villa est une version modeste du cottage anglo-normand qui peut atteindre de grandes dimensions. La maison Minville fait plutôt penser à un chalet d'été.

38. 2086, boulevard Gouin Est
Maison du notable Persillier-Lachapelle, meunier prospère et constructeur de ponts. Cette villa monumentale, construite vers 1830, témoigne de la place importante occupée par cette famille dans le village; elle est le symbole de sa réussite sociale et financière.

40. 215, boulevard Gouin Ouest
Tourelle, fronton postiche, grande galerie... immense maison où les enfants devaient aimer se perdre...

41. En arrière-plan de la rue Notre-Dame-des-Anges
Paysage romantique... l'étang, la tonnelle, les saules et les grands ormes, aujourd'hui parc Raimbault. C'est ici que le ruisseau de la Côte des Neiges, aussi appelé ruisseau Raimbault, se jetait dans la rivière des Prairies. (Photo 1943)

42. Maison MacDougall
9073, boulevard Gouin Ouest
Cette villa sise dans Saraguay, est aujourd'hui propriété de la Communauté urbaine de Montréal. Pour les amateurs de téléromans, elle est la résidence de «Monsieur le ministre», populaire émission du début des années 80.

Il y avait jadis de nombreux chalets en bordure de la rivière des Prairies. La plupart de ces modestes bâtiments, souvent sur pilotis et recouverts d'un lambris de bois, sont disparus ou ont été convertis en maison de ville. Voici deux exemples de maisons de campagne...

43. 2511, boulevard Gouin Est
Cette maison d'influence américaine a pu être conçue, à l'origine, comme une résidence d'été.

44. 12534, avenue de Rivoli
En attente du retour de l'été...

45. La construction du pont Viau en 1930.

46. Vue aérienne de la rivière des Prairies.
47. Le boulevard Gouin, à la hauteur de Bordeaux.
48. La maison Oberlander.
49. Site remarquable de l'église du Sault-au-Récollet.

«Rangées de maisons, chaînes de brique et de bois dépeint, qui bouchent les deux côtés de la rue Holt, rongent le ciel, courent à travers le vieux Rosemont - le fendant, l'éventrant, le labourant à même ses chairs de petites maisons douillettes et de hideux cubes bruns où nichent les hommes assommés de travail, de clôtures de fer noir envahies par les liserons, de parterres ombragés où poussent des glaïeuls et des immortelles et de la rhubarbe et des enfants sur des balançoires.»[1]

«Mais heureusement qu'il y avait - et qu'il y a toujours - Rosemont-les-érables, Rosemont-les-fleurs et Rosemont-les-dimanches... À Rosemont, il y a des rues où le dimanche dure toute la semaine.... rues endormies sous une nappe de silence blanc, soleil parfois à travers les feuilles des grands arbres... on n'entend rien, rares automobiles, trottoirs à peu près vides à perte de vue, oui c'est dimanche peut-être, des gens parlent sur des perrons, chaises de cuisines dehors, bière, coke et chips, ça parle presque bas parce que c'est dimanche, familles se promenant sur les trottoirs, cours d'écoles vides, Jardin botanique c'est une frontière, à l'est de Pie IX c'est encore Rosemont, oui, mais pas le vrai, pas celui qui en a vu de toutes les couleurs, nouveau quartier dans un quartier en fait, maisons sagement alignées, neutres, propres, qui n'ont pas de passé et se sont implantées comme des immigrées...»[2]

1 La Rocque, Gilbert, *Corridors*, éditions du Jour, 1971.
2 La Rocque, Gilbert, *Rosemont les clochers, les momans et les morts, Morceaux du grand Montréal*, sous la direction de Robert Guy Scully, éditions du Noroît, 1978.

11 Fours à chaux et hauts fourneaux

Le patrimoine de Montréal
Quartiers Rosemont et
Saint-Michel-Nord

Fours à chaux et
hauts fourneaux

Au milieu du XIXe siècle, la Côte-de-la-Visitation s'étend depuis la Côte-des-Neiges jusqu'à Longue-Pointe (rue l'Assomption) entre les rues Rachel et Bélanger. Les villages du Coteau-Saint-Louis, d'Hochelaga et de De Lorimier s'en détachent par la suite et le territoire ainsi amputé devient, en 1895, le village de la Petite-Côte puis, au début du siècle, le quartier Rosemont, une banlieue ouvrière suscitée par l'implantation des usines Angus.

Au nord de ce territoire s'étendent les terres de la Côte-Saint-Michel et le village du même nom, né au carrefour des grandes routes (aujourd'hui rue Jarry et boulevard Saint-Michel), devenu Ville Saint-Michel en 1915 et annexé à Montréal en 1968. L'urbanisation n'atteint cette partie de l'île qu'après la Seconde Guerre mondiale. Les belles fermes disparaissent alors mais la reprise de la construction dans la ville y favorise l'expansion des carrières de pierre.

2. Dans le quartier Rosemont des années 20, on voit s'élever sur des rues en terre battue des demeures semblables à celle-ci: maison à trois niveaux caractérisées par ses façades en brique brune, son grand escalier extérieur et son fronton orné d'un motif décoratif en pierre artificielle.

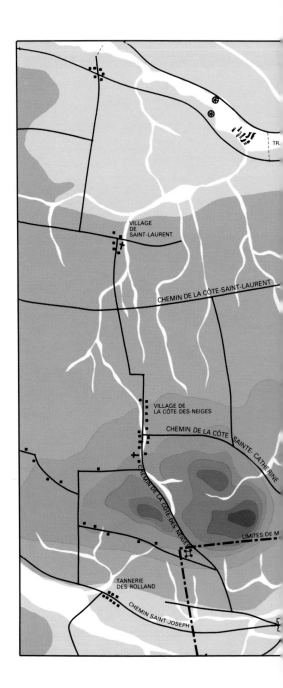

Photo de la page précédente:
1. Ouvriers des hauts fourneaux coulant la fonte dans un moule de roue à wagon, aux «Shops Angus». (Photo 1924).

Relief et cours d'eau de Montréal au XVIIIe siècle

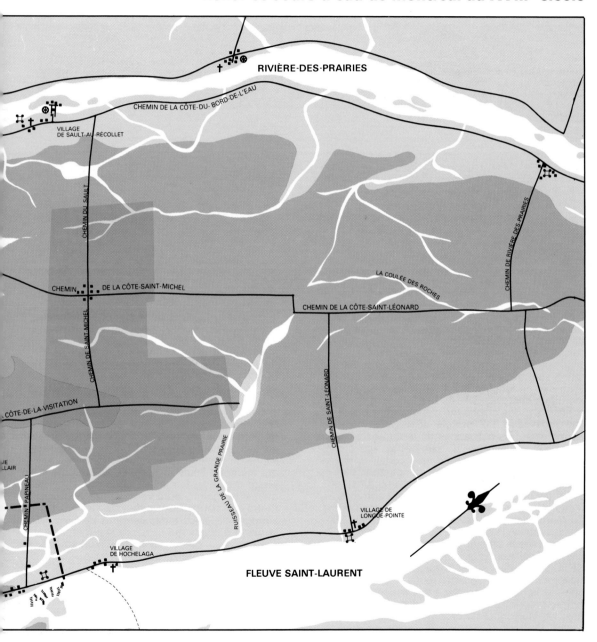

RIVIÈRE-DES-PRAIRIES

CHEMIN DE LA CÔTE-DU- BORD-DE-L'EAU

VILLAGE
DE SAULT-AU-RÉCOLLET

CHEMIN DU SAULT

CHEMIN DE RIVIÈRE-DES-PRAIRIES

LA COULÉE DES ROCHES

CHEMIN ... DE LA CÔTE-SAINT-MICHEL

CHEMIN DE LA CÔTE-SAINT-LÉONARD

CHEMIN DE SAINT-MICHEL

CHEMIN DE SAINT-LÉONARD

CÔTE-DE-LA-VISITATION

...LAIR

CHEMIN PAPINEAU

RUISSEAU DE LA GRANDE PRAIRIE

VILLAGE DE
LONGUE-POINTE

VILLAGE
DE HOCHELAGA

FLEUVE SAINT-LAURENT

La montée Saint-Michel

Avant 1900

3. *Fours Limoges en 1894. Olivier Limoges, natif de Saint-Michel, établit son entreprise à cet endroit en 1879 et la déménage quatre ans plus tard à Montréal (ici illustré). La chaux est obtenue par cuisson de la pierre à haute température dans des fours de ce type: elle est ensuite refroidie et mélangée à du sable. La chaux Limoges était réputé parmi les maçons et briquetiers de Montréal.*

Le territoire aujourd'hui formé par les quartiers Rosemont et Saint-Michel-Nord faisait jadis partie de la grande seigneurie de Montréal, propriété des prêtres de Saint-Sulpice. Au début du XVIIIe siècle, les côtes Saint-Michel et de la Visitation sont tracées. Par cette opération, on divise les terres en longues bandes étroites alignées le long d'un chemin public (1). Les lots sont ensuite concédés à des colons qui s'engagent à payer une redevance aux prêtres de Saint-Sulpice. Parmi les autres obligations de la roture (2), il y a la corvée; en l'absence de services publics organisés, les colons doivent accomplir certaines tâches comme réparer les chemins qui passent par leurs terres ou en tracer de nouveaux. Ainsi, en 1707, les habitants de ces côtes sont sommés d'ouvrir la montée Saint-Michel, actuel boulevard du même nom, qui devient un des premiers chemins reliant Ville-Marie au Sault-au-Récollet (3).

Le voyageur partant de la ville emprunte le chemin Papineau vers le nord pour atteindre celui de la Côte-de-la-Visitation, aujourd'hui boulevard Rosemont; le long de cette route sinueuse, aussi appelée la Petite-Côte, il y a des maisons de ferme, propriétés vers 1870 de familles anglophones: les Molson, Crawford, McVor, Drummond et autres. Quittant ce chemin, le voyageur s'engage dans la montée Saint-Michel. Sur le parcours, il croise des charretiers transportant vers la ville de la pierre, du sable et de la chaux. À la hauteur du chemin de la Côte-Saint-Michel, aujourd'hui rue Jarry, il traverse un petit hameau, sorte de relais à mi-chemin entre Montréal et le Sault-au-Récollet. Il y a là des forges où au besoin il peut faire réparer sa voiture et ferrer son cheval; on y voit aussi des carrières de pierre et des fours à chaux.

Depuis longtemps déjà, les carrières de Saint-Michel sont exploitées pour les besoins en construction de la grande ville. Peter Kalm, un savant visiteur, venu au pays en 1749 (4), note la présence de deux fours à chaux le long du chemin qui mène au Sault-au-Récollet. Ils sont, dit-il, en pierre durcie au feu, à l'exception de l'intérieur qui est en granit; leurs voûtes atteignent six mètres de hauteur. Au début du siècle, Olivier Limoges tire encore des carrières de Saint-Michel la pierre à chaux qui alimente ses fours, situés rue Papineau, quinze kilomètres plus au sud, à la hauteur de l'actuelle rue Sherbrooke.

(1) Voir fascicules n°s 7 et 8 sur le système des «côtes». (Voir volume, chapitres 7 et 8.)
(2) Redevance due au seigneur pour une terre à défricher; signifie aussi la classe des roturiers (opposé à noblesse).
(3) Voir fascicule n° 10. (Voir volume, chapitre 10.)
(4) SHM, Mémoires, *Voyages de Kalm en Amérique*, analysé et traduit par L.W. Marchand, Montréal, Berthiaume, 1749, 1880.

Le quartier Rosemont

1900-1930

4. L'ancien chemin de la Côte-de-la-Visitation, appelé chemin de la Petite-Côte, puis boulevard Rosemont. (Photo 1924).

Au tournant du siècle, le Canadien Pacifique vit une période faste; son réseau s'étend d'un bout à l'autre du pays et requiert d'importants équipements. Cette compagnie entreprend donc en 1902 la construction des usines Angus au sud du village de la Petite-Côte (1). Deux ans plus tard, sept mille ouvriers y fabriquent des wagons et des locomotives et maintiennent en bon état le matériel roulant. C'est alors que des fermiers de la Petite-Côte, sollicités par des agents immobiliers, vendent leur terre. La terre Crawford est ainsi acquise par la compagnie «Rosemont Land»; cette dernière y fonde, en 1905, le village Rosemont et obtient la même année son annexion à Montréal. Village éphémère mais transaction fort lucrative qui évite à ses promoteurs d'encourir les coûts d'installation des égouts, aqueducs et autres équipements requis par un territoire en pleine expansion.

(1) En 1895, la municipalité de Côte-de-la-Visitation disparaît: la portion sud-ouest est intégrée au village De Lorimier et le reste du territoire prend nom de village de la Petite-Côte.

5. Annonce parue dans la Presse, le 1er avril 1905.

Pendant plusieurs années, Ubald-Henri Dandurand, agent de cette compagnie, vendra des lots aux ouvriers désireux de s'installer à proximité des usines. Personnage excentrique s'il en fut, on lui doit le nom du quartier Rosemont (1) et la première automobile à Montréal (2). Son associé, sir Herbert Holt, Irlandais de souche et pauvre comme Job à son arrivée au pays, est de cette génération d'hommes qui au tournant du siècle, se sont taillé de grands empires financiers; bien qu'une rue du quartier porte son nom, il habitait, tout comme Robert Angus, le prestigieux «Golden Square Mile» (3). Quant à U.H. Dandurand il avait pignon sur rue Sherbrooke, avenue non moins «fashionable».

Vers 1901, le quartier confine à la chapelle Sainte-Philomène, emplacement actuel de l'église du Saint-Esprit. Comme dans un gros village, tout le monde se connaît; de père en fils, on travaille aux «Shops Angus». Matin et soir, le sifflet de l'usine rythme la vie des habitants. En 1908, les familles attendent avec anxiété le règlement de la grève qui paralyse les usines pendant deux mois. À l'aube de la Première Guerre mondiale, les machines tournent à plein rendement produisant chaque jour près de trente wagons.

À plusieurs endroits dans le quartier, il y a des carrières où l'on extrait la pierre concassée: la carrière Delorimier, rue Iberville; Quirck & Rogers, aujourd'hui parc le Pélican; la carrière Martineau, actuel parc Lafond et la carrière Maisonneuve, aujourd'hui intégrée au site du Jardin botanique. Mais le grand centre minier se situe à Saint-Michel. Lors de la Première Guerre mondiale, les carrières Limoges, Lapierre & Labelle y sont les plus importantes. La technologie d'extraction reste sommaire: on casse la pierre à la masse et on la transporte en tombereau jusqu'au concasseur. En 1925, quand les frères Miron (4) fondent leur entreprise, les travaux d'excavation se font avec une pelle-cuiller tirée par un cheval. Ce n'est que par la suite que se généralisent le marteau-pilon, la foreuse et la pelle à vapeur et que le camion remplace le cheval.

---

(1) Du nom de sa mère, née Rose Philipp.
(2) Le 21 novembre 1899, lit-on dans la Presse: «le premier (sic) automobile importé dans cette province a circulé sur les rues de Montréal, et a beaucoup excité l'attention des passants et des cochers de fiacre». Voir fascicule n° 2, photo n° 1, une des nombreuses autos de U.H. Dandurand.
(3) Voir fascicule n° 3, sur le «Golden Square Mile». La résidence, qui existe toujours, se situe au numéro 3674, rue Peel. (Voir volume, chapitre 3.)
(4) Ce n'est qu'en 1947 que cette entreprise prendra le nom de Miron.

Les étapes du développement

Avant 1907

De 1907 à 1930

Après 1930

Les numéros qui apparaissent sur la carte correspondent aux numéros des photos.

La fin d'une époque   Après 1930

La rue Masson est devenue une artère commerciale animée au coeur d'un quartier populeux. Boulevard Rosemont, le tramway atteint maintenant les environs du boulevard Pie IX, limite de l'expansion vers l'est. En plusieurs endroits, les carrières gênent l'urbanisation et forment de dangereux cratères de cinq à neuf mètres de profondeur. C'est à cette époque que les autorités municipales décident d'acquérir les quinze carrières situées sur leur territoire (1); en 1935, elles interdisent par voie de règlement l'ouverture de toute nouvelle carrière dans la ville.

6. La carrière Martineau, aujourd'hui parc Lafond, est l'une des carrières qu'exploitait la famille Martineau à Montréal; la plus importante était située à l'emplacement actuel du parc Marquette .(Photo 1935) Voir fascicule n° 9.

Au village de Saint-Michel, la vie continue comme au siècle précédent. On cultive toujours la belle terre noire de ce coin de l'île. Tôt le matin, les fermiers empruntent la montée Saint-Michel en direction du marché Bonsecours, leurs charrettes remplies de légumes. Le magasin général est le lieu de rendez-vous des villageois et les voyageurs continuent de fréquenter les hôtels de la place. Après la Seconde Guerre mondiale, Saint-Michel connaît une croissance phénoménale: les maisons se construisent à un rythme rapide, sans plan précis d'aménagement. Pour répondre à la demande des nombreux chantiers en cours dans la ville, les carrières accroissent leurs activités. Au début des années 60, l'entreprise Miron est devenue un vaste complexe fournissant au marché de la construction, sable, concassé, asphalte, ciment, tuyaux et blocs de béton; on peut y voir en opération l'un des plus gros fours à ciment au monde.

7. La carrière Miron.
«Enfin le trou!
...Louis a travaillé 26 ans dans le trou. Jacques onze ans. Je m'attendais à ce qu'ils me disent leur écoeurement. Ils m'ont dit leur fierté: «C'est de ce trou-là que sort Montréal. La gare centrale, l'hôpital Sainte-Justine, la voie maritime, place Ville-Marie, place Desjardins... C'est notre béton... Ce n'est pas qu'un trou qu'on va reboucher. C'est un peu leur univers qu'on enterre...»
Extraits de La leçon au bord du trou de Pierre Foglia, La Presse, le 9 juin 1984.

De ce voisinage insolite entre la résidence et les géants Francon et Miron découle une situation pénible pour certains des résidents du lieu: maisons coincées entre les immenses trous des carrières, secousses quotidiennes des dynamitages, milieu de poussière et effluves s'échappant des déchets qu'on y déverse. La construction du boulevard Métropolitain ajoute aux infortunes de Saint-Michel, coupant à travers le vieux village et apportant son lot de bruit et de pollution. Un horizon plus serein se dessine à l'aube des années 80: la fin des opérations chez Francon & Miron est maintenant chose acquise! La fermeture de ces carrières met ainsi un terme à l'activité d'extraction de la pierre pratiquée dans la ville depuis près de deux siècles.

Pour les gens de Rosemont les choses aussi ont changé! Depuis la fin de la Seconde Guerre mondiale, les «Shop Angus» se sont mises à tourner au ralenti. L'apparition du diesel et la concurrence du camion ont ébranlé l'industrie ferroviaire. Une partie des usines est démantelée dans les années 60: la «grande cité ouvrière» a cessé d'exister. Le coeur des usines continue de battre cependant mais sur la partie est du site, maintenant désaffecté, une cité résidentielle est en train de surgir.

Ainsi, de part et d'autre de la montée Saint-Michel, fours à chaux et hauts fourneaux se sont éteints et deux immenses morceaux de quartiers commencent leur mutation.

---

(1) Sept de ces carrières étaient situées dans le quartier Rosemont.

Tableau synchronique des événements historiques 1700-1945

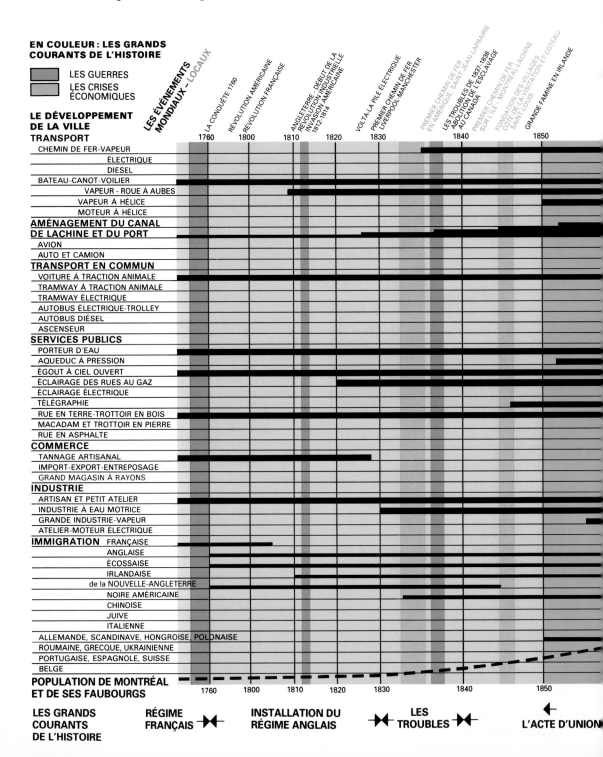

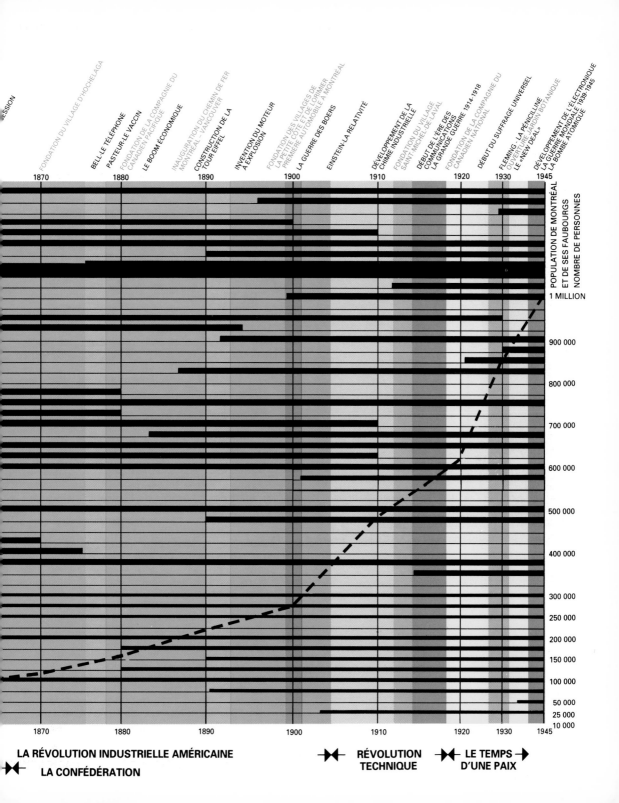

FONDATION DU VILLAGE D'HOCHELAGA

BELL-LE TÉLÉPHONE
PASTEUR-LE VACCIN
FONDATION DE LA COMPAGNIE DU
CANADIEN PACIFIQUE
LE BOOM ÉCONOMIQUE
INAUGURATION DU CHEMIN DE FER
MONTRÉAL – VANCOUVER
CONSTRUCTION DE LA
TOUR EIFFEL
INVENTION DU MOTEUR
À EXPLOSION
FONDATION DES VILLAGES DE
LA PETITE CÔTE ET DE LORIMIER
PREMIÈRE AUTOMOBILE À MONTRÉAL
LA GUERRE DES BOERS
EINSTEIN-LA RELATIVITÉ
DÉVELOPPEMENT DE LA
CHIMIE INDUSTRIELLE
FONDATION DU VILLAGE
SAINT-MICHEL-DE-LAVAL
DÉBUT DE L'ÈRE DES
COMMUNICATIONS
LA GRANDE GUERRE 1914-1918
FONDATION DE LA COMPAGNIE DU
CANADIEN NATIONAL
DÉBUT DU SUFFRAGE UNIVERSEL
FLEMING - LA PÉNICILLINE
OUVERTURE JARDIN BOTANIQUE
LE «NEW DEAL»
DÉVELOPPEMENT DE L'ÉLECTRONIQUE
LA GUERRE MONDIALE 1939-1945
LA BOMBE ATOMIQUE

1870   1880   1890   1900   1910   1920   1930   1945

POPULATION DE MONTRÉAL
ET DE SES FAUBOURGS
NOMBRE DE PERSONNES

1 MILLION

900 000

800 000

700 000

600 000

500 000

400 000

300 000

250 000

200 000

150 000

100 000

50 000

25 000

10 000

1870   1880   1890   1900   1910   1920   1930   1945

LA RÉVOLUTION INDUSTRIELLE AMÉRICAINE   ◄►   **RÉVOLUTION**   ◄►   **LE TEMPS**   ►
◄►   **LA CONFÉDÉRATION**   **TECHNIQUE**   **D'UNE PAIX**

Architecture institutionnelle et publique d'hier et d'aujourd'hui

8. *Église du Saint-Esprit*
2851, rue Masson
Oeuvre de l'architecte J.E.C. Daoust, cet édifice est l'un des
plus représentatifs à Montréal du courant art déco.

La paroisse Sainte-Philomène, aujourd'hui paroisse du Saint-Esprit, est fondée en 1904. Le culte est célébré dans une modeste chapelle sise à l'emplacement de l'église actuelle dont la construction débute en 1922 et se termine en 1931. La façade en pierre de taille se découpe en une succession de paliers et se prolonge en une tour-clocher centrale, le tout ayant vaguement la forme d'une pyramide; le jeu de lignes verticales, les motifs ciselés et les statues sculptées sur la façade s'inspirent du style arc déco.

Les paroisses Saint-François-Solano et Saint-Marc sont fondées en 1912 et 1913, dans la vague d'urbanisation précédant la Première Guerre mondiale. L'architecte C.A. Karch conçoit en 1924 les plans de l'église Saint-François-Solano, angle de la rue Dandurand et de la 17e Avenue; l'imposant édifice témoigne de l'ardeur religieuse et de la prospérité des paroissiens d'alors. L'église Saint-Marc, angle Beaubien et 1re Avenue, est l'oeuvre des architectes A.D. Gascon et Louis Parant; on y reconnaît, comme pour celle de la paroisse voisine, l'influence de l'école des Beaux-Arts de Paris.

La proximité des usines Angus incitera des familles anglophones à s'établir dans le quartier. On leur doit plusieurs institutions dont la plus originale est sans contredit l'église Saint-Brendam construite en 1929: elle se singularise par son toit bombé, un revêtement de crépi, des ouvertures en ogive et par la forme galbée de son clocher. Notons aussi à l'arrière de l'église la salle paroissiale revêtue d'un toit légèrement voûté. À l'angle du boulevard Saint-Michel et de la rue Bellechasse, deux temples surmontés de coupoles rappellent la présence dans le quartier de la communauté ukrainienne, venue s'y établir après la Seconde Guerre mondiale.

Dans Rosemont, on compte neuf écoles construites avant 1930, selon le plan type de l'époque: un toit plat, un revêtement de brique et une forme rectangulaire. Les écoles Nesbitt, angle Rosemont et 8e Avenue et Jean-de-Brébeuf, rue Dandurand, se démarquent de ce modèle par leur forme non conventionnelle, et l'école Marie-Médiatrice, jadis Saint-Gabriel-Lalemant, par le modernisme de sa composition. Dans la paroisse mère de Saint-Michel, deux écoles jumelles, construites en 1916 et 1920 ont un revêtement en pierre bosselée au niveau du rez-de-chaussée. L'emploi de ce matériau, peu fréquent à l'époque, rappelle la proximité des carrières de Saint-Michel.

9. *École Saint-Bernardin, 2950, rue Jarry.*

10. *Église Saint-Brendam*
    Boulevard Rosemont et 14ᵉ Avenue.

11. *Monastère de la Résurrection*
    5750, boulevard Rosemont
    Dessin du monastère des pères franciscains réalisé en 1914
    par l'architecte J.C. Turgeon. De la chapelle à gauche, on ne
    réalisa que le soubassement. Ce n'est qu'en 1960 que la cha-
    pelle actuelle de facture plus moderne s'élèvera sur les
    mêmes fondations.

12. Le parc Molson.

Deux édifices institutionnels, oeuvres des communautés franciscaines, méritent une mention: l'hospice Saint-François-Solano, sis à proximité de l'église paroissiale, dans de sobres bâtiments en brique rouge et le monastère de la Résurrection. Construit en 1914 en pleine campagne à l'extrémité est du chemin de la Côte-de-la-Visitation, ce dernier est situé sur une hauteur surplombant le ruisseau Molson. Il s'inscrit dans la tradition des ensembles conventuels du XIXe siècle: façade en pierre lisse percée de nombreuses ouvertures et toit à pignon avec lucarnes.

Un mot sur l'origine du parc Molson. Le fondateur de la brasserie Molson cède à sa mort, en 1835, une ferme située à Côte-de-la-Visitation (1). John Elsdale Molson, descendant de cette famille, fut sans doute de ces gentilhommes fermiers qui au XIXe siècle possédaient une villa dans la campagne montréalaise. Au début du siècle, celui-ci achète pour fin de lotissement les terres environnant la sienne et cède à la Ville, en 1914, certains lots pour y aménager le parc actuel.

(1) Woods, S.E., *La saga des Molsons, 1763-1983*, Montréal, Éd. de l'Homme, 1983, 447 p.

Carte des quartiers

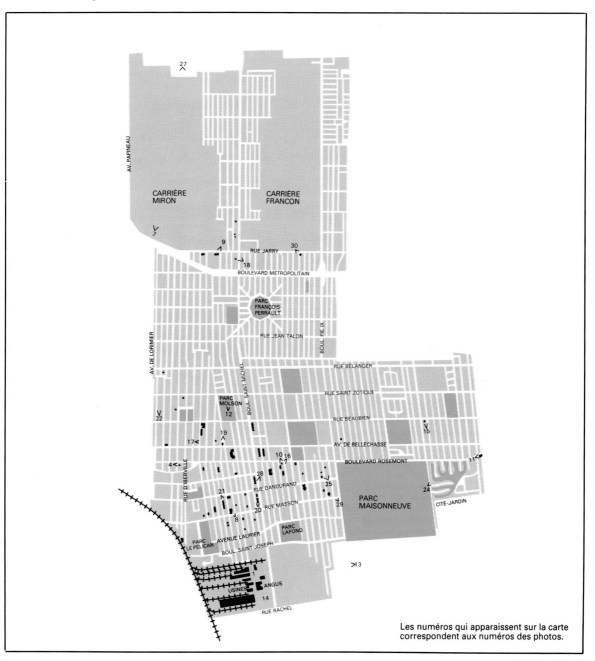

Les numéros qui apparaissent sur la carte correspondent aux numéros des photos.

Architecture industrielle d'hier et d'aujourd'hui

13. Vue aérienne des usines Angus. Au premier plan, le boulevard Pie IX. À droite, le futur boulevard Saint-Joseph dont le prolongement est arrêté à cette époque par les carrières Martineau et Quirck & Rogers.

Les usines Angus (1) constituent un des plus gros complexes industriels anciens de la ville. En 1904, l'ensemble couvre une superficie de 47,86 hectares, regroupant soixante-huit bâtiments: ateliers, moulin à bois, magasin, école d'apprentis, hôpital, poste de pompiers... une ville dans la ville, se plaisait-on à dire. Plusieurs de ces bâtiments existent toujours; parmi ceux qu'on a démolis, mentionnons la succursale de la Banque de Montréal, oeuvre des architectes Marchand et Haskell, considérée d'un grand intérêt architectural.
À l'entrée des usines rue Rachel, l'édifice administratif surmonté d'un toit à pavillon coupé de

frontons triangulaires, se démarque des autres bâtiments généralement à un seul niveau comme l'exige l'industrie lourde. Les forges, la fonderie et les divers ateliers se caractérisent par des murs en brique servant d'appui à la charpente. Les fenêtres sont petites et façonnées en arc de cercle, technique qui permet de soutenir le poids des briques sises au-dessus des ouvertures. Pour le toit, on utilise le système de treillis d'une

---

(1) Le document *Shops Angus 1904-1982. Comité Logement Rosemont* a fourni plusieurs des renseignements contenus dans ce chapitre.

14. *L'atelier de montage des locomotives aux usines Angus.* «A Rosemont, on vivait en quelque sorte dans un bain aux couleurs et aux odeurs de tôle, du métal chauffé et de l'acide chlorhydrique... Je n'ai pas vu, mais ils m'ont raconté les grandes machines d'enfer claquant et vomissant des flammes et mâchant le fer et le cuivre dans un bruit de fin du monde.
Ils disaient aussi les locomotives qui prenaient forme et vie dans leur bâtiments... ( ); fierté, au fond, comme celle de faire partie de quelque société secrète, d'une confrérie pas accessible à tout le monde.» dans Perspective-Dimanche, Dimanche-Matin, *30 mai 1976.*

grande solidité où les barres de fer s'entrecroisent, formant des triangles comme dans la structure d'un pont. Cette technique de construction permet de supporter de lourdes charges tout en évitant de recourir aux colonnes. On obtient ainsi de vastes espaces libres, bien éclairés et ventilés.

Les usines Angus marquent au début du siècle un net progrès dans les conditions de travail de la classe ouvrière: des locaux chauffés, ventilés, des toilettes intérieures, des salles à manger, des terrains de baseball, de football et de crosse, une bibliothèque, équipements alors inconnus dans la plupart des usines de l'époque. Autre nouveauté: les vastes ateliers sans colonne permettent le travail à la chaîne. Le réseau de rails pour le transport des pièces à travers les usines, long de près de 80 kilomètres, illustre le gigantisme de l'entreprise.

Tableau synchronique des éléments architecturaux

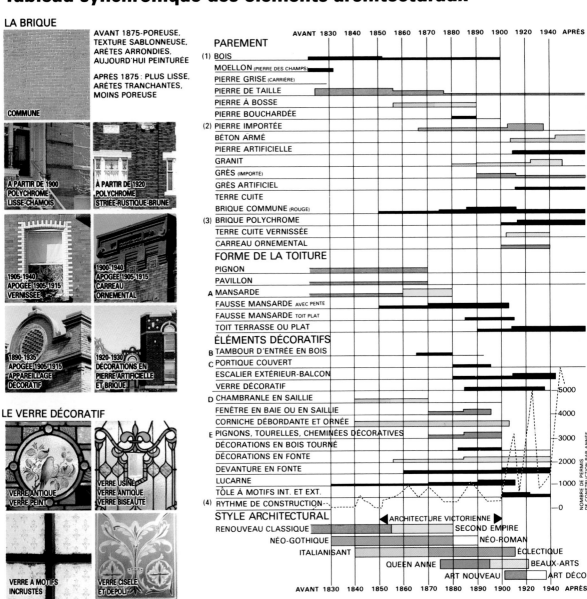

LA BRIQUE

AVANT 1875-POREUSE, TEXTURE SABLONNEUSE, ARÊTES ARRONDIES, AUJOURD'HUI PEINTURÉE

APRÈS 1875 : PLUS LISSE, ARÊTES TRANCHANTES, MOINS POREUSE

COMMUNE

À PARTIR DE 1900 POLYCHROME-LISSE-CHAMOIS

À PARTIR DE 1920 POLYCHROME STRIÉE-RUSTIQUE-BRUNE

1905-1940 APOGÉE 1905-1915 VERNISSÉE

1900-1940 APOGÉE 1905-1915 CARREAU ORNEMENTAL

1890-1935 APOGÉE 1905-1915 APPAREILLAGE DÉCORATIF

1920-1930 DÉCORATIONS EN PIERRE ARTIFICIELLE ET BRIQUE

LE VERRE DÉCORATIF

VERRE ANTIQUE VERRE PEINT

VERRE USINÉ VERRE ANTIQUE VERRE BISEAUTÉ

VERRE À MOTIFS INCRUSTÉS

VERRE CISELÉ ET DÉPOLI

(1) Bois: interdit dans le Vieux-Montréal après l'incendie de 1721, dans les faubourgs après celui de 1852, il demeure cependant en usage dans les villages jusqu'à leur annexion autour des années 1900.
(2) Pierre importée: pierre plus malléable que la pierre grise, se prêtant mieux aux motifs sculptés.
(3) Brique polychrome: de couleur variable et à texture rugueuse contrairement à la brique commune qui est rouge, lisse, et à texture sablonneuse.
(4) Certaines données de ce tableau proviennent des études de David B. Hanna, professeur au département de géographie, UQAM.

Architecture résidentielle

La maison de Montréal
Depuis le début de la colonie, la maison au Québec s'est lentement transformée. À la ville comme à la campagne, on a tenté de mieux l'adapter à nos hivers rigoureux. Les fréquents incendies dans la ville amèneront très tôt l'administration de Montréal à émettre des directives détaillées sur les façons de la construire.

Ordonnance du 17 juin 1727...
Ordonnons de... «bâtir aucune maison dans les villes et gros bourgs, où il se trouvera de la pierre commodément, autre qu'en pierres; défendons de les bâtir en bois, de pièces sur pièces et de colombage...»
«construire des «murs de refend» (1) qui excèdent les toits et les coupent en différentes parties, ou qui les séparent d'avec les maisons voisines, à l'effet que le feu se communique moins de l'une à l'autre...»
Défense de construire... *«des toits brisés, dit à la mansarde... qui font sur les toits une forêt de bois...»*
Outre ces nombreux édits, le coût élevé des terrains, la prédominance des locataires et la présence dans le sol de la pierre calcaire et d'une argile propre à la brique ont favorisé la naissance de la maison en rangée, typique à Montréal.

Cette maison type se rencontre, avec des variantes, dans tous les quartiers de la ville, mêlée à d'autres habitations moins nombreuses, mais qui toutes ont connu leurs heures de popularité:
• la maison rurale
• la maison villageoise
• la maison urbaine traditionnelle
• la maison en rangée
• la villa
• la maison contiguë
• la maison semi-détachée
• la maison à logements multiples
• la maison de rapport.
Les maisons les plus représentatives du quartier seront reprises dans les pages suivantes pour illustrer l'évolution du patrimoine résidentiel.

Maisons rurales et villageoises
Les quartiers Rosemont et Saint-Michel offrent quelques exemples de maisons bâties au temps des premiers occupants des côtes. À l'origine, elles étaient isolées dans la campagne et entourées de bâtiments de ferme.

---

(1) Murs coupe-feu.
(2) Voir fasicule n° 10. (Voir volume, chapitre 10.)

15. *6450-52 38ᵉ Avenue*
Cette imposante demeure plus que centenaire fut à l'origine celle d'un fermier prospère de la Côte-de-la-Visitation. Son architecture est exceptionnelle: un carré monumental en pierre des champs, un toit à quatre versants débordant légèrement au-delà des murs et percé de lucarnes à pignon. Cette forme de toiture dite à croupes, très rare à Montréal, apparaît au Québec sous le régime français et sera réintroduite au milieu du XIXᵉ siècle dans la vogue du cottage anglo-normand (2). Malgré des modifications inopportunes et un environnement peu attrayant, cette maison constitue en raison de son âge et de son architecture un des joyaux du patrimoine de Rosemont.

16.3554, boulevard Rosemont
Autre maison rurale, aujourd'hui occupée par le presbytère Saint-Brendam. Le toit en mansarde, longtemps banni en raison de sa combustibilité revient à la mode dans la deuxième moitié du XIXe siècle dans le courant du style Second Empire. Le revêtement en pierres bosselées avec coins chaînes est très rare dans le quartier. Coïncidence fortuite, la présence d'une carrière (la carrière Martineau) sur la terre où se situe cette maison: en 1879, il s'agit de la terre d'Étienne David, qui a front sur le chemin de la Côte-de-la-Visitation et s'étend vers le sud jusqu'aux environs de l'actuel boulevard Saint-Joseph. On trouve rue Jarry une maison rurale identique à celle-ci (voir photo n° 30).

De petit relais sur le chemin du Sault, le village de Saint-Michel devint par la suite le point de convergence des fermiers disséminés le long du chemin de la Côte-Saint-Michel. On y trouve l'église, l'école, le magasin général et de petites maisons agglutinées autour de ce noyau.

À Côte-de-la-Visitation, il n'y a pas de villages ou d'habitat regroupé avant l'apparition des promoteurs immobiliers vers 1900. Les fermiers comptaient sans doute pour leur approvisionnement sur la proximité des villages du plateau Mont-Royal. Le type d'architecture des maisons du début du siècle s'apparente donc davantage au phénomène d'expansion urbaine qu'à celui de village traditionnel.

17. 6691, rue Molson
Maison dite du «boom town», se compare à certains égards à la maison villageoise: de construction artisanale, elle est petite, sobre de décor et souvent recouverte d'un parement de bois. Le toit plat indique son degré d'adaptation à une technologie plus récente. Il y a dans Rosemont un grand nombre de ces petites maisons du «boom town», construires entre 1905 et 1945.

18. 8188, boulevard Saint-Michel
La construction du boulevard Métropolitain dans les années 60 fera disparaître les jolies maisons aux toits pointus, garnis sur leur devanture de perrons-galeries qui concouraient à l'ambiance villageoise de Saint-Michel.

19. 6237-41, 5e Avenue
La terre Molson se terminait au boulevard Rosemont par une diagonale qui explique aujourd'hui la convergence des 5e et 6e Avenues à la hauteur de la rue Bellechasse. Ces deux maisons épousent la forme triangulaire de l'îlot et passent de 6,1 mètres de largeur à 1,8 mètre. Exemple intéressant d'adaptation au cadastre!

20. 5621-91, 9ᵉ Avenue
Il y a place pour l'inusité: les bâtiments de part et d'autre de cette avenue sont pourvus d'un escalier partiellement logé dans le bâti et courant jusqu'aux logements du troisième niveau. Autre caractère d'exception, les variations de hauteur des bâtiments qui suivent la pente du terrain.

La maison contiguë

est incluse dans une suite de bâtiments résidentiels, construits à l'unité, selon un plan individuel et dont l'ornementation des façades varie; elle est séparée de ses voisines par des murs coupe-feu.

Le quartier Rosemont est né de l'initiative des compagnies immobilières qui achètent les terres agricoles et les lotissent pour les revendre ensuite. L'agent Ubald-Henri Dandurand fut parmi les premiers Montréalais à utiliser le procédé de vente à tempérament et la publicité américaine (voir illustration n° 5). Le plan qu'on adopte pour le lotissement de la terre Crawford est en tout point semblable à celui qui a prévalu au plateau Mont-Royal: un réseau de rues à angle droit, des maisons alignées le long des rues et bordées à l'arrière par une ruelle, des logements superposés sur trois niveaux auxquels on accède par le grand escalier extérieur.

21. 5493-5549, 4ᵉ Avenue
Ensemble de onze bâtiments construits vers 1910 sur la terre Crawford: même alignement, même hauteur, même forme de toit, même type d'accès. Seule la variété des revêtements et des formes de couronnements brise cette monotone répétition.

La maison en rangée

*elle est incluse dans un ensemble de bâtiments
résidentiels, alignés le long d'une rue, construits
(en même temps) selon un plan d'ensemble et
dont les façades sont semblables: elle est séparée
des autres habitations par un mur coupe-feu
mitoyen.*

Le béton, mélange de ciment Portland et de
gravier, se généralise au Québec avec les débuts de
la production locale du ciment Portland, importé
d'Angleterre dans des barils de bois jusqu'en
1889. Alors s'implante la première usine. Le rendement des cimenteries augmentera considérablement vers 1895 avec l'apparition des fours
rotatifs pour le malaxage du ciment. Quant à la
production de la pierre artificielle, qui est en fait
un bloc de béton artistique, elle débute au
Canada vers 1910.

22. 6649-89, rue des Érables
*Longue série de bâtiments identiques, construits en grand
nombre dans les années 20: maisons à deux étages, aux
fenêtres garnies de vitraux, formant quelques-unes des plus
belles rues de Rosemont.*

23. Série de trois bâtiments typiques des années 20: balustrade en bois et colonnes reliant balcons et perrons-galeries, murs latéraux en blocs
de béton et motifs décoratifs en pierre artificielle sur la façade (photo 1925).

24. La «Cité-jardin» du Tricentenaire, inaugurée en 1942, est une tentative unique à Montréal en vue de concevoir un quartier planifié pour la classe ouvrière. Le projet d'origine comprenait une église, une école, des services communautaires et six cents habitations, le tout relié par un réseau de sentiers piétonniers. En séparant la circulation automobile de celle du piéton, ce projet offrait une solution à l'opposé du lotissement traditionel montréalais en forme de damier. On retrouve aujourd'hui, rue des Plaines, des Maronniers ou des Épinettes, chacune de ces essences d'arbres plantés à l'époque du projet dans un souci d'aménagement paysager.

25. 3957, rue Dandurand
Étonnante découverte que ce château de pierre orné de bow-windows, d'une tourelle et d'un escalier monumental. Cette demeure, de même facture que le club Canadien (1) conçu au début du siècle par l'architecte Alphonse Raza pour la famille Dandurant, fut-elle une autre des résidences de cette famille bourgeoise de Montréal?

(1) Voir fascicule n° 2, photo n° 33. (Voir volume, chapitre 2, photo n° 33.)

26. *Maison de la ferme Ogilvie, à Côte-Saint-Michel, vers 1865. Archibald Ogilvie, ancêtre de la célèbre lignée des meuniers du canal de Lachine, loue à son arrivée au pays, en 1800, la ferme Ermatinger à Côte-Saint-Michel. Est-ce d'elle dont il s'agit ici?*

27. La carrière Miron.
28. 5618-24, 9ᵉ Avenue.
29. Ancien couvent du Sacré-Coeur, rue Masson.
30. Maison rurale, 3880, rue Jarry.

«Terrasse Vinet avait en lui de l'infini. Les énormes grues des quais, les précipices des carrières de la Canada Cement entourés de cerisiers, les étangs à quenouilles, barbottes et grenouilles, tout cela, avec le fleuve et les wagons était pour nous les hauts lieux du jeu, le champ illimité de notre expérience de la liberté. Quel quartier aurait pu nous donner autant? Les raffineries et les quais interdits paraissaient des temples, des enceintes où les privilégiés d'un autre univers pouvaient pénétrer. Par sa seule présence, le mythe de la civilisation moderne profondément s'insinuait en nous. Le quartier était un monde écrasant et immense. Il fallait beaucoup marcher pour découvrir toutes ses facettes... Et le soir, mille torches de raffineries rougeoyaient le ciel. Mais vers le sud, les sirènes des cargos déchiraient l'abîme noir du fleuve. Et le clapotis incessant des vagues. Et le peuple des étoiles. Et la lune...»[1]

«C'est l'Est, le véritable Est de Montréal, celui qui ne risque pas demain de devenir à la mode car la mode est superficielle et elle ne s'enracine nullement dans les profondeurs du progrès. Ce qui nous arrive à nous, les vrais gens de l'Est, est tout à fait primordial; nous voyons le monde tel qu'il est, tel qu'il évolue, tel qu'il devient. Nous voyons le feu des usines, nous humons les odeurs de la transformation de la matière et, de fumées en poussières, nous sommes à même de parler aux dieux du développement, ce qui n'est pas rien en notre monde profane. Que de réminiscences, que d'impressions se cachent sous ces mots: Shell, Texaco, Petro-Canada, Fina, Spur, Esso, Union Carbide, Noranda-Copper, Gulf. Ouvertures, fermetures, l'histoire moderne se fait sous nos yeux, sur notre dos et sur nos braves épaules. Au risque de sa vie, il faut contempler cette grande forge, s'ouvrir à la beauté des fumées, des flammes et des vapeurs, à cette architecture de tuyaux et de cheminées, à ce paysage de trous et de vieilles voies ferrées, à tous ces travaux humains qui font que nous ne dépendons plus du soleil pour y voir clair ni des nuages pour n'y rien voir. Ce n'est pas une banlieue, est-ce vraiment une ville?»[2]

1 Ouellette, Fernand, *Terrasse Vinet*, Liberté, vol. 5, n° 4, 1963.
2 Bouchard, Serge, *Le moineau domestique*, Guérin littérature, 1991.

12 Vers le bout de l'île

Le patrimoine de Montréal
Quartiers Mercier, Pointe-aux-Trembles
et Rivière-des-Prairies

Vers le bout de l'île

Peu de temps après la fondation de Ville-Marie, des colons s'installent sur le pourtour de l'île de Montréal. D'abord emplacements fortifiés, les villages de Longue-Pointe, Pointe-aux-Trembles et Rivière-des-Prairies forment aux XVIIIe et XIXe siècles, des petites communautés groupées autour du clocher paroissial et tournées vers le fleuve et la rivière des Prairies. Au début du siècle, l'industrie s'étend vers l'est et enclenche l'urbanisation de Longue-Pointe. Rivière-des-Prairies et Pointe-aux-Trembles, derniers retranchements de la campagne montréalaise, conservent toujours, lors de leur annexion à Montréal en 1963 et 1982, des relents de ce passé champêtre.

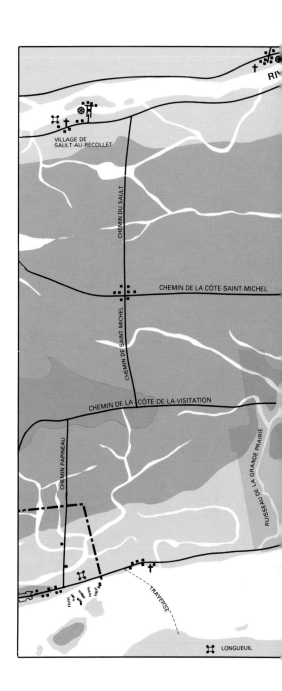

2. L'église Saint-François-d'Assise de Longue-Pointe en 1885; tout comme celle de Pointe-aux-Trembles et de Rivière-des-Prairies, elle était tournée vers le fleuve et construite en bordure du chemin public longeant la voie d'eau.

Photo de la page précédente:
1. Pointe-aux-Trembles, endroit de villégiature à la mode au début du siècle.

Relief et cours d'eau de Montréal au XVIIIᵉ siècle

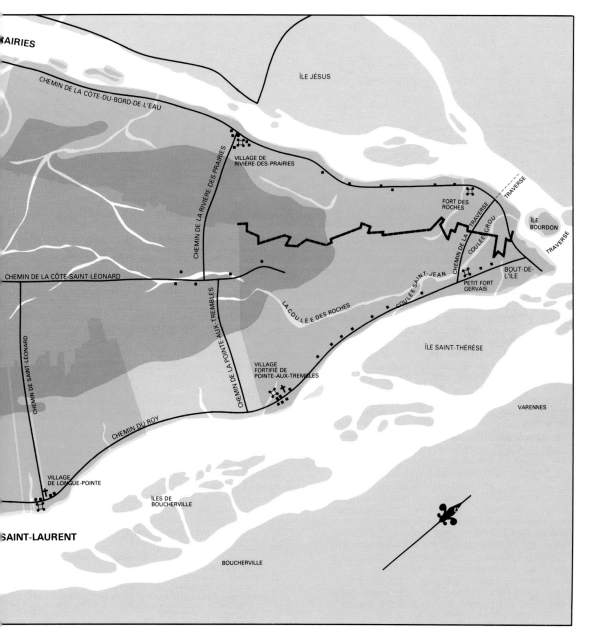

AIRIES

CHEMIN DE LA CÔTE-DU-BORD-DE-L'EAU

ÎLE JÉSUS

VILLAGE DE
RIVIÈRE-DES-PRAIRIES

CHEMIN DE LA RIVIÈRE-DES-PRAIRIES

FORT DES
ROCHES

TRAVERSE

ÎLE
BOURDON

COULÉE GROU

CHEMIN DE LA TRAVERSE

TRAVERSE

CHEMIN DE LA CÔTE-SAINT-LÉONARD

BOUT-DE-
L'ÎLE

COULÉE SAINT-JEAN

PETIT FORT
GERVAIS

CHEMIN DE LA POINTE-AUX-TREMBLES

LA COULÉE DES ROCHES

ÎLE SAINT-THÉRÈSE

CHEMIN DE SAINT-LÉONARD

VILLAGE
FORTIFIÉ DE
POINTE-AUX-TREMBLES

VARENNES

CHEMIN DU ROY

VILLAGE
DE LONGUE-POINTE

ÎLES DE
BOUCHERVILLE

SAINT-LAURENT

BOUCHERVILLE

12.1

Les villages de la pointe est de l'île

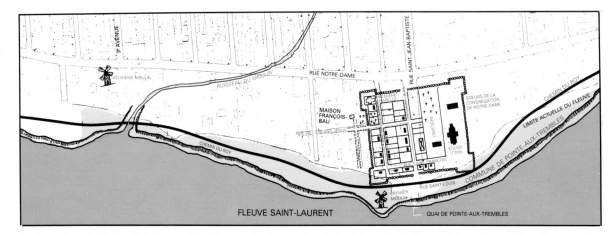

Limites présumées du fort de Pointe-aux-Trembles en 1731. *Selon la description faite par Louis Normand dans «Aveu et dénombrement» de 1731, on trouve à l'intérieur de l'enceinte fortifiée de l'église de l'Enfant-Jésus, la maison presbytérale, le cimetière, le couvent des sœurs de la Congrégation; le village occupe le reste de l'emplacement. Dans l'angle nord-ouest, le dessin pointillé indique l'emplacement probable de la première chapelle en bois disparue en 1731, puisque l'auteur n'en fait point mention.*

Vers 1670, les sulpiciens distribuent des concessions(1) en dehors de Ville-Marie dans le but d'assurer la défense de l'île de Montréal et de favoriser son peuplement. Jean Oury dit Lamarche reçoit le fief de Pointe-aux-Trembles. Deux officiers du régiment de Carignan, Philippe de Carrion et Paul de Morel reçoivent en concession des terres contiguës, situées en bordure de la rivière des Prairies(2), et Pierre Picoté de Belestre, celle du Bout-de-l'Île (3).

On voit s'élever en bordure de l'île des forts et des redoutes: au pied des rapides, sur les pointes de l'île et aux endroits de traversée vers l'île Jésus et la rive sud du Saint-Laurent. De part et d'autre du fief de Morel se trouvent des emplacements fortifiés: à l'ouest, celui qui donnera naissance au village de Rivière-des-Prairies et, au ruisseau des Roches, un fort du même nom. En bordure du fleuve, il y a la redoute de Longue-Pointe et le fort de Pointe-aux-Trembles, embryons des futurs villages. Face à l'île Sainte-Thérèse, sur la terre de Nicolas Gervais, on signale la présence d'une redoute en bois, disparue au XVIIIe siècle sans laisser de traces. Des nombreuses escarmouches entre colons et Iroquois, celle de la coulée Grou où neuf colons ont été tués, est passée à l'histoire; cet événement se produisit en 1690, un an après le massacre de Lachine, à l'autre extrémité de l'île.

Entre temps, des colons se sont installés sur le pourtour de l'île; ils occupent les terres des côtes

Saint-François dite de Longue-Pointe, Sainte-Anne et Saint-Jean à Pointe-aux-Trembles et la côte de Rivière-des-Prairies. La côte Saint-Léonard, située à l'intérieur de l'île, n'est ouverte aux colons qu'en 1707. Le chemin des Deux-Rivières, aujourd'hui le Broadway, la relie aux villages de Pointe-aux-Trembles et de Rivière-des-Prairies et la montée Saint-Léonard, à celui de Longue-Pointe.

Le chemin du Roy reliant Montréal à Québec est ouvert en 1734. Le maître de poste Nicolas Lanouiller, reçoit l'ordre en 1721 d'établir un service de poste royale entre les deux villes. Une des premières grandes routes carrossables est alors tracée, bientôt parcourue par une diligence qui fait relais à Pointe-aux-Trembles; la diligence rejoint ensuite le Bout-de-l'Île où un bac transporte voitures, chevaux et passagers jusqu'à Repentigny et de là, poursuit sa route vers Québec.

(1) Voir fascicules nos 7 et 8 sur le système seigneurial. (Voir volume, chapitres 7 et 8.)
(2) Ces deux fiefs nobles concédés avec droit de chasse et de pêche, auraient tenu lieu de postes de traite, ils seront réunis à nouveau à la grande Seigneurie de Montréal, en 1711 pour le fief de Carrion et en 1843 pour le fief de Morel. Source *Les Cahiers dix*, no 3, 1938.
(3) L'extrémité orientale de l'île, fief de Pierre Picoté de Belestre, a conservé jusqu'à aujourd'hui le nom de Bout-de-l'Île.
(4) Cet endroit servait de commune aux habitants de Pointe-aux-Trembles.

Avant 1845

Les villages en bordure du fleuve n'en restent pas moins vulnérables aux menaces venues de la voie d'eau. Lors de la conquête du pays, c'est par cette route qu'arrive le général Murray. Après avoir installé son campement à l'île Sainte-Thérèse, il débarque avec son armée aux envi-

3. «Clos de pieux, flanqué et bastillonné», telle est la description faite par Louis Normand du fort de Pointe-aux-Trembles en 1731. À défaut d'illustration de ce dernier, cette gravure de F.S. Brodeur du fort de Lachine aide à comprendre la nature des ouvrages militaires construits en périphérie de l'île de Montréal au début de la colonie.

4. Le premier moulin à vent, bâti vers 1675 à proximité du fort, est remplacé en 1720 par celui que l'on voit ici situé en bordure du fleuve à l'angle de la 3e Avenue. Cet ouvrage de maçonnerie terminé par un toit en forme de cône, à l'époque le plus petit moulin de la seigneurie, est un des témoins les plus anciens de l'histoire de Pointe-aux-Trembles.

rons de la coulée Saint-Jean, aujourd'hui parc de la Rousselière(4) et traverse les villages en direction de Montréal, qui capitule le 8 décembre 1760. Quinze ans plus tard, lors de la guerre de l'Indépendance américaine, les gens de Longue-Pointe verront à leur tour débarquer l'officier Ethan Allen venu en éclaireur, persuadé que les Montréalais se rallieront à sa cause.

Chaque printemps, le village de Pointe-aux-Trembles subit l'érosion des eaux. Le fleuve menace un peu plus chaque année le chemin qui passe au pied des fortifications. Le premier moulin à vent situé près du fort a dû être remplacé en 1720 par un autre situé plus à l'ouest.

Au début du XIXe siècle, Pointe-aux-Trembles et Longue-Pointe, avec leur église en pierre blottie sur le bord du fleuve sont de bien jolis villages. Celui de Rivière-des-Prairies, à l'écart des grands chemins, semble avoir une vie sans histoire; les fermiers de la Côte vont sans doute au village moudre leurs grains et s'y réunissent pour la prière.

5. Maison de ferme où fut capturé l'officier Ethan Allen en 1775. Cette maison, sise au 5230 de la rue Notre-Dame, fut transportée rue Bellerive en 1970, à peu de distance de la maison Archambault, autre demeure ancestrale de Longue-Pointe.

Les îles au large de la côte sont également habitées. On compte une vingtaine de familles à l'île Sainte-Thérèse, propriété vers 1815 de M. Ainse. Sur l'île Bourdon, M. Porteous possède une magnifique villa; celui-ci tentera bien de relier son île à la terre ferme mais le pont, construit en 1808, sera emporté par les glaces au printemps suivant. La violence du fleuve finira aussi par avoir raison du chemin du Roy longeant le bord de l'eau: en 1841, s'ouvre un nouveau chemin du Roy, l'actuelle rue Notre-Dame.

Les belles fermes du bord de l'eau   1845-1900

6. Vers 1900, le domaine Saint-Jean-de-Dieu s'étend au nord, jusqu'aux limites actuelles de la ville d'Anjou. On y trouve tous les services nécessaires à l'institution psychiatrique: 750 arpents de terre en culture, 74 vaches à lait, 36 chevaux qui assurent le transport vers Montréal; des granges, étables, silos, écuries; des ateliers de tissage pour vêtir les malades, une buanderie, une boulangerie, un abattoir, etc. Au premier plan, les champs en culture entre le fleuve et la rue Notre-Dame; au second plan, l'allée centrale bordée des pavillons temporaires construits après l'incendie de 1890.

Plusieurs des familles de vieille souche, les Beaudry, Desroches, Gervais de Pointe-aux-Trembles, les Vinet, Bernard et Archambault de Longue-Pointe continuent à cultiver la terre. À ces dernières, s'ajoutent des familles anglophones, Reeves, Marduf, Stevens, dont on fait remonter l'arrivée au temps du général Murray.

Des bourgeois de Montréal, tel le richissime armateur Hugh Allan [1], ont commencé à acheter les grandes fermes du bord de l'eau. Les Molson [2], célèbre famille de brasseurs de la ville, possèdent à Longue-Pointe la terre de l'ancienne distillerie «Handyside». À la même époque, les soeurs de la Providence acquièrent de la famille Vinet la terre située à l'ouest du village pour y construire, en 1873, l'asile Saint-Jean-de-Dieu. Plus à l'est, le philanthrope Olivier Berthelet fait don aux frères de la Charité de la vaste propriété où ces derniers élèvent en 1883 la maison Saint-Benoît.

D'autres notables font de ces fermes leurs grands domaines de villégiature. Ainsi, George-Étienne Cartier, celui qu'on surnomme le pilier de la Confédération, passe l'été à Longue-Pointe dans sa villa au bord du fleuve (voir photo n° 43). Dans le voisinage, on trouve une petite bourgeoisie d'hommes d'affaires et de politiciens en vue; les Symes habitent le domaine de «Elmwood» et les Cuvilliers celui de «Review Cottage».

Plus éloignée de Montréal, Pointe-aux-Trembles attire peu les vacanciers. Mentionnons cependant la famille Brisset des Nos installée sur la terre où

prend place aujourd'hui le sanctuaire de la Réparation. En 1896, Marie de la Rousselière, soeur de Mme Brisset des Nos, élève une chapelle dans le boisé, au bout de la terre. Cette pieuse femme voulait ainsi réparer le tort causé par ces résidents de Pointe-aux-Trembles qui se livraient, disait-on, à des «divertissements déshonnêtes». À sa suite, des pèlerins viendront se recueillir à cet endroit.

En 1896, la «Châteauguay & Northern Railway», devenue le Canadien National en 1918, implante ses voies ferrées dans l'île de Montréal. Le tracé du chemin de fer coupe à travers le domaine de Saint-Jean-de-Dieu et celui des grandes terres agricoles; il longe au nord du village de Pointe-aux-Trembles. La ligne de tramway, établie dans l'emprise de la voie ferrée se rend jusqu'au Bout-de-l'Île et au débarcadère de Repentigny en 1897.

Le petit bourg de Rivière-des-Prairies, par ailleurs, n'est toujours pas relié au reste de l'île. C'est de la rivière que vient au printemps la nouveauté quand les «cageux» descendent sur leur radeau de bois. On aime bien raconter que Jos Montferrand, le plus célèbre d'entre eux, s'arrêtait à l'hôtel du village après avoir franchi les impétueux rapides de la rivière [3].

(1) Voir fascicule n° 3. (Voir volume, chapitre 3.)
(2) Voir fascicule n° 5. (Voir volume, chapitre 5.)
(3) Voir fascicule n° 10. (Voir volume, chapitre 10.)

L'ère des grands projets

1900-1930

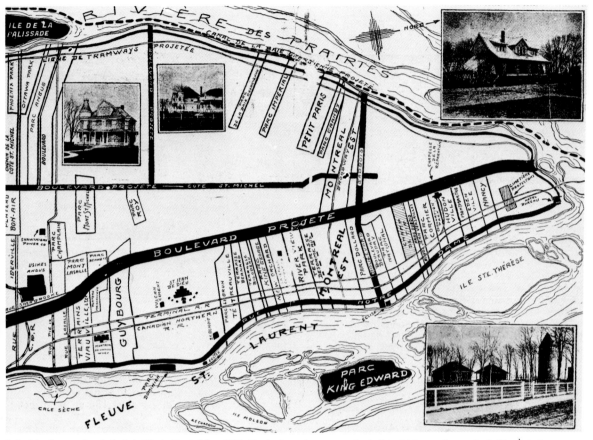

7. Projets d'expansion de l'est de l'île de Montréal en 1911, étayés de quelques-unes des belles résidences de ce coin de l'île. À droite au premier plan, les chalets de Rosaire Prieur et le moulin, acquis et restauré vers 1915. (Carte topographique d'époque.)

Maisonneuve, la municipalité voisine, est devenue une cité ouvrière modèle. Longue-Pointe rêve à son tour d'expansion alors que s'implante la première grande industrie, la «Montreal Locomotive Works». Des cultivateurs de l'endroit, tel Pierre Tétreault, lotissent alors leur terre; ce dernier y fonde en 1907, la municipalité de Tétreaultville. La pointe est de l'île est bientôt l'objet de convoitise de la part des agences immobilières. Vers 1910, plusieurs projets de lotissement naissent simultanément; Guybourg et le parc Lebrun à Longue-Pointe sont parmi les seuls à se réaliser. À Rivière-des-Prairies, le projet de creusage de la rivière pour en faire le terminus maritime de la baie Géorgienne est abandonné et avec lui, les projets de développement aux noms évocateurs de Petit Paris et de Parc Impérial. Quant à la municipalité de Pointe-aux-Trembles, elle se voit amputer de sa seule industrie, la «Portland Cement», située sur le territoire devenu en 1910 la municipalité de Montréal-Est.

Pointe-aux-Trembles connaît un grand désastre le 29 juin 1912: le feu s'abat sur le centre du village; soixante maisons parmi les plus anciennes sont incendiées et le village doit être complètement rebâti. La rue Saint-Jean-Baptiste est alors transformée en une allée verdoyante avec terreplein central, lampadaires et rangées d'arbres.

On l'emprunte pour se rendre au quai municipal et à l'église située rue Saint-François. Pendant ce temps, de superbes villas se sont construites dans la campagne environnante! Pointe-aux-Trembles est devenue la zone de villégiature à la mode et des familles à l'aise viennent y passer l'été dans leur grande maison du bord de l'eau.

À Longue-Pointe, les maisons de campagne ont cédé la place aux usines et aux voies ferrées. À l'endroit où le ruisseau Molson se jette dans le fleuve, la «Canadian Vickers» a construit son chantier naval. Près de l'ancien domaine de Limoilou, s'est installé le parc Dominion, la merveille des merveilles de l'époque, que l'on compare à «Coney Island» aux États-Unis. Ce parc d'attraction où l'on trouve des glissades d'eau, une maison fantastique, un cinématographe et bien d'autres choses encore, attire en foule les Montréalais. Plus à l'est, sur l'ancienne terre de Pierre Bernard, s'élève le Château Dupéré, un bel hôtel de campagne réputé pour sa fine cuisine; on s'y adonne à la pêche, au pique-nique et à des randonnées dans les îles de Boucherville, notamment à l'île Grosbois où se trouve la magnifique piste de courses de chevaux du parc King Edward. Les Montréalais peuvent continuer leur ballade en tramway jusqu'à la chapelle de la Réparation ou se rendre jusqu'au Bout-de-l'Île, pique-niquer dans le parc situé, comme son nom l'indique, à l'extrémité de l'île.

8. Le village de Pointe-aux-Trembles au lendemain de l'incendie de 1912. Le couvent, l'église et le presbytère furent parmi les seuls bâtiments épargnés par le feu.

9. Inauguration de la cale sèche de la «Canadian Vickers», le plus grand quai flottant au monde en 1912. En arrière-plan, à gauche, le «George Moore Memorial Home», aujourd'hui Centre de soins prolongés de Montréal.

Entre le passé et le présent, une continuité à inventer

Après 1930

10. Chalets de l'île Rochon; il y eut longtemps sur cette île une plage très fréquentée par les vacanciers des environs.

Bien après 1945, la pointe est de l'île conserve un caractère champêtre. La vie rurale se poursuit et les champs en culture composent l'essentiel du paysage. À cette époque, un nouveau type de vacanciers fait son apparition: ce sont les familles ouvrières qui s'installent pour l'été dans des modestes chalets à Rivière-des-Prairies et Pointe-aux-Trembles.

Longtemps, l'urbanisation de ce territoire reste rivée au fleuve et à la rue Notre-Dame. La rue Sherbrooke, ouverte en 1917, devient dans les années 50 le pôle moteur du développement de Longue-Pointe. Les grandes terres d'origine disparaissent; les frères de la Charité démantèlent leur domaine de Saint-Benoît (1); la partie de Saint-Jean-de-Dieu située au nord de la rue Sherbrooke est vendue. Le territoire se couvre d'habitations pendant qu'en bordure du fleuve disparaît le berceau du village pour faire place au pont-tunnel Hippolyte-LaFontaine.

L'urbanisation de Rivière-des-Prairies s'amorce après son annexion à Montréal en 1963. On trouve encore en bordure de la rivière quelques coins charmants de campagne au milieu de zones de bungalows de toute sortes; le village, par ailleurs, conserve le charme d'autrefois. Dans Pointe-aux-Trembles, dernier-né des quartiers montréalais, les groupes de petits chalets rappellent son passé de villégiature. Mais la ville s'étendra bientôt jusqu'au Bout-de-l'Île. Seules les îles au milieu du fleuve semblent échapper à la marée urbaine: aux îles Sainte-Thérèse et de Boucherville, on voit paître les troupeaux et pousser le maïs et le soja.

_____

(1) Les rues Liébert, Frédéric-Chopin et Georges-Bizet sont situées sur l'ancienne terre de Saint-Benoît.

11. L'hôtel Bureau en 1921, situé au Bout-de-l'Île, aux environs de l'actuelle rue Bureau. Le tramway y avait son terminus et de là, on prenait le bac vers Repentigny. Un «des lieux de perdition» auxquels Marie de la Rousselière faisait allusion.

12. Le village de Rivière-des-Prairies en 1983.

13. Le parc Dominion était situé à l'emplacement actuel du Centre d'entraînement des pompiers, rue Notre-Dame. Ouvert en 1905, il éclipse alors le parc Sohmer pour disparaître à son tour en 1937, remplacé par le parc Belmont.

Les étapes du développement

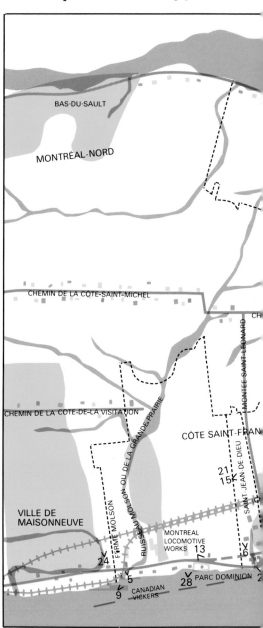

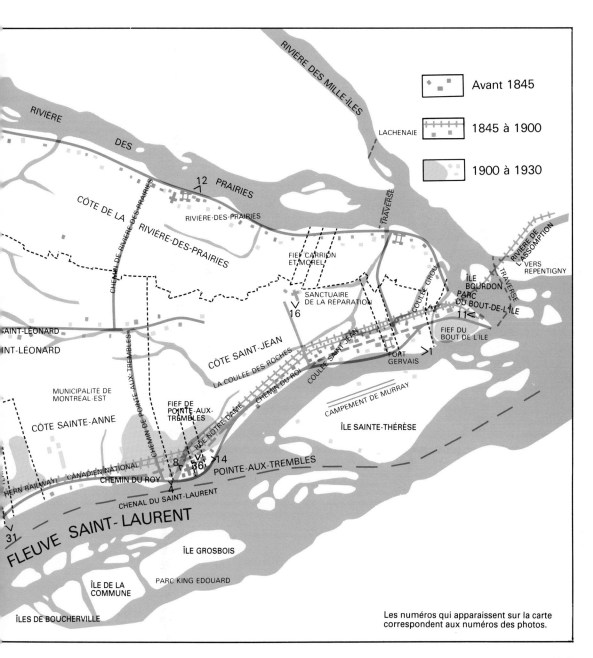

RIVIÈRE DES MILLE-ÎLES

Avant 1845

1845 à 1900

1900 à 1930

LACHENAIE

RIVIÈRE DES

RIVIÈRE

CÔTE DE LA RIVIÈRE-DES-PRAIRIES

CHEMIN DE RIVIÈRE-DES-PRAIRIES

12 PRAIRIES

RIVIÈRE-DES-PRAIRIES

FIEF CARRION ET MOREL

TRAVERSE

RIVIÈRE DE L'ASSOMPTION

VERS REPENTIGNY

TRAVERSE

SAINT-LÉONARD

INT-LÉONARD

SANCTUAIRE DE LA RÉPARATION

16

CÔTE SAINT-JEAN

COULÉE GROU

ÎLE BOURDON PARC DU BOUT-DE-L'ÎLE

11

FIEF DU BOUT DE L'ÎLE

LA COULÉE DES ROCHES

CHEMIN DE POINTE-AUX-TREMBLES

COULÉE SAINT-JEAN

FORT GERVAIS

1

MUNICIPALITÉ DE MONTRÉAL-EST

CHEMIN DU ROI

CAMPEMENT DE MURRAY

FIEF DE POINTE-AUX-TREMBLES

RUE NOTRE DAME

ÎLE SAINTE-THÉRÈSE

CÔTE SAINTE-ANNE

8

36

14

HERN RAILWAY

CANADIEN NATIONAL

CHEMIN DU ROY

4

POINTE-AUX-TREMBLES

CHENAL DU SAINT-LAURENT

31

FLEUVE SAINT-LAURENT

ÎLE GROSBOIS

ÎLE DE LA COMMUNE

PARC KING EDOUARD

ÎLES DE BOUCHERVILLE

Les numéros qui apparaissent sur la carte correspondent aux numéros des photos.

12.9

Tableau synchronique des événements historiques 1700-1945

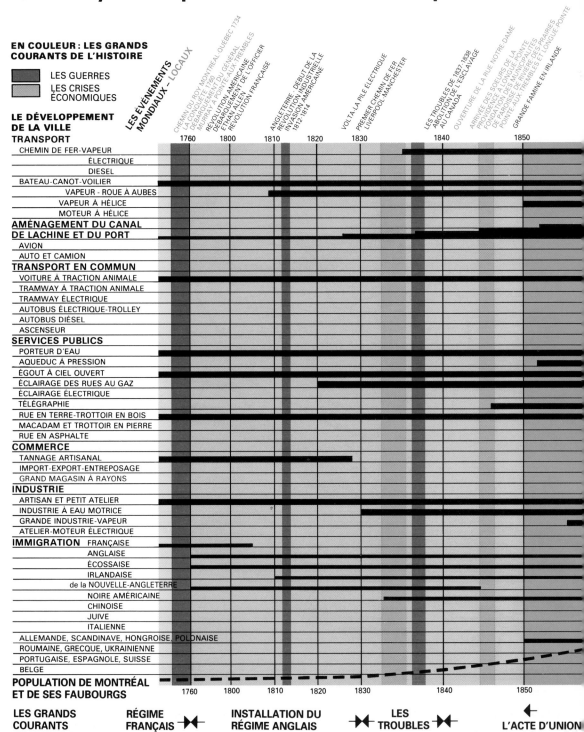

EN COULEUR : LES GRANDS COURANTS DE L'HISTOIRE

LES GUERRES
LES CRISES ÉCONOMIQUES

LE DÉVELOPPEMENT DE LA VILLE

LES ÉVÉNEMENTS MONDIAUX - LOCAUX

CHEMIN DU ROY MONTRÉAL-QUÉBEC 1734
LA CONQUÊTE 1760
DÉBARQUEMENT DU GÉNÉRAL MURRAY À POINTE AUX TREMBLES
RÉVOLUTION AMÉRICAINE
DÉBARQUEMENT DE L'OFFICIER ETHAN ALLEN
RÉVOLUTION FRANÇAISE
ANGLETERRE : DÉBUT DE LA RÉVOLUTION INDUSTRIELLE
INVASION AMÉRICAINE 1812-1814
VOLTA LA PILE ÉLECTRIQUE
PREMIER CHEMIN DE FER LIVERPOOL-MANCHESTER
LES TROUBLES DE 1837-1838
ABOLITION DE L'ESCLAVAGE AU CANADA
OUVERTURE DE LA RUE NOTRE DAME
ARRIVÉE DES SŒURS DE LA PROVIDENCE À LONGUE POINTE
FONDATION DES MUNICIPALITÉS DE PAROISSE À LONGUE POINTE
FONDATION DES MUNICIPALITÉS DES PRAIRIES ET LONGUE POINTE
POINTE-AUX-TREMBLES ET LONGUE POINTE
GRANDE FAMINE EN IRLANDE

TRANSPORT

| | 1760 | 1800 | 1810 | 1820 | 1830 | 1840 | 1850 |

- CHEMIN DE FER-VAPEUR
- ÉLECTRIQUE
- DIESEL
- BATEAU-CANOT-VOILIER
- VAPEUR - ROUE À AUBES
- VAPEUR À HÉLICE
- MOTEUR À HÉLICE

AMÉNAGEMENT DU CANAL DE LACHINE ET DU PORT

- AVION
- AUTO ET CAMION

TRANSPORT EN COMMUN

- VOITURE À TRACTION ANIMALE
- TRAMWAY À TRACTION ANIMALE
- TRAMWAY ÉLECTRIQUE
- AUTOBUS ÉLECTRIQUE-TROLLEY
- AUTOBUS DIÉSEL
- ASCENSEUR

SERVICES PUBLICS

- PORTEUR D'EAU
- AQUEDUC À PRESSION
- ÉGOUT À CIEL OUVERT
- ÉCLAIRAGE DES RUES AU GAZ
- ÉCLAIRAGE ÉLECTRIQUE
- TÉLÉGRAPHIE
- RUE EN TERRE-TROTTOIR EN BOIS
- MACADAM ET TROTTOIR EN PIERRE
- RUE EN ASPHALTE

COMMERCE

- TANNAGE ARTISANAL
- IMPORT-EXPORT-ENTREPOSAGE
- GRAND MAGASIN À RAYONS

INDUSTRIE

- ARTISAN ET PETIT ATELIER
- INDUSTRIE À EAU MOTRICE
- GRANDE INDUSTRIE-VAPEUR
- ATELIER-MOTEUR ÉLECTRIQUE

IMMIGRATION FRANÇAISE

- ANGLAISE
- ÉCOSSAISE
- IRLANDAISE
- de la NOUVELLE-ANGLETERRE
- NOIRE AMÉRICAINE
- CHINOISE
- JUIVE
- ITALIENNE
- ALLEMANDE, SCANDINAVE, HONGROISE, POLONAISE
- ROUMAINE, GRECQUE, UKRAINIENNE
- PORTUGAISE, ESPAGNOLE, SUISSE
- BELGE

POPULATION DE MONTRÉAL ET DE SES FAUBOURGS

| | 1760 | 1800 | 1810 | 1820 | 1830 | 1840 | 1850 |

LES GRANDS COURANTS DE L'HISTOIRE

RÉGIME FRANÇAIS ►◄   INSTALLATION DU RÉGIME ANGLAIS   ►◄ LES TROUBLES ►◄   ◄ L'ACTE D'UNION

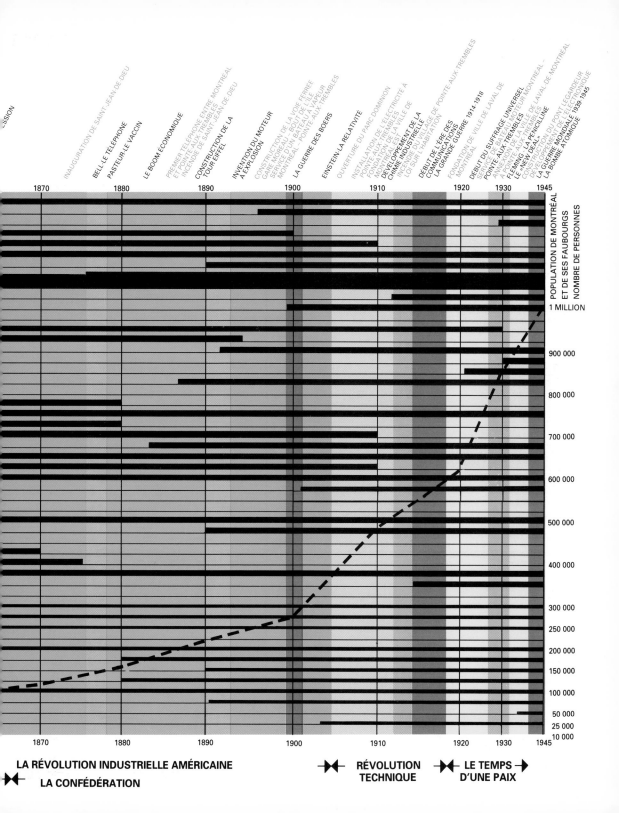

14. L'église de l'Enfant-Jésus de Pointe-aux-Trembles en 1890, avec son clocher à deux lanternes refait en 1822. Inaugurée en 1705, cette belle église en pierre a été incendiée en 1937.

15. Passerelle unissant des pavillons de l'asile Saint-Jean-de-Dieu et servant de promenade aux aliénés. À droite, le château d'eau; vers 1945, on recueillait dans cette tour les eaux usées de glacières. Recyclée par un procédé artisanal, cette eau était ensuite réutilisée comme eau de lavage dans les buanderies de l'institution.

16. Chapelle du sanctuaire de la Réparation en 1925 3650, rue de la Rousselière.

Carte des quartiers

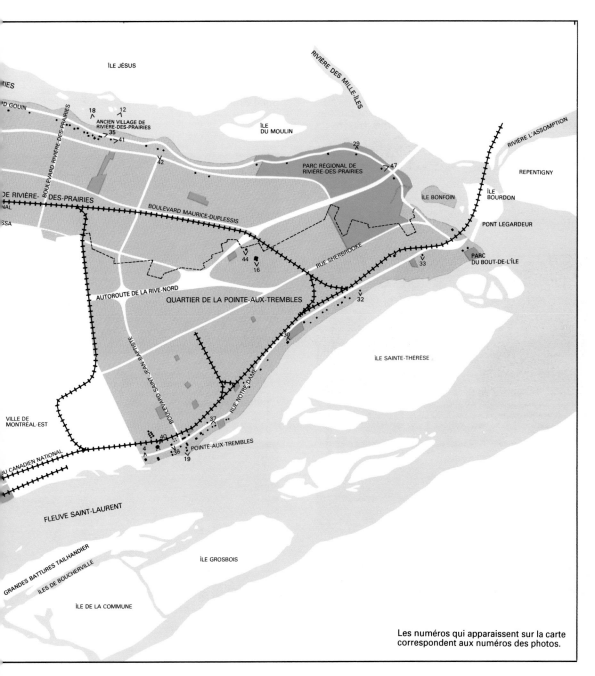

ÎLE JÉSUS

RIVIÈRE DES MILLE-ÎLES

'D GOUIN

18   12

ANCIEN VILLAGE DE
RIVIÈRE-DES-PRAIRIES

35

41

ÎLE
DU MOULIN

RIVIÈRE L'ASSOMPTION

BOULEVARD RIVIÈRE-DES-PRAIRIES

42

29

PARC RÉGIONAL DE
RIVIÈRE-DES-PRAIRIES

47

REPENTIGNY

DE RIVIÈRE-   DES-PRAIRIES
NAL

SSA

BOULEVARD MAURICE-DUPLESSIS

ÎLE BONFOIN

ÎLE
BOURDON

PONT LEGARDEUR

RUE SHERBROOKE

44

16

PARC
DU BOUT-DE-L'ÎLE

33

AUTOROUTE DE LA RIVE-NORD

QUARTIER DE LA POINTE-AUX-TREMBLES

32

30

ÎLE SAINTE-THÉRÈSE

BOULEVARD SAINT-JEAN-BAPTISTE

RUE NOTRE-DAME

VILLE DE
MONTRÉAL-EST

37

DU CANADIEN NATIONAL

40

4

38

19

POINTE-AUX-TREMBLES

FLEUVE SAINT-LAURENT

GRANDES BATTURES TAILHANDIER

ÎLES DE BOUCHERVILLE

ÎLE GROSBOIS

ÎLE DE LA COMMUNE

Les numéros qui apparaissent sur la carte
correspondent aux numéros des photos.

Architecture institutionnelle et publique d'hier et d'aujourd'hui

Les villages de la pointe est de l'île de Montréal sont parmi les plus anciens du territoire. Celui de Rivière-des-Prairies reste très évocateur du village traditionnel organisé autour du noyau paroissial. L'église et le presbytère, pivots de la petite agglomération, sont l'oeuvre de Victor Bourgeau, cet architecte montréalais à qui l'on doit de nombreuses réalisations. Du village de Longue-Pointe, il ne reste plus, au sud de la rue Notre-Dame, que le parc Jean-Baptiste-Curatteau. Ce parc rappelle qu'en 1767 s'ouvrait, ici, dans le presbytère paroissial le collège Saint-Raphaël, berceau du Petit Séminaire de Montréal. La construction du pont-tunnel Louis-Hippolyte-LaFontaine dans les années 60, a entraîné la démolition de l'église Saint-François-d'Assise et la disparition du noyau d'origine.

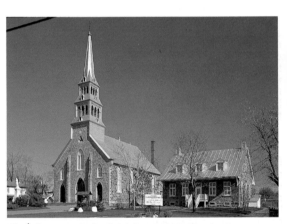

18. *Église et presbytère Saint-Joseph de Rivière-des-Prairies. En même temps que s'élèvent à Rivière-des-Prairies de 1875 à 1879 l'église et le presbytère, Victor Bourgeau réalise à l'île Bizard, l'église Saint-Raphaël et à Montréal, la cathédrale Marie-Reine-du-Monde.*

17. *Église Notre-Dame-des-Victoires
2700, rue Lacordaire
Paroisse née en 1907 dans le courant d'industrialisation de Longue-Pointe. L'église, oeuvre de l'architecte E.A. Doucet, remplace en 1925 la première église en brique, construite dans le secteur alors nommé Parc-Terminal.*

19. *Presbytère de l'Enfant-Jésus de Pointe-aux-Trembles
11, rue Saint-Jean-Baptiste.*

Le village de Pointe-aux-Trembles a été détruit par le feu en 1912, à l'exception de l'église et du presbytère. Ce dernier, construit en 1885, est coiffé d'un toit mansard à quatre versants et orné de fines menuiseries; l'église, incendiée en 1937, a été reconstruite en bordure de la rue Notre-Dame. À l'est du noyau paroissial, on trouve le couvent de la Trinité, conçu en 1922 par les architectes Ernest Cormier et Jean-Omer Marchand. Les religieuses de la Congrégation de Notre-Dame, arrivées à Pointe-aux-Trembles en 1680, y enseignent jusqu'en 1967; le couvent actuel, le quatrième bâti par les soeurs au voisinage de l'église, leur sert aujourd'hui de maison de retraite. Le collège Roussin qui lui fait face est l'oeuvre de Charles-Aimé Reeves, fils d'une des familles de Pointe-aux-Trembles; il occupe l'emplacement de la première école pour garçons, l'académie Saint-Joseph, bâtie en 1855 sur la rue Notre-Dame, le nouveau chemin public d'alors.

Les institutions religieuses

Mère Gamelin, fondatrice des soeurs de la Providence, ayant eu la charge d'un pauvre idiot, conçoit l'idée, très nouvelle à l'époque, d'une oeuvre pour venir en aide aux aliénés. La communauté s'installe, en 1852, à Longue-Pointe dans l'ancienne maison de ferme de la famille Vinet, connue aujourd'hui sous le nom de cénacle Notre-Dame. Il s'agit d'une maison en pierre de deux étages qu'on agrandira au cours des ans(1). Le bâtiment, aujourd'hui recouvert d'un lit man-

20. *Ancien couvent Saint-Isidore, actuel Cénacle Notre-Dame 7440, rue Notre-Dame Est*
Ce magnifique bâtiment est aujourd'hui pris en étau entre les installations portuaires et les voies de service de l'autoroute, coupé du domaine Saint-Jean-de-Dieu auquel il était rattaché et privé de sa perspective sur le fleuve.

sard à quatre versants et entouré d'une grande galerie de bois est un témoin exceptionnel d'architecture rurale dans la ville et le plus ancien bâtiment institutionnel de Longue-Pointe. L'édifice servira successivement de pensionnat sous le nom de couvent Saint-Isidore, d'asile pour les aliénés, de centre administratif de l'hôpital Saint-Jean-de-Dieu à la suite de l'incendie de 1890, de maison provinciale de la communauté et de chapelle paroissiale à la suite de l'incendie de l'église Saint-François-d'Assise en 1893. Un passé très glorieux qui résume les grands moments de l'histoire de Longue-Pointe!

21. *Intérieur de la pharmacie de l'asile Saint-Jean-de-Dieu en 1911. On cultivait aussi sur la ferme les herbes nécessaires à la fabrication de certains médicaments ainsi que le tabac!*

À la demande des soeurs de la Providence, l'architecte Benjamin Lamontagne conçoit, en 1873, les plans de l'asile Saint-Jean-de-Dieu; l'immense complexe de bâtiments interreliés, considéré à l'époque comme un des plus modernes d'Amérique, est rasé par les flammes en 1890. On élève alors en toute hâte quatorze pavillons pour reloger les douze cents patients de l'institution (voir photo 6). L'asile sera reconstruit de 1895 à 1901. Aujourd'hui hôpital Louis-Hippolyte-LaFontaine, l'ensemble se compose d'édifices plus récents côtoyant des bâtiments du début du siècle. Le pavillon Bourget, qui occupe le centre du complexe, a été construit en 1926-1928 par les architectes Viau et Venne dans la plus pure tradition Beaux-Arts.

---

(1) Il y avait aussi une bâtisse en bois démolie en 1858. Voir *Répertoire d'architecture traditionnelle* de la CUM. *Les couvents.*

En 1883, les frères de la Charité viennent appuyer l'effort des soeurs de la Providence. Ils confient à l'architecte Lamontagne la construction sur leur grand domaine de Longue-Pointe de l'asile Saint-Benoît-Joseph-Labre, grand bâtiment en brique à toit mansard à quatre versants inspiré du style Second Empire. Dix ans plus tôt, les frères s'étaient vus confier l'école de réforme; leur ferme de Longue-Pointe subvenait alors aux besoin en nourriture de leurs élèves. On trouve encore sur le site de Saint-Benoît une grange-étable en brique, élément architectural unique du patrimoine montréalais qui rappelle la fonction rurale du site (voir photo 46). En 1934, les frères chargeront l'architecte J.-O. Marchand d'édifier leur nouvelle école de réforme, rue Sherbrooke, l'actuel Mont-Saint-Antoine.

22. L'asile Saint-Benoît-Joseph-Labre, actuel centre Pierre-Joseph-Triest
8050, rue Notre-Dame Est
C'est dans cet asile réservé aux aliénés issus de familles à l'aise que fut interné Émile Nelligan en 1899.

23. Mont-Saint-Antoine
8147, rue Sherbrooke Est.

La première chapelle de la Réparation, bâtiment en bois élevé en 1896 grâce à Marie de la Rousselière, disparaît en 1910. La chapelle actuelle, dont le clocher pointe à l'extrémité du chemin d'accès, constitue l'élément dominant de l'ensemble. Un peu en retrait, le scolasticat des capucins, construit en 1928, forme un prolongement en brique à l'est de la chapelle. Dans le boisé qui s'étend derrière ces bâtiments se dissimule la «Scala Sancta» (voir photo 44), étonnante construction à plan central, une des premières structures en béton armé d'Amérique.

24. «George Moore Memorial Home», actuel Centre de soins prolongés de Montréal
5155, rue Sainte-Catherine Est
On trouvait sur ce site, vers 1850, la ferme Molson.

On doit à la communauté anglophone la construction du «Old People's Home», aussi appelé «George Moore Memorial Home», un édifice en pierre de taille et à toit mansard; l'aile ouest a été élevée en 1880 et l'aile est, en 1893. L'implantation au tournant du siècle de la fonderie «Canadian Steel» et de la «Canadian Vickers» coupera cette institution de ses liens avec Longue-Pointe et la rattachera naturellement à Viauville (1). Autre réalisation de la communauté anglophone: l'hôpital Grace Dart, angle Sherbrooke et Duquesne, bel exemple d'architecture en brique, oeuvre de David R. Brown, réalisée en 1930-1932.

(1) Voir fascicule n° 5. (Voir volume, chapitre 5.)

25. Hôpital Grace Dart
6085, rue Sherbrooke Est.

26. Poste d'incendie n° 40
8639, avenue Pierre-de-Coubertin
Une des trois casernes de pompiers réalisées entre 1913 et
1915 dans le quartier Mercier. Le bâtiment, situé à l'intersection de deux rues, se démarque par ses immenses arcs plein
cintre, sa balustrade de type Renaissance et ses chaînes en
forme de harpe.

27. École Boucher-de-la-Bruyère, angle Lavaltrie et Lepailleur,
dans le vieux Longue-Pointe, construite en 1913 par
l'architecte Zotique Trudel.

Architecture industrielle d'hier et d'aujourd'hui

28. «*International Manufacturing Co.*», *actuelle usine de la «Consolidated Bathurst»*
6521, rue Notre-Dame Est
Dans cette usine, facilement identifiable à son toit en dents de scie, on fabriquait des munitions pendant la Première Guerre mondiale.

Au début du siècle, le secteur industriel attenant au port de Montréal s'étend vers l'est. En 1912, la «Canadian Vickers» fait bâtir, aux limites de Longue-Pointe et de Maisonneuve, le plus important chantier naval au Canada (1). Propriétés d'une firme d'Angleterre, les bâtiments empruntent certains caractères propres à l'architecture industrielle de ce pays. La plupart des usines construites à cette époque sur le territoire de Longue-Pointe ont perdu l'intérêt qu'elles présentaient en raison de nombreuses transformations.

Rue Dickson, le bâtiment de l'ancienne «Montreal Locomotive Works» où la firme Bombardier fabriquait tout récemment encore des locomotives, a vu, avec les années, ses ouvertures murées sans égard au style architectural. Des anciennes installations de la «Canadian Northern Railway», boulevard de l'Assomption, il ne subsiste aujourd'hui qu'une partie de la rotonde en brique, recyclée en entrepôt de ciment. Quant à la fonderie «Canadian Steel», rue Notre-Dame, ses bâtiments d'origine disparaissent aujourd'hui derrière des édifices des années 30.

À Pointe-aux-Trembles, on ne relève qu'un seul bâtiment industriel ancien, angle Victoria et 8e Avenue: un édifice de trois étages, à parement de briques et ouvertures en arc surbaissé, typique de l'architecture industrielle du tournant du siècle. Mentionnons aussi l'ancien hangar de la compagnie d'aviation franco-canadienne, rue Notre-Dame et 43e Avenue. L'intérêt de ce bâtiment aujourd'hui en bien piteux état, tient à sa structure voûtée à ossature de béton, un prototype du genre en 1929. Ce hangar constitue la seule construction industrielle réalisée par Ernest Cormier, l'architecte bâtisseur de l'Université de Montréal. Soulignons aussi qu'un des partenaires de cette compagnie d'aviation, le comte Jacques de Lesseps, serait un des premiers pilotes à survoler Montréal vers 1910.

(1) Voir fascicule n° 5. (Voir volume, chapitre 5.)

Tableau synchronique des éléments architecturaux

LE PAREMENT EXTÉRIEUR

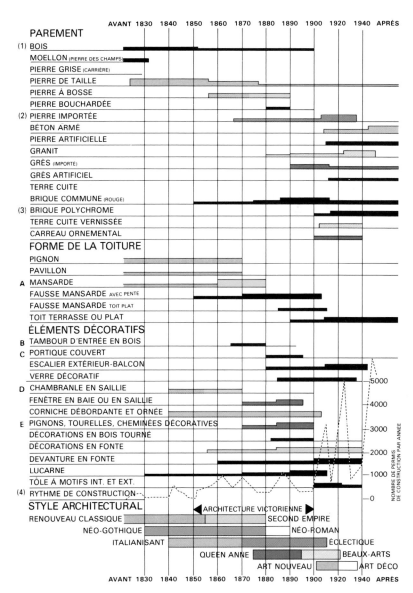

PAREMENT

AVANT 1830 1840 1850 1860 1870 1880 1890 1900 1920 1940 APRÈS

(1) BOIS
MOELLON (PIERRE DES CHAMPS)
PIERRE GRISE (CARRIÈRE)
PIERRE DE TAILLE
PIERRE À BOSSE
PIERRE BOUCHARDÉE
(2) PIERRE IMPORTÉE
BÉTON ARMÉ
PIERRE ARTIFICIELLE
GRANIT
GRÈS (IMPORTÉ)
GRÈS ARTIFICIEL
TERRE CUITE
BRIQUE COMMUNE (ROUGE)
(3) BRIQUE POLYCHROME
TERRE CUITE VERNISSÉE
CARREAU ORNEMENTAL

FORME DE LA TOITURE

PIGNON
PAVILLON
A MANSARDE
FAUSSE MANSARDE AVEC PENTE
FAUSSE MANSARDE TOIT PLAT
TOIT TERRASSE OU PLAT

ÉLÉMENTS DÉCORATIFS

B TAMBOUR D'ENTRÉE EN BOIS
C PORTIQUE COUVERT
ESCALIER EXTÉRIEUR-BALCON
VERRE DÉCORATIF
D CHAMBRANLE EN SAILLIE
FENÊTRE EN BAIE OU EN SAILLIE
CORNICHE DÉBORDANTE ET ORNÉE
E PIGNONS, TOURELLES, CHEMINÉES DÉCORATIVES
DÉCORATIONS EN BOIS TOURNÉ
DÉCORATIONS EN FONTE
DEVANTURE EN FONTE
LUCARNE
TÔLE À MOTIFS INT. ET EXT.
(4) RYTHME DE CONSTRUCTION

5000
4000
3000
2000
1000
0

NOMBRE DE PERMIS DE CONSTRUCTION PAR ANNÉE

STYLE ARCHITECTURAL

◀ARCHITECTURE VICTORIENNE▶

RENOUVEAU CLASSIQUE — SECOND EMPIRE
NÉO-GOTHIQUE — NÉO-ROMAN
ITALIANISANT — ÉCLECTIQUE
QUEEN ANNE — BEAUX-ARTS
ART NOUVEAU — ART DÉCO

AVANT 1830 1840 1850 1860 1870 1880 1890 1900 1920 1940 APRÈS

Photo labels:
CRÉPI JUSQU'EN 1865
MOELLON OU PIERRE DES CHAMPS
PLANCHE UNIE OU À COUVRE-JOINT JUSQU'EN 1865
PLANCHE À CLINS 1830-1935
BOIS À MOTIFS ENGRAVÉS 1865-1935
BARDEAU D'AMIANTE 1935-1950

LE REVÊTEMENT DE LA COUVERTURE

TÔLE À LA CANADIENNE 1795-1865
TÔLE À BAGUETTES 1865-1900
TÔLE À MOTIFS EMBOSSÉS 1900-1935
ARDOISE 1865-1900

(1) Bois: interdit dans le Vieux-Montréal après l'incendie de 1721, dans les faubourgs après celui de 1852, il demeure cependant en usage dans les villages jusqu'à leur annexion autour des années 1900.
(2) Pierre importée: pierre plus malléable que la pierre grise, se prêtant mieux aux motifs sculptés.
(3) Brique polychrome: de couleur variable et à texture rugueuse contrairement à la brique commune qui est rouge, lisse, et à texture sablonneuse.
(4) Certaines données de ce tableau proviennent des études de David B. Hanna, professeur au département de géographie, UQAM.

Architecture résidentielle

La maison de Montréal

Depuis le début de la colonie, la maison au Québec s'est lentement transformée. À la ville comme à la campagne, on a tenté de mieux l'adapter à nos hivers rigoureux. Les fréquents incendies dans la ville amèneront très tôt l'administration de Montréal à émettre des directives détaillées sur les façons de la construire.

Ordonnance du 17 juin 1727...

Ordonnons de... «bâtir aucune maison dans les villes et gros bourgs, où il se trouvera de la pierre commodément, autre qu'en pierres; défendons de les bâtir en bois, de pièces sur pièces et de colombage...»

«...construire des «murs de refend» (1) qui excèdent les toits et les coupent en différentes parties, ou qui les séparent d'avec les maisons voisines, à l'effet que le feu se communique moins de l'une à l'autre...»

Défense de construire... *«des toits brisés, dit à la mansarde... qui font sur les toits une forêt de bois...».*

Outre ces nombreux édits, le coût élevé des terrains, à mesure que la ville s'agrandit, la prédominance des locataires et la présence dans le sol de la pierre calcaire et d'une argile propre à la brique ont favorisé la naissance de la maison en rangée, typique à Montréal.

Cette maison type se rencontre, avec des variantes, dans tous les quartiers de la ville, mêlée à d'autres habitations moins nombreuses, mais qui toutes ont connu leurs heures de popularité:

- la maison villageoise
- la maison urbaine traditionnelle
- la maison en rangée
- la villa
- la maison contiguë
- la maison semi-détachée
- la maison à logements multiples
- la maison de rapport.

Les maisons les plus représentatives du quartier seront reprises dans les pages suivantes pour illustrer l'évolution du patrimoine résidentiel.

Nous nous attarderons aux maisons construites en bordure de l'île, maisons de ferme, villas, chalets et maisons villageoises. Ce sont des bâtiments isolés, à l'exception d'une maison villageoise, qui, accolée aux maisons voisines, est le seul exemple, ici illustré, de bâtiment contigu.

La maison rurale:

Les plus anciennes remontent au temps du régime français; elles étaient situées le long du chemin public longeant le fleuve Saint-Laurent et la rivière des Prairies. Le boulevard Gouin, à l'est du village de Rivière-des-Prairies, offre encore quelques exemples de maisons de ferme avec dépendances dans un cadre de prairies plus ou moins en friche. Côté fleuve, on retrouve près du rivage quelques maisons anciennement situées sur le premier chemin public. Sur la rue Notre-Dame, deuxième chemin public ouvert en 1841, on retrouve des maisons rurales postérieures à cette date.

29. 12930, boulevard Gouin Est
Maison construite en 1732, pour François-Armand dit Flamme, grand propriétaire de Rivière-des-Prairies et lieutenant-colonel de milice. Les colons vivaient à la manière de leurs ancêtres français dans de petites maisons sobrement décorées. Ils les bâtissaient avec de la pierre qui abondait dans les champs et sur le bord de l'eau. Cette maison d'esprit français, classée monument historique en 1974, se caractérise par ses cheminées «en chicane», placées de part et d'autre du faîte du toit.

---

(1) Murs coupe-feu.

30. 4, 43e Avenue
Une des anciennes demeures de la famille Beaudry à Pointe-aux-Trembles, qui se distingue par son toit en croupe. Cette forme de toiture qui caractérise à la fois les maisons du régime français et les cottages anglo-normands du milieu du XIXe siècle, laisse perplexe quant à l'âge du bâtiment; la proximité du fleuve donne à croire à une implantation antérieure à 1840. À droite, une dépendance en pièce sur pièce récemment installée à cet endroit.

32. 14678, rue Notre-Dame Est
Autre demeure de la famille Beaudry, sise près de la 60e Avenue, et construite à la fin du régime français. La galerie couverte et la cuisine d'été en bois, toutes deux ajoutées par la suite, illustrent la façon dont les maisons de colons se sont adaptées au climat québécois. Classée monument historique en 1979, cette maison située sur le premier chemin du Roy aujourd'hui disparu, conserve un décor remarquable en bordure du fleuve.

31. 8976, rue Notre-Dame Est
Demeure de Pierre Bernard, notable de Longue-Pointe et maire de la municipalité de 1905 à 1909. Maison rurale d'esprit québécois qui se distingue de la précédente par la pente douce de sa toiture, ses lucarnes et son carré plus imposant. Des bâtiments annexes peu harmonieux environnent aujourd'hui cette demeure plus que centenaire.

33. 15024, rue Notre-Dame Est
Maison construite au milieu du XIXe siècle en bordure du nouveau chemin du Roy. Vers 1880, elle était située sur une des terres appartenant à Hugh Allan, aujourd'hui cimetière Hawthorn-Dale. Elle est recouverte de planches à clins et coiffée d'un toit mansard à l'américaine, à la mode du temps.

Maison villageoise

Le village de Rivière-des-Prairies est le seul à offrir un regroupement de maisons d'esprit villageois. L'ensemble est particulièrement intéressant par son organisation spatiale et l'implantation des bâtiments à proximité du noyau paroissial, (photo 35).

35. **10110-12, boulevard Gouin Est**
L'ambiance villageoise tient au groupement formé par la maison et ses dépendances serrées en bordure du chemin. Soulignons aussi l'existence près du village de Pointe-aux-Trembles de plusieurs bâtiments annexes d'intérêt: hangars, anciennes écuries et remises à voitures, au revêtement de bois ou de métal et au toit à pignon ou en mansarde.

34. **5957, rue Notre-Dame Est**
Petite maison victorienne à fausse mansarde, bow window et fine menuiserie, villageoise par ses dimensions et son lambris de bois. Elle est cependant localisée à l'extérieur du village de Longue-Pointe, dans le secteur connu vers 1910 sous le nom de Guybourg.

36. *Le terminus du tramway à Pointe-aux-Trembles vers 1920. À la fois résidence et station du tramway, ce bâtiment est, à l'étage du logement, entouré d'une grande galerie; au rez-de-chaussée, on remarque la vaste plate-forme attenante où les voyageurs attendaient le tramway.*

Les villas

Vers 1890, on assiste rue Notre-Dame à l'apparition de grandes demeures familiales. Pierre Tétreault, cultivateur de Longue-Pointe, habitait une résidence de quatre étages et de trente pièces, à l'endroit où l'on trouve aujourd'hui le parc du même nom. À Pointe-aux-Trembles, ce sont des familles bourgeoises et riches qui se font construire en bordure du fleuve de grandes mai-

37. 12164, rue Notre-Dame Est
Magnifique villa sise à l'est du village de Pointe-aux-Trembles, s'insérant dans un ensemble de maisons victoriennes qui se prolongent en bordure du fleuve jusqu'au parc de Neuville-sur-Vanne. Lambris de bois à clins, toit à pignon recouvert de tôle à baguettes et grande galerie, forment le décor type de ces anciennes maisons de campagne.

sons de campagne. Charles Reeves, architecte et inspecteur en bâtiment pour la ville de Maisonneuve, aura sa résidence d'été près de son village natal. Il est intéressant de noter que le bâtiment actuellement occupé par la compagnie de toile Finnie, angle Notre-Dame et de la Rousselière, fut un jour la villa de la famille Brisset des Nos.

38. 11931, rue Notre-Dame Est
Grande résidence familiale en pierre bosselée avec chaînage en pierre de taille; de la tôle à baguettes couvre la toiture et de la tôle ouvragée, la tourelle d'angle. Située dans le village, du côté opposé au bord de l'eau, elle fut sans doute la résidence d'un notable de Pointe-aux-Trembles.

Maisons urbaines

Au tournant du siècle, dans la vague montante de l'industrialisation, toute municipalité progressive se targue d'avoir son projet de développement. Dans Longue-Pointe, les secteurs du Parc-Terminal, actuelle paroisse Notre-Dame-des-Victoires, de Guybourg et du Parc-Lebrun s'urbanisent à cette époque. Pointe-aux-Trembles verra, sous l'impulsion de Rosaire Prieur, échevin avant-gardiste et aussi maire de l'endroit, se réaliser le premier projet de logements sociaux au Québec. Rivière-des-Prairies, isolée des grandes routes et privée de transports en commun, reste en marge de ce mouvement d'expansion.

39. 2042, rue Mercier
Maison du Parc-Lebrun, un des plus jolis coins de Longue-Pointe, disait-on dans les années 1910. Napoléon Lebrun lotit en 1907 la terre qu'il a achetée à Longue-Pointe. Deux ans plus tard, on y compte quatre-vingts maisons cossues, entourées de plates-bandes, habitées par des familles à l'aise: marchands, tailleurs de leur métier ou employés de bureau tels ce comptable du Canadien Pacifique et ce contremaître chez «Portland Cement». M. Lebrun y habite une grande demeure familiale.

40. *526-550, 6ᵉ Avenue*
Cottages de la Société de logements ouvriers fondée en 1917 par Rosaire Prieur, un des premiers à se prévaloir de la loi sur l'habitation votée en 1914. Dorénavant, une famille ouvrière peut obtenir un prêt hypothécaire couvrant jusqu'à 85 % de la valeur de la propriété, comparativement à 60 % avant la passation de la loi. À gauche, les cottages de la 6ᵉ Avenue vers 1920. À l'arrière, d'autres cottages dont le premier sert de «power house» pour le tramway alors mû à l'électricité.

Le chalet

Dans la période de l'entre-deux-guerres, des familles ouvrières s'installent pour l'été dans de modestes chalets à Rivière-des-Prairies et à Pointe-aux-Trembles. Au Bout-de-l'Île et en quelques endroits de Pointe-aux-Trembles et de Rivière-des-Prairies, on trouve encore aujourd'hui de ces petits chalets au plan carré, au lambris de bois à clins, avec à peine une pièce sous les combles.

41. *10300, boulevard Gouin Est*
Chalet de la taille d'une «cabine»: un toit pour dormir. Les exigences de ses occupants sont peu élevées: campagne et bord de l'eau sont synonymes de paradis en regard de l'asphalte brûlant de la ville.

42. *12450, rue Saint-Jean-Baptiste*
Chalet typique avec son mur pignon en façade. Tôt au printemps, les volets clos de ce chalet indiquaient clairement sa fonction présente de maison de vacances.

43. «Limoilou», maison de campagne de George-Étienne Cartier.
Située vers 1870 rue Notre-Dame, à l'ouest du village de Longue-Pointe, cette confortable maison de campagne prenait place sur un vaste domaine comprenant vignobles, vergers, pâturages et champs cultivés. «Limoilou» sera vendu par les héritiers de G.-É. Cartier en 1874.

44. Chapelle «Scala Sancta», sanctuaire de la Réparation.
45. Château d'eau, hôpital Louis-Hippolyte-LaFontaine.
46. Grange-étable du Centre Pierre-Joseph-Triest.
47. Maison rurale à Rivière-des-Prairies.

«Mon territoire a commencé par être le Sud-Ouest de Montréal. La Côte-Saint-Paul avait d'abord été un village, elle était devenue quartier quelques décennies auparavant. Du village, elle avait gardé la quiétude, les moeurs plutôt étriquées. Les familles s'épiaient avec constance et n'étaient pas tendres pour ceux qui s'écartaient de la norme. Les délinquants étaient montrés du doigt et il y avait des enfants non fréquentables parce que le père se retirait parfois derrière les barreaux et que la mère recevait des messieurs à domicile. Dans ce petit monde ouvrier, on calquait sans le savoir celui des bourgeois, on était catholique massivement, avec ou sans ferveur. On quittait rarement le quartier. Le faisait-on qu'on se rendait spontanément au centre-ville afin d'y baragouiner l'anglais. L'Est de Montréal nous était terre inconnue.»[1]

[1] Archambault, Gilles, *Puisqu'il faut naître quelque part, Montréal des écrivains,* éditions de l'Hexagone, édition préparée par l'Union des écrivains québécois sous la direction de Louise Dupré, Bruno Roy et France Théoret, Montréal, 1988.

13 La Côte-Saint-Paul

Le patrimoine de Montréal
Quartier Saint-Paul

La Côte-Saint-Paul

La Côte-Saint-Paul, petite communauté agricole du début du XVIIIᵉ siècle, connaît, un siècle plus tard, de profonds bouleversements par suite du creusement du canal de Lachine. Un village ouvrier naît en bordure de l'écluse, à proximité des industries venues s'y implanter. Annexé à Montréal en 1910, ce territoire situé à l'extrême sud-ouest de la ville et enclavé par le canal de Lachine au nord, et le canal de l'Aqueduc au sud, poursuit son expansion à l'écart des autres quartiers municipaux. Les deux communautés qui l'habitent aujourd'hui, issues des anciennes municipalités de Côte-Saint-Paul et de Ville-Émard, sont fières de ce passé, comme en témoigne la conservation de leur nom d'origine.

2. Une des premières maisons de Ville-Émard, angle Saint-Patrick et boulevard Monk, aujourd'hui disparue.

Photo de la page précédente:
1. Un accident à l'écluse de Côte-Saint-Paul au début du siècle. À droite, le «Power House» flanqué de sa tour qui, à partir de 1902, fournit l'électricité nécessaire aux opérations du canal. On y voit aussi la maison de l'éclusier, petite bâtisse à toit à pignon.

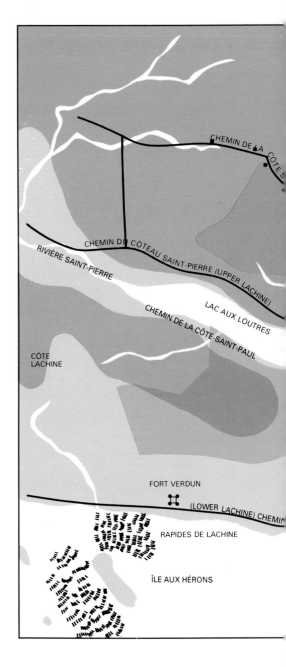

CHEMIN DE LA CÔTE S

CHEMIN DU CÔTEAU SAINT-PIERRE (UPPER LACHINE)

RIVIÈRE SAINT-PIERRE

LAC AUX LOUTRES

CHEMIN DE LA CÔTE-SAINT-PAUL

CÔTE LACHINE

FORT VERDUN

(LOWER LACHINE) CHEMIN

RAPIDES DE LACHINE

ÎLE AUX HÉRONS

Relief et cours d'eau de Montréal au XVIIIe siècle

VILLAGE DE LA CÔTE-DES-NEIGES

CHEMIN DE LA CÔTE-SAINTE-CATHERINE

CHEMIN DE LA CÔTE-DE-LA-VISITATION

CHEMIN DE LA CÔTE-DES-NEIGES

TANNERIE DES BELLAIR

CHEMIN DE LA CÔTE-SAINT-ANTOINE

RUISSEAU GLEN

LIMITES DE MONTRÉAL

CHEMIN SAINT-LAURENT

TANNERIE DES ROLLAND

FORT DE LA MONTAGNE

100 CHAÎNES

RUISSEAU SAINT-MARTIN

PETITE CÔTE-SAINT-ANTOINE

MOULIN DU LAC

FORT DES SULPICIENS

CANAL SAINT-GABRIEL

CHEMIN DE LACHINE

ÎLE SAINTE-HÉLÈNE

RIVIÈRE SAINT-PIERRE

LES ARGOULETS

FLEUVE SAINT-LAURENT

ÎLE SAINT-PAUL

La Côte-Saint-Paul

Avant 1850

Au XVIIIᵉ siècle, la Côte-Saint-Paul est un coin de campagne bien tranquille en bordure du lac aux Loutres (1). On y retrouve une quinzaine de maisons entourées de bâtiments de ferme, le long d'une route peu fréquentée, aujourd'hui rue Saint-Patrick. Les voyageurs empruntent le chemin «Upper Lachine», situé plus au nord sur la crête du coteau Saint-Pierre (2). De là, ils aperçoivent en contrebas la rivière Saint-Pierre qui forme à cet endroit un marécage, les fermes de Côte-Saint-Paul et au-delà, celles de la Côte-des-Argoulets, aujourd'hui Verdun. Le chemin de la Côte-des-Argoulets, aussi nommé «Lower Lachine Road» (3), est une route peu accidentée qui sert au transport des marchandises vers Lachine.
Il faut se rappeler que les rapides entravent la navigation et que ces chemins sont alors les seules voies de communication vers l'ouest.

Le creusement du canal de Lachine, en 1821, vient perturber la vie paisible de la petite communauté de Côte-Saint-Paul. Les travaux du chantier se déroulent à deux pas des maisons. Le lac aux Loutres, asséché, disparaît. En 1825, les écluses sont en opération, laissant passer les embarcations de petit calibre, canots et bateaux à fond plat, chargés de farine, de pois et de sel. Ils transportent vers l'ouest les immigrants fraîchement arrivés au pays. Au retour, les bateaux sont remplis de pelleteries. D'autres travaux en 1847 portent la profondeur du canal à trois mètres, permettant le passage des bateaux à vapeur et des voiliers. Deux spectacles inusités pour les habitants du lieu... les chevaux remorquant les bateaux démâtés le long du chemin de halage et le petit train à vapeur, le «Montreal Lachine Railroad» qui file vers Lachine sur l'ancien marécage du lac aux Loutres.

Le chemin de la Rivière-Saint-Pierre, aujourd'hui rue de l'Église, est ouvert au début du XIXᵉ siècle reliant entre elles les côtes des Tanneries, des Argoulets et Saint-Paul. On y voit circuler les militaires, grands amateurs de chevaux, en route vers la piste de course, située au carrefour de ce chemin et du «Lower Lachine Road». Entre temps, plusieurs familles anglophones se sont installées à Côte-Saint-Paul. Il semble courant à l'époque pour les immigrants le moindrement fortunés de s'installer sur les fermes à l'abandon. Au début des années 1800, on trouvait à louer, dit-on, pour 125 $ l'an, une terre en culture à moins de deux kilomètres de la ville fortifiée. (4)

3. Travaux d'élargissement du canal de Lachine à l'écluse Saint-Gabriel. Cette gravure de 1879 illustre la technologie de l'époque pour ce genre de travaux.

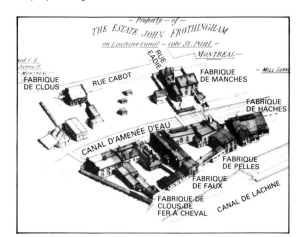

4. Bâtiments industriels en bordure du canal d'amenée d'eau, vers 1880 (voir page 4). Ces ouvrages sont l'oeuvre de William Parkyn, premier détenteur des droits d'utilisation de l'eau à Côte-Saint-Paul; par la suite ce dernier cédera tous ses droits à son associé John Frotingham qui y exercera un véritable monopole.

(1) Aussi appelé Petit lac Saint-Pierre. Actuelle cour Turcot.
(2) Voir fascicules nᵒˢ 1 et 8. (Voir volume, chapitres 1 et 8.)
(3) Aujourd'hui boulevard Lasalle.
(4) Dans *Ogilvie in Canada, Pioneer Millers,* 1801-1950
G.R. Stevens, O.B.E.

Entre le canal de Lachine et le canal de l'Aqueduc

1850-1900

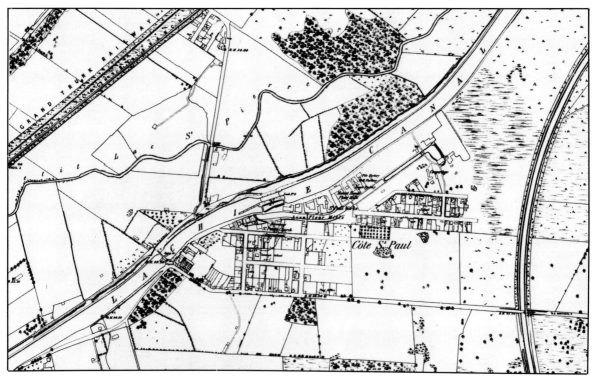

5. Plan du village de Côte-Saint-Paul en 1868 qui illustre les principaux éléments de structuration du quartier: la rivière Saint-Pierre, le canal de Lachine, le canal d'amenée d'eau, la rue de l'Église et une section du canal de l'Aqueduc.

Montréal se relève du pire incendie de son histoire (1), celui de l'été 1852, qui a tragiquement démontré l'insuffisance du réseau d'approvisionnement en eau. Les autorités connaissent depuis longtemps la piètre qualité de l'eau de l'aqueduc qui prend sa source dans le port. Des études entreprises en 1847 concluent à la nécessité de relocaliser la prise d'eau dans les rapides de Lachine et d'amener cette eau, par un canal à découvert, jusqu'à la maison des Roues située en bordure de la rivière Saint-Pierre, à l'emplacement actuel de l'usine Atwater. La construction du canal de l'Aqueduc, entreprise en 1852, est complétée quatre ans plus tard.

Le canal de l'Aqueduc traverse les terres de la Côte-des-Argoulets, propriétés de gens à l'aise: mentionnons John Young, fondateur du port de Montréal, la famille Hedley (2), fermiers prospères de l'endroit, Archibald Ogilvie, premier de la célèbre lignée des meuniers du canal de Lachine et William Parkyn, un industriel dont il sera question plus après. La construction de cet ouvrage amène en 1875 le rattachement de la partie nord de la Côte-des-Argoulets au territoire de la Côte-Saint-Paul (3). La juxtaposition des terres appartenant à des côtes différentes, explique de nos jours le tracé inusité des rues du quartier: à la hauteur de la rue Briand, point de jonction de ces deux cadastres, les rues suivent des directions opposées, les unes vers l'ancien lac aux Loutres et les autres vers le fleuve.

_____

(1) Voir fascicule nᵒˢ 2 et 4. (Voir volume, chapitres 2 et 4.)
(2) La rue «Hadley» traverse l'ancienne terre de Robert «Hedley», sans doute une modification d'orthographe.
(3) En 1875, sont fondées de part et d'autre du canal de l'Aqueduc les municipalités des villages de Côte-Saint-Paul et de la Rivière-Saint-Pierre, aujourd'hui Verdun.

Dans l'intervalle, le gouvernement fédéral a entrepris de louer le droit d'utilisation de l'eau du canal de Lachine à des fins industrielles: le surplus d'eau retenu aux écluses servira ainsi à produire un pouvoir hydraulique, bien supérieur à celui jusqu'alors fourni par le moulin à vent, le cheval et la force humaine. Dans les années 1850, William Parkyn, détenteur des droits d'eau à l'écluse de Côte-Saint-Paul, fait creuser un canal d'amenée d'eau qui prend sa source en amont de l'écluse; il construit sur ses bords un moulin à farine, un moulin à scie et diverses manufactures. (photo 4). L'eau en se butant à la roue des moulins actionne meules et scies; il en est de même pour les usines où la roue couplée aux machines, les fait fonctionner.

À l'écluse de Côte-Saint-Paul, viennent s'implanter des industries du fer et de la fonte. Ces métaux ont longtemps été importés d'Europe mais des conditions économiques favorables (1) permettent à ces industries de prospérer au pays. En 1860, on y trouve la fabrique d'outils et de mèches de «Gawen Gilmore», l'usine de cloches à traîneaux de Charles Orlando Clark, la fonderie «Frotingham et Workman» et plusieurs autres manufactures d'outils où travaillent une centaine d'ouvriers. Des familles s'installent alors à proximité des usines. Un véritable village doté d'un hôtel de ville et d'une gare de chemin de fer prend forme dans le triangle aujourd'hui formé par le canal de Lachine, la rue Angers et la rue de l'Église; sur cette dernière, il y a l'église paroissiale, deux écoles, un bureau de poste, des magasins et quelques hôtels. On compte l'éclusier au nombre des habitants du village mais surtout des ouvriers engagés dans les usines comme forgerons, charretiers, polisseurs de haches et fabricants de clous, de pelles et de faux.

À l'ouest de la rue de l'Église, on continue à cultiver la terre; les fermiers de l'endroit, ressentant peu d'affinités avec la communauté regroupée autour de l'écluse, forment, en 1878, une municipalité distincte (2), Ville-Émard.

_____

(1) La politique de libre-échange entre l'Angleterre et ses colonies, la naissance de l'industrie ferroviaire, etc.
(2) La municipalité de la paroisse de Côte-Saint-Paul.

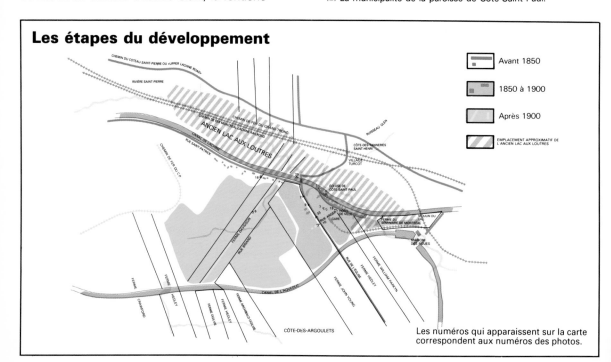

Les étapes du développement

Avant 1850

1850 à 1900

Après 1900

EMPLACEMENT APPROXIMATIF DE L'ANCIEN LAC AUX LOUTRES

CHEMIN DU COTEAU-SAINT-PIERRE OU «UPPER LACHINE ROAD»
RIVIÈRE SAINT-PIERRE
CHEMIN DE FER DU GRAND TRONC
CHEMIN DE FER DU MONTREAL LACHINE RAILROAD
ANCIEN LAC AUX LOUTRES
CANAL DE LACHINE
CHEMIN DE FER DU C.P.
RUE SAINT-PATRICK
RUISSEAU GLEN
CÔTE-DES-TANNERIES SAINT-HENRI
VILLAGE TURCOT
ÉCLUSE DE CÔTE-SAINT-PAUL
RUE ANGERS
HÔTEL DE VILLE
GARE
MOULIN DU
FERME DU SÉMINAIRE DE MONTRÉAL
MAISON DES ROUES
RUE DACOSTA
RUE BRIAND
RUE DE L'ÉGLISE
FERME WILLIAM PARKYN
FERME HIGLEY
FERME JOHN YOUNG
CANAL DE L'AQUEDUC
FERME CRAWFORD
FERME HIGLEY
FERME OGILVIE
FERME HIGLEY
FERME ARCHIBALD OGILVIE
CÔTE-DES-ARGOULETS

Les numéros qui apparaissent sur la carte correspondent aux numéros des photos.

Un quartier de banlieue

Après 1900

En 1899, les avocats Joseph-Ulrick Émard, Frédérick D. Monk et quelques autres achètent la terre Davidson que traverse aujourd'hui le boulevard Monk; ils forment la Compagnie des terrains de banlieue en vue d'en faire le lotissement. On procède, boulevard Monk, à la construction de trottoirs en bois; on y élève des pâtés de maisons que les acheteurs, peintres, plombiers et menuisiers de leur métier, se chargent de compléter. Un omnibus à chevaux assure le transport jusqu'au tramway, angle Notre-Dame et Côte-Saint-Paul. En 1904, on fonde la paroisse Notre-Dame-du-Perpétuel-Secours, paroisse mère de Ville-Émard, et on élève une chapelle à l'emplacement actuel de l'église.

En 1910, le territoire urbanisé s'est agrandi. D'autres compagnies immobilières ont entrepris de lotir les terres agricoles. Devant les coûts énormes de leur expansion, les municipalités de Côte-Saint-Paul et de Ville-Émard choisissent de s'annexer à Montréal. Leur croissance se poursuit, un peu à l'écart des autres quartiers municipaux, jusqu'après la Seconde Guerre mondiale. Le gouvernement fédéral fait alors construire des maisons pour les vétérans. Les abords du canal de l'Aqueduc sont aménagés en parc public. Le parc Angrignon, acquis en 1928 de la famille Crawford et où l'on projette d'aménager un jardin zoologique, constitue à cette époque une des dernières grandes forêts de bois franc dans la ville. Quant au canal de Lachine, il loge sur ses berges la plus grande concentration industrielle au Canada.

La fermeture du canal de Lachine à la navigation commerciale en 1959, amorce une période de déclin. Les usines vieillissantes sont peu à peu abandonnées. Dans les années 60, le tracé de l'autoroute 15-20 coupe à travers le vieux village, les maisons centenaires disparaissent et celles qu'on épargne se retrouvent dans un environnement morcelé.

Dans la dernière décennie, le vent a tourné! Le métro rejoint maintenant le sud-ouest de la ville. Les Montréalais avides de loisirs sillonnent, l'été, à pied ou en vélo et l'hiver, en skis ou en raquettes, les berges des canaux devenues de grands circuits de promenade. On parle de bateaux qui un jour franchiront les écluses et de grands corridors verts tout autour du quartier: l'eau qui a donné vie à la Côte-Saint-Paul et qui en a dessiné les contours, y suscite aujourd'hui un dynamisme nouveau.

6. Vue du boulevard Monk, vers 1913, prise de l'académie Notre-Dame-du-Perpétuel-Secours, aujourd'hui disparue. À droite, la première église paroissiale; en face, la tourelle d'une grande résidence familiale qui tenait lieu de bureau de poste de Ville-Émard.

7. La rue de l'Église, principale artère commerciale de Côte-Saint-Paul, pris successivement les noms de chemin Saint-Pierre, de la Côte-Saint-Paul, de Pavillon-Road et en 1884, celui qu'elle porte aujourd'hui.

Tableau synchronique des événements historiques 1700-1945

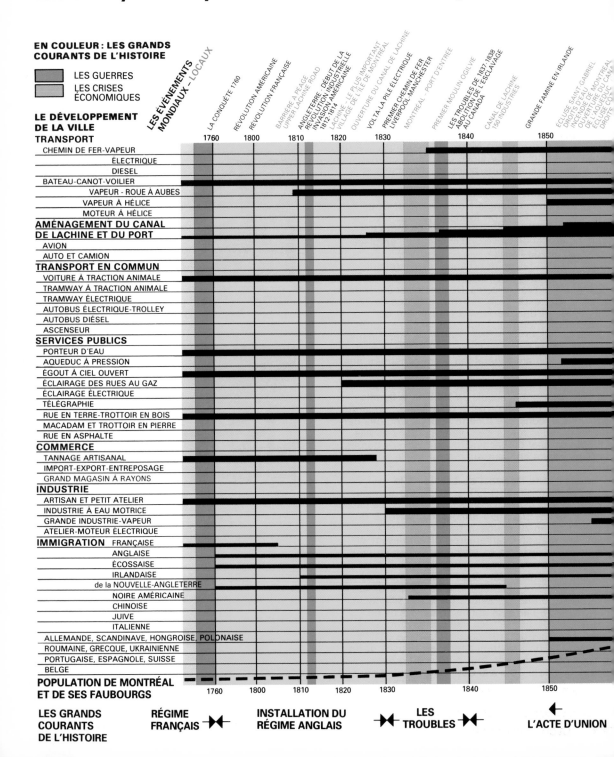

EN COULEUR : LES GRANDS COURANTS DE L'HISTOIRE

- LES GUERRES
- LES CRISES ÉCONOMIQUES

LE DÉVELOPPEMENT DE LA VILLE

LES ÉVÉNEMENTS MONDIAUX – LOCAUX

LA CONQUÊTE 1760 · RÉVOLUTION AMÉRICAINE · RÉVOLUTION FRANÇAISE · BARRIÈRE À PÉAGE UPPER LACHINE ROAD · ANGLETERRE : DÉBUT DE LA RÉVOLUTION INDUSTRIELLE · INVASION AMÉRICAINE 1812-1814 · LACHINE – LE PLUS IMPORTANT VILLAGE DE L'ÎLE DE MONTRÉAL · OUVERTURE DU CANAL DE LACHINE · VOLTA LA PILE ÉLECTRIQUE · PREMIER CHEMIN DE FER LIVERPOOL-MANCHESTER · MONTRÉAL – PORT D'ENTRÉE · PREMIER MOULIN OGILVIE · LES TROUBLES DE 1837-1838 ABOLITION DE L'ESCLAVAGE AU CANADA · CANAL DE LACHINE 150 INDUSTRIES · GRANDE FAMINE EN IRLANDE · ÉCLUSE SAINT-GABRIEL DROITS D'EAU · INCENDIE DE MONTRÉAL OUVERTURE DU CANAL DE L'AQUEDUC · ÉCLUSE COTE... DROITS...

TRANSPORT
- CHEMIN DE FER-VAPEUR
- ÉLECTRIQUE
- DIESEL
- BATEAU-CANOT-VOILIER
- VAPEUR - ROUE À AUBES
- VAPEUR À HÉLICE
- MOTEUR À HÉLICE

AMÉNAGEMENT DU CANAL DE LACHINE ET DU PORT
- AVION
- AUTO ET CAMION

TRANSPORT EN COMMUN
- VOITURE À TRACTION ANIMALE
- TRAMWAY À TRACTION ANIMALE
- TRAMWAY ÉLECTRIQUE
- AUTOBUS ÉLECTRIQUE-TROLLEY
- AUTOBUS DIÉSEL
- ASCENSEUR

SERVICES PUBLICS
- PORTEUR D'EAU
- AQUEDUC À PRESSION
- ÉGOUT À CIEL OUVERT
- ÉCLAIRAGE DES RUES AU GAZ
- ÉCLAIRAGE ÉLECTRIQUE
- TÉLÉGRAPHIE
- RUE EN TERRE-TROTTOIR EN BOIS
- MACADAM ET TROTTOIR EN PIERRE
- RUE EN ASPHALTE

COMMERCE
- TANNAGE ARTISANAL
- IMPORT-EXPORT-ENTREPOSAGE
- GRAND MAGASIN À RAYONS

INDUSTRIE
- ARTISAN ET PETIT ATELIER
- INDUSTRIE À EAU MOTRICE
- GRANDE INDUSTRIE-VAPEUR
- ATELIER-MOTEUR ÉLECTRIQUE

IMMIGRATION
- FRANÇAISE
- ANGLAISE
- ÉCOSSAISE
- IRLANDAISE
- de la NOUVELLE-ANGLETERRE
- NOIRE AMÉRICAINE
- CHINOISE
- JUIVE
- ITALIENNE
- ALLEMANDE, SCANDINAVE, HONGROISE, POLONAISE
- ROUMAINE, GRECQUE, UKRAINIENNE
- PORTUGAISE, ESPAGNOLE, SUISSE
- BELGE

POPULATION DE MONTRÉAL ET DE SES FAUBOURGS

1760 · 1800 · 1810 · 1820 · 1830 · 1840 · 1850

LES GRANDS COURANTS DE L'HISTOIRE

RÉGIME FRANÇAIS ▸◂ INSTALLATION DU RÉGIME ANGLAIS ▸◂ LES TROUBLES ◂▸ L'ACTE D'UNION

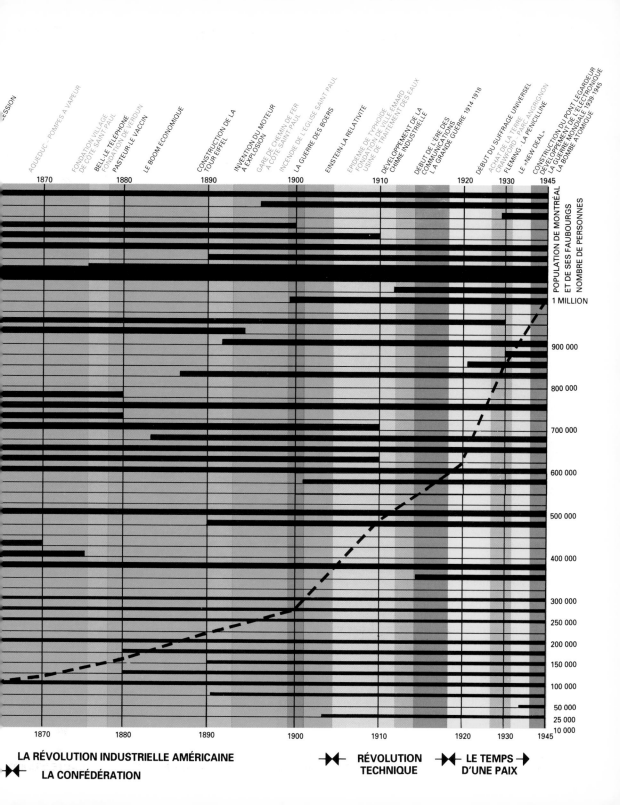

POPULATION DE MONTRÉAL ET DE SES FAUBOURGS
NOMBRE DE PERSONNES

1 MILLION
900 000
800 000
700 000
600 000
500 000
400 000
300 000
250 000
200 000
150 000
100 000
50 000
25 000
10 000

AQUEDUC - POMPES À VAPEUR
FONDATION VILLAGE DE CÔTE SAINT-PAUL
BELL - LE TÉLÉPHONE
FONDATION DE VERDUN
PASTEUR - LE VACCIN
LE BOOM ÉCONOMIQUE
CONSTRUCTION DE LA TOUR EIFFEL
INVENTION DU MOTEUR À EXPLOSION
GARE DE CHEMIN DE FER À CÔTE SAINT-PAUL
INCENDIE DE L'ÉGLISE SAINT-PAUL
LA GUERRE DES BOERS
EINSTEIN-LA RELATIVITÉ
ÉPIDÉMIE DE TYPHOÏDE
FONDATION DE VILLE ÉMARD
USINE DE TRAITEMENT DES EAUX
DÉVELOPPEMENT DE LA CHIMIE INDUSTRIELLE
DÉBUT DE L'ÈRE DES COMMUNICATIONS
LA GRANDE GUERRE 1914-1918
DÉBUT DU SUFFRAGE UNIVERSEL
ACHAT DE LA TERRE CRAWFORD - PARC ANGRIGNON
FLEMING - LA PÉNICILLINE
LE «NEW DEAL»
CONSTRUCTION DU PONT LEGARDEUR
DÉVELOPPEMENT DE L'ÉLECTRONIQUE
LA GUERRE MONDIALE 1939-1945
LA BOMBE ATOMIQUE

1870   1880   1890   1900   1910   1920   1930   1945

LA RÉVOLUTION INDUSTRIELLE AMÉRICAINE
LA CONFÉDÉRATION
RÉVOLUTION TECHNIQUE
LE TEMPS D'UNE PAIX

Architecture institutionnelle et publique, d'hier et d'aujourd'hui

Dans le vieux Côte-Saint-Paul, on trouve encore aujourd'hui le premier hôtel de ville construit en 1879 rue Brock (voir photo n° 19).
De petite dimension, il rappelle les modestes origines de la communauté alors regroupée autour de l'écluse. Seuls le pignon central et les fenêtres en ogive dénotent le noble passé de l'édifice, aujourd'hui industriel. Mentionnons aussi la présence de l'ancienne école protestante de la rue Gladstone, construite vers 1910, qui offre peu de points communs avec l'école montréalaise type (1): le bâtiment repose sur un solage d'à peine trente centimètres de hauteur et présente un revêtement en pierre, matériau rarement utilisé à l'époque.

8. *Ancienne école protestante*
1621, rue Gladstone.

Rue de l'Église, on trouve réunis quatre édifices publics de grand intérêt patrimonial dont le plus ancien est le couvent Notre-Dame-du-Rosaire.
En 1887, les dames de la Congrégation de Notre-Dame confient à l'architecte Victor Bourgeau la construction d'un couvent destiné aux jeunes filles, anglophones et francophones, issues de familles aisées. L'éducation est alors réservée à la bourgeoisie et l'architecture soignée de l'édifice reflète cette réalité d'époque. Ses caractéristiques architecturales — le toit en mansarde à quatre versants, le clocheton et la lucarne centrale — rappellent le style Second Empire. Malgré les modifications subies à la suite de l'incendie de 1907 (addition d'un étage et ajout des lucarnes à fronton chantourné), ce bâtiment est un témoin remarquable de l'architecture conventuelle de la fin du XIXe siècle.

9. *Couvent Notre-Dame-du-Rosaire*
1734, rue de l'Église.

---

(1) Voir fascicule n° 6. (Voir volume, chapitre 6.)

Au sud, l'église Saint-Paul, un imposant édifice de style Beaux-Arts bâti en 1910, est le troisième à être érigé sur ce site: le premier datant de 1876 et le deuxième de 1900 ayant été incendiés. Le presbytère, construit en 1900 telle une grande résidence bourgeoise, présente un élégant balcon à colonnes. Voisinant le noyau paroissial, le deuxième hôtel de ville de Côte-Saint-Paul a été conçu en 1910 par l'architecte J.-Émile Vanier à la manière Beaux-Arts. Il se caractérise par l'équilibre de sa façade, le pignon central et les fenêtres en ogive. L'édifice central à pignon est flanqué de bâtiments de moindre hauteur à toits plats, le tout traité de façon harmonieuse.

10. Deuxième hôtel de ville de Côte-Saint-Paul, rue de l'Église. À l'arrière, le poste de pompiers et l'académie Saint-Paul, aujourd'hui disparue.

Carte des quartiers

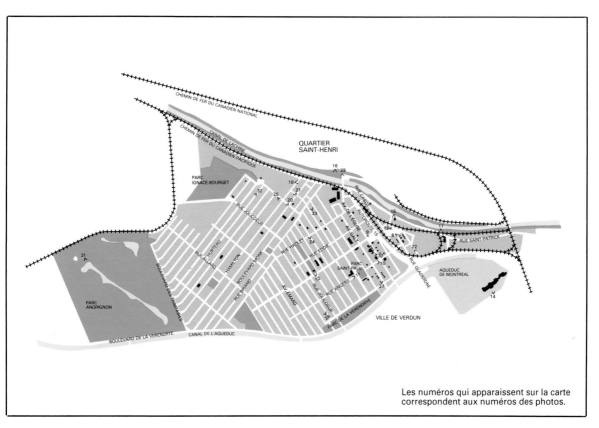

Les numéros qui apparaissent sur la carte correspondent aux numéros des photos.

Les bains publics, rue Laurendeau, conçus en 1914 par l'architecte Théodore Daoust dans l'esprit de l'école des Beaux-Arts, sont les plus flamboyants établissements de Ville-Émard. L'imposante balustrade qui sert de couronnement à la ligne de toit et les armoiries surmontant l'entrée principale, lui donnent une allure très officielle. Rue Monk, l'église Notre-Dame-du-Perpétuel-Secours, oeuvre de l'architecte Hippolyte Bergeron, a été réalisée en deux temps lors de la Première Guerre mondiale. Elle rappelle l'église Saint-Paul par son plan en forme de croix latine, son toit à pignon, ses tours-clochers et la pierre grise de sa façade.

Deux parcs du quartier originent du temps des anciens villages. Le parc Saint-Paul a été aménagé avec allées et fontaines, en 1909, sous le nom de King Edward VII; sir Alexander Tilloch Galt, riche propriétaire de l'endroit et grand promoteur du chemin de fer, avait fait don du terrain, en 1876, au village de Côte-Saint-Paul. Quant au parc Garneau, aménagé dans les années 20, il fut cédé à la municipalité de la paroisse de Côte-Saint-Paul au début du siècle par le promoteur Joseph-Ulric Émard et ses associés.

11. Le parc Saint-Paul. En arrière-plan, l'enseigne de la rue Angers, construit vers 1910, offre une belle enfilade d'escaliers.

12. Bains Émard
6071, rue Laurendeau.

Architecture industrielle d'hier et d'aujourd'hui

Quelques propos historiques sur l'aqueduc de Montréal, aujourd'hui un des plus modernes d'Amérique. Pour s'abreuver dans la ville, on a d'abord recours aux puits et aux sources. Et pour faire la distribution de l'eau potable, aux «porteurs d'eau», ces personnages folkloriques qui parcourent certaines banlieues jusqu'au début du XXe siècle. Pour la première fois en 1801, on canalise des sources jaillies de la montagne dans des tuyaux en bois. Les soixante-trois abonnés du réseau, bourgeois des rues Notre-Dame et Saint-Paul, sont forts insatisfaits du service: l'hiver, les tuyaux éclatent sous le gel et d'eau courante, nenni! À partir de 1819, on pompe l'eau du fleuve dans les grands réservoirs de la maison Hayes (1), rue Notre-Dame. On utilise alors une pompe à vapeur et des tuyaux de fer. Le système encore très primitif n'atteint qu'une faible partie de la population. L'expansion de la ville au-delà de la rue Sherbrooke amène, en 1848, la construction du réservoir de la Côte-à-Baron, à l'emplacement actuel du carré Saint-Louis (2). C'est à cette époque que les tuyaux en plomb font leur apparition.

14. Usine Atwater
3161, rue Joseph, Verdun.

En 1856, la construction du canal de l'Aqueduc est terminée. À l'emplacement actuel de l'usine Atwater, on trouve alors le pavillon des Roues, un édifice en pierre de style gréco-romain: l'eau du canal y actionne deux immenses roues reliées à des pompes hydrauliques qui poussent cette eau vers les hauteurs du réservoir McTavish. En 1868, on couple le système à des pompes à vapeur pour en augmenter la puissance. À la suite de l'épidémie de typhoïde de 1910, on construit la première usine de traitement de l'eau. La maison des Roues devenue inutile est démolie en 1911. L'actuelle station de pompage Atwater a été construite en 1923; on abandonne les pompes à vapeur et le réseau est alors électrifié. L'architecture des bâtiments s'inspire d'un courant californien, dit le «mission style», répandu par les missionnaires espagnols dans les colonies hispaniques.

13. Retour du porteur d'eau, en 1914, à l'occasion d'une grave pénurie d'eau occasionnée par le bris d'une des conduites du système d'aqueduc de Montréal.

(1) Moses-Judah Hays, président de l'Aqueduc de la ville, fit construire cette maison qui servit d'hôtel de ville de 1840 à 1845.
(2) Voir fascicule n° 6. (Voir volume, chapitre 6.)

Autour de l'écluse

Le plus ancien bâtiment industriel existant est la fabrique de cloches de Charles Orlando Clark construite vers 1893: charpente en bois, revêtement en brique, toit plat, fenêtres en arc de cercle, allure austère, ornementation limitée à un appareillage de brique au niveau de la corniche, l'édifice offre un bon exemple de l'architecture industrielle du tournant du siècle. La «Mount Royal Spinning», aujourd'hui «Dominion Textile», appartient à ce même courant architectural.

La construction de l'usine Crane, en 1919, marque une autre étape de cette évolution: la combinaison de ciment, d'agrégats et d'acier permet d'obtenir un matériau très résistant, le béton armé, qui peu à peu remplace l'acier dans la charpente des bâtiments. Les architectes Brown et Vallence qui ont conçu les plans de cet édifice, ont pris le parti de laisser à nu la charpente de béton tout en lui donnant un traitement particulier qu'on remarque aux dessins de lignes verticales dans le béton.

15. Ancienne usine Clark
    5010, rue Saint-Patrick.

16. Ancienne filature «Mount Royal»
    5524, rue Saint-Patrick
    En 1908, Frederick Gault engage l'architecte David Spence
    pour la construction de cette usine de même que pour celle
    de ses manufactures de textile du Griffintown (1).

17. Ancienne usine Crane spécialisée dans la fabrication de
    tuyaux et de soupapes de fonte
    3820, rue Saint-Patrick.

---

(1) Manufacture «Gault Brothers», 350, rue de l'Inspecteur et
Andrew Frederick Gault, 351, rue Duke.

Architecture résidentielle

La maison de Montréal

Depuis le début de la colonie, la maison au Québec s'est lentement transformée. À la ville comme à la campagne, on a tenté de mieux l'adapter à nos hivers rigoureux. Les fréquents incendies dans la ville amèneront très tôt l'administration de Montréal à émettre des directives détaillées sur les façons de la construire.

Ordonnance du 17 juin 1727...

Ordonnons de... «bâtir aucune maison dans les villes et gros bourgs, où il se trouvera de la pierre commodément, autre qu'en pierres; défendons de les bâtir en bois, de pièces sur pièces et de colombage...»

«...construire des «murs de refend» (1) qui excèdent les toits et les coupent en différentes parties, ou qui les séparent d'avec les maisons voisines, à l'effet que le feu se communique moins de l'une à l'autre...».

Défense de construire... *«des toits brisés, dit à la mansarde... qui font sur les toits une forêt de bois...».*

Outre ces nombreux édits, le coût élevé des terrains, à mesure que la ville s'agrandit, la prédominance des locataires et la présence dans le sol de la pierre calcaire et d'une argile propre à la brique ont favorisé la naissance de la maison en rangée, typique à Montréal.

Cette maison type se rencontre, avec des variantes, dans tous les quartiers de la ville, mêlée à d'autres habitations moins nombreuses, mais qui toutes ont connu leurs heures de popularité:

- la maison villageoise
- la maison urbaine traditionnelle
- la maison en rangée
- la villa
- la maison contiguë
- la maison semi-détachée
- la maison à logements multiples
- la maison de rapport.

Les maisons les plus représentatives du quartier seront reprises dans les pages suivantes pour illustrer l'évolution du patrimoine résidentiel.

Les «belles d'autrefois»

Les premières maisons construites à Côte-Saint-Paul furent des maisons de ferme sur le chemin public de la Côte, aujourd'hui rue Saint-Patrick; en 1825, après l'inauguration du canal de Lachine, une maison s'élève sur chacune des dix-huit terres concédées aux colons. Rue Hamilton, il existe un exemple de ces maisons rurales qu'on reconnaît au toit à pignon, au revêtement de bois et à la galerie recouverte d'un larmier.

Vers 1860, des familles ouvrières viennent habiter près de l'écluse à proximité des usines. En 1879, quand les villageois inaugurent leur premier hôtel de ville, on compte deux cents maisons à l'est de la rue de l'Église. On repère aujourd'hui quelques-unes de ces anciennes maisons dans le triangle formé par l'autoroute 15-20 et le canal de Lachine.

18. *5720, rue Hamilton*
Maison rurale construite entre 1860-1880. Elle est située sur l'ancienne terre Hudon mais des fondations récentes laissent à penser qu'elle a été déménagée à cet endroit.

---

(1) Murs coupe-feu.

19. 5081-83, rue Brock
Jolie maison victorienne voisine du premier hôtel de ville de Côte-Saint-Paul maintenant démoli (à droite sur la photo). Le toit en fausse mansarde de couleur contrastante crée un effet remarquable puisqu'il occupe le tiers de la façade: cette partie du toit, en pente fortement inclinée vers la rue et où s'insèrent les lucarnes se nomme le brisis.

20. 5735-61, rue Beaulieu
Maisons construites au début du siècle à Ville-Émard. Elles présentent un curieux mélange de caractères urbains (toit plat, escalier extérieur, commerce logé dans le coin tronqué du bâtiment) et villageois (revêtement en bois à clins). Le lambris de bois, tôt interdit à Montréal, continuera d'être utilisé dans les banlieues jusqu'à leur annexion à Montréal.

21. 5812-18, rue Beaulieu
Bâtiment multifamilial à toit plat et escalier extérieur, peu courant à Montréal. Il en est de même pour le revêtement en tôle à motifs embossés.

22. *5430-36, rue York*
   *Maison recouverte de bardeaux d'amiante, un des matériaux
   apparus au XXe siècle en remplacement des parements de
   bois et de maçonnerie.*

Le charme du méli-mélo

La principale caractéristique du quartier Saint-
Paul est la grande variété de son habitat.
Les maisons à un, deux et trois niveaux se retrouvent côte à côte le long des rues, au gré des
constructeurs, des modes et des époques. Elles
sont très rapprochées de la rue ou reculées au
fond du terrain, parfois contiguës, isolées ou
semi-détachées. Laquelle est la plus typique du
quartier, bien malin qui le dira!

24. *5728-30, rue Hadley*
   *Bâtiment résidentiel et commercial ayant conservé son décor
   d'origine: le fronton de brique à la ligne de toit et les vitrines
   en bois au rez-de-chaussée.*

23. *1746-58, rue Le Caron*
   *Maisons dites du «boom town» construites à la ligne arrière
   du lot entre des bâtiments de plus grand volume.*

25. *3013-33, rue Jacques-Hertel*
   *Maisons en rangée remarquables par l'appareillage de briques
   en damiers faisant office de couronnement.*

13.15

26. 1715-17, rue de l'Église
À l'origine, maisons de notables du quartier. Elle se distingue des maisons ouvrières par l'emploi de la pierre et une ornementation élaborée: fenêtre en encorbellement, balcon surmonté d'une tourelle décorée de tôle à motifs embossés. Notons sa proximité du presbytère, également en pierre bosselée.

27. 1415-19, rue Galt
Architecture typique des années 20, caractérisée par le parement en brique brune, la forme simplifée du couronnement, les colonnes en bois reliant galerie et balcon, les balustrades en fer et la présence de vitraux dans l'imposte des fenêtres.

28. 1410, rue Holy Cross
Maisons de vétérans, construites après la Seconde Guerre mondiale. À noter, le parement en bardeaux de cèdre.

Chaque quartier est à la fois un témoin du passé et un milieu de vie en constante évolution. Il rythme une manière de vivre... et de construire. Il se raconte à travers ses maisons, ses bâtiments prestigieux, ses rues, ses places publiques et ses usines. Puisse ce survol historique permettre aux générations actuelles de mieux apprécier la qualité et la richesse de leur quartier.

29. Jusqu'en 1848, les ponts jetés sur le canal étaient fixes; on démâtait les bateaux et les halait avec des chevaux. Puis, il y eut les ponts-levis et les ponts tournants.
Vue du pont de Côte-Saint-Paul, pont tournant, vers 1915.
À droite, la «Mount Royal Spinning».

Photos des pages 380 et 381:
30. Vue aérienne du sud-ouest de l'île de Montréal.
31. Parc Angrignon.
32. Résidence de la rue Hurteau.
33. Le noyau paroissial Saint-Paul.

Table des matières

Liste des plans et tableaux

Sources des illustrations

Chapitre 1

Archives photographiques Notman
Musée McCord d'Histoire Canadienne
2, 3, 4, 5, 6, 8.

Bibliothèque nationale du Québec
14, 15.

Normand Grégoire, photographe
9, 16, 17, 18, 19, 21, 22, 24, 25, 27, 28, 29, 31, 32, 33, 35, 36, 37, 39, 40, 42.

Photothèque
Ville de Montréal
7, 10, 11, 12, 20, 23, 26, 30, 34, 41.

Société historique de Saint-Henri
1, 13, 38

Chapitre 2

Archives photographiques Notman
Musée McCord d'Histoire Canadienne
3, 7, 14, 26.

Bibliothèque nationale du Québec
1, 2, 9, 11, 16, 30, 37.

Ministère des Affaires culturelles
Inventaire des biens culturels
10.

Normand Grégoire, photographe
13, 17, 18, 19, 20, 21, 22, 23, 24, 25, 27, 28, 32, 38, 39.

Philippe Dumais, photographe
Ville de Montréal
5, 12, 15, 29, 34, 35, 36, 41.

Photothèque
Ville de Montréal
6, 8, 31, 33, 40.

Société Saint-Jean-Baptiste
4.

Chapitre 3

Archives photographiques Notman
Musée McCord d'Histoire Canadienne
1, 3, 4, 5, 6, 7, 9, 10, 14, 17, 18, 20, 30.

Bibliothèque nationale du Québec
2, 11, 12.

Ministère des Affaires culturelles
Inventaire des biens culturels
8, 15.

Normand Grégoire, photographe
13, 16, 19, 21, 24, 25, 26, 27, 28, 29, 32, 37.

Photothèque
Ville de Montréal
35, 36, 38, 39.

Chapitre 4

Archives nationales du Québec
25.

Archives photographiques Notman
Musée McCord d'Histoire Canadienne
2, 9, 11, 13, 30, 51, 52.

Bibliothèque nationale du Québec
3, 5, 14, 20, 22, 23, 24.

Normand Grégoire, photographe
17, 18, 20, 21, 26, 27, 28, 29, 31, 32, 33, 36, 37, 38, 39, 40, 41, 42, 43, 44, 45, 46, 47, 48, 49, 50, 54, 55.

Photothèque
Ville de Montréal
1, 4, 6, 7, 8, 10, 12, 15, 16, 19, 34, 35, 53, 56.

Chapitre 5

Archives nationales du Québec
11, 32.

Archives photographiques Notman
Musée McCord d'Histoire Canadienne
7, 9, 14, 41, 50.

Atelier d'histoire Hochelaga-Maisonneuve
5, 6, 12, 24, 25, 27, 28, 29.

Bibliothèque nationale du Québec
4, 13, 17, 21, 30.

Commission de transport
Communauté urbaine de Montréal
10, 15, 16, 22.

Metropolitan Toronto Library
2.

Normand Grégoire, photographe
18, 19, 31, 34, 35, 36, 37, 38, 39, 40, 42, 43, 44, 45, 46, 47, 48, 49, 51, 52.

Photothèque
Ville de Montréal
1, 3, 8, 20, 23, 26, 33, 53, 54.

Chapitre 6

Archives nationales du Québec
36.

Archives photographiques Notman
Musée McCord d'Histoire Canadienne
3, 8, 9, 17, 24, 27, 37, 44, 71, 80.

Bibliothèque nationale du Québec
2, 4, 6, 7, 11, 12, 16, 21, 28, 33, 63.

Commission du transport
Communauté urbaine de Montréal
5, 14.

Normand Grégoire, photographe
19, 20, 23, 25, 26, 29, 30, 32, 34, 38, 39, 40, 41, 42, 43, 45, 46, 47, 49, 50, 51, 52, 53, 54, 55, 56, 57, 58, 59, 60, 61, 62, 64, 65, 66, 67, 68, 69, 70, 72, 73, 74, 75, 76, 77, 79, 81, 82, 84.

Photothèque
Ville de Montréal
1, 10, 13, 15, 18, 22, 31, 35, 48, 78, 83.

Chapitre 7

Archives nationales du Québec
8, 35.

Archives photographiques Notman
Musée McCord d'Histoire Canadienne
1, 2, 3, 6, 21, 33, 39.

Bibliothèque nationale du Québec
12, 13, 14.

Normand Grégoire, photographe
9, 10, 11, 15, 16, 17, 20, 22, 23, 24, 25, 26, 27, 28, 29, 30, 31, 32, 34, 36, 37, 38, 40, 42.

Paroisse Notre-Dame-des-Neiges
7.

Photothèque
Ville de Montréal
4, 5, 18, 19, 41.

Chapitre 8

Archives nationales du Québec
2.

Archives photographiques Notman
Musée McCord d'Histoire Canadienne
4, 9.

Bibliothèque nationale du Québec
3, 5, 10.

Normand Grégoire, photographe
7, 11, 12, 14, 15, 16, 17, 18, 19, 20, 21, 22, 23, 24, 25, 26, 27, 28, 30, 31, 34, 35, 36.

Photothèque
Ville de Montréal
1, 6, 8, 13, 32, 33.

Société de transport
Communauté urbaine de Montréal
29.

Chapitre 9

Archives photographiques Notman
Musée McCord d'Histoire Canadienne
7, 8, 39.

Bibliothèque centrale, salle Gagnon, collection Gariépy
Ville de Montréal
13.

Bibliothèque nationale du Québec
3, 4.

Roger Gratton
33.

Normand Grégoire, photographe
11, 12, 14, 15, 16, 17, 19, 20, 21, 23, 24, 25, 26, 27, 28, 29, 30, 31, 32, 34, 35, 36, 37, 38, 40, 41, 42, 43.

Photothèque
Ville de Montréal.
1, 5, 9, 10, 18, 22.

Société de transport
Communauté urbaine de Montréal
2, 6.

Chapitre 10

Archives nationales du Québec
12.

Archives photographiques Notman
Musée McCord d'Histoire Canadienne
2, 5, 6, 8, 9, 23, 31.

Bibliothèque nationale du Québec
1, 3, 4.

Communauté urbaine de Montréal
17, 24.

Roger Gratton
47.

Normand Grégoire, photographe
14, 15, 16, 18, 20, 21, 25, 26, 27, 28, 29, 30, 32, 33, 34, 35, 36, 37, 38, 39, 40, 42, 43, 44, 49.

Photothèque
Ville de Montréal
7, 11, 13, 19, 22, 41, 45, 46, 48.

Société de transport
Communauté urbaine de Montréal
10.

Chapitre 11

Archives photographiques Notman
Musée McCord d'Histoire Canadienne
2, 4, 23, 26.

Bibliothèque nationale du Québec
3, 5, 11.

Canadien Pacifique
1, 13, 14.

Normand Grégoire, photographe
7, 8, 9, 10, 12, 15, 16, 17, 18, 19, 20, 21, 22, 25, 28, 29, 30.

Photothèque
Ville de Montréal
6, 24, 27.

Chapitre 12

Archives nationales du Québec
Collection Casavant
16.

Archives photographiques Notman
Musée McCord d'Histoire Canadienne
1, 2, 21, 24, 28.

Bibliothèque centrale, salle Gagnon, collection Gariépy
Ville de Montréal
3, 4, 8.

Bibliothèque nationale du Québec
6, 7, 9, 13, 15, 20, 43.

Canadian Architectural Collection
Université Mc Gill
14.

Normand Grégoire, photographe
10, 17, 18, 19, 23, 25, 26, 27, 29, 30, 32, 33, 34, 35, 37, 38, 39, 41, 42, 44, 45, 46, 47.

Photothèque
Ville de Montréal
5, 12, 22, 31.

Société de transport de la communauté urbaine de Montréal

Chapitre 13

Archives publiques du Canada
4, 5.

Bibliothèque nationale du Québec
2, 3, 6, 7, 10, 13, 16.

Canadien Pacifique
30.

Réjeanne Desrosiers
Collection personnelle
29.

Robert Hébert, photographe
8, 9, 11, 12, 15, 17, 18, 19, 20, 21, 22, 23, 24, 25, 26, 27, 28, 31, 32, 33.

Photothèque
Ville de Montréal
14.

Service canadien des parcs
1.

Le contenu de la présente publication s'inspire de l'étude du macro-inventaire des quartiers montréalais. Cette étude a été réalisée dans le cadre de l'entente entre la Ville de Montréal et le ministère des Affaires culturelles sur la mise en valeur du Vieux-Montréal et du patrimoine montréalais.

Conception: Michèle Benoit, sociologue-urbaniste et Roger Gratton, architecte-aménagiste avec la collaboration du ministère des Affaires culturelles, Direction du patrimoine de Montréal, du Service de la planification et de la concertation, Module des Communications, et du Service de l'habitation et du développement urbain de la Ville de Montréal.

Recherches et textes: Michèle Benoit et Roger Gratton.
Plans et tableaux: Roger Gratton.
Conception visuelle: Dominique Blain.
Conception graphique: Jacques Filiatraut inc.

Seconde édition:

Coordonnatrice: Suzanne Gauthier.
Montage technique: Vital Lapalme.
Composition complémentaire: Nathalie Tapp, Guérin Lithographie.
Révision linguistique: Nadine Tremblay.

Ce livre, composé en Univers, a été imprimé à Montréal en l'an mil neuf cent quatre-vingt-onze sur les presses des ateliers Lidec pour le compte de Guérin littérature grâce à l'aimable collaboration de ses artisans.

●

**Achevé d'imprimer
en l'an mil neuf cent quatre-vingt-onze
sur les presses des ateliers Guérin,
Montréal (Québec)**